HARALD WELZER

A GUERRA DA ÁGUA

Por que mataremos
e seremos mortos
no Século 21

Tradução
William Lagos

GERAÇÃO

A GUERRA DA ÁGUA
Por que mataremos e seremos mortos no século 21

Copyright © 2010 by Harald Welzer
2ª edição – Julho de 2016

Grafia atualizada segundo o Acordo Ortográfico da Língua Portuguesa de 1990, que entrou em vigor no Brasil em 2009.

Editor e Publisher
Luiz Fernando Emediato

Diretora Editorial
Fernanda Emediato

Assistente Editorial
Adriana Carvalho

Capa
Alan Maia

Projeto Gráfico
Alan Maia e Kauan Sales

Diagramação
Kauan Sales

Preparação de Texto
Solange Pinheiro

Revisão
Josias A. Andrade

DADOS INTERNACIONAIS DE CATALOGAÇÃO NA PUBLICAÇÃO (CIP)
(Câmara Brasileira do Livro, SP, Brasil)

Welzer, Harald
A guerra da água : por que mataremos e seremos mortos no Século XXI / Harald Welzer ; tradução William Lagos.
-- São Paulo : Geração Editorial, 2010.

Título original: Klimakriege : wofür im 21. Jahrhundert getötet wird.
Bibliografia.
ISBN 978-85-8130-356-7

1. Aquecimento global - Aspectos políticos 2. Aquecimento global - Aspectos sociais 3. Extremos climáticos - Aspectos políticos 4. Extremos climáticos - Aspectos sociais 5. Guerra - Aspectos ambientais 6. Mudanças climáticas - Aspectos políticos 7. Mudanças climáticas - Aspectos sociais 8. Refugiados - Aspectos ambientais 9. Violência - Aspectos ambientais I. Título.

10-01226   CDD: 304.25

Índices para catálogo sistemático

1. Mudanças climáticas : Efeitos sociais   304.25

GERAÇÃO EDITORIAL

Rua Gomes Freire, 225 – Lapa
CEP: 05075-010 – São Paulo – SP
Telefax.: (+ 55 11) 3256-4444
E-mail: geracaoeditorial@geracaoeditorial.com.br
www.geracaoeditorial.com.br

Impresso no Brasil
Printed in Brazil

"ESTA PUBLICAÇÃO REFLETE A OPINIÃO PESSOAL DO AUTOR, QUE NÃO CONVERGE NECESSARIAMENTE COM A OPINIÃO OFICIAL DA ITAIPU".

ÍNDICE

UM BARCO NO MEIO DO DESERTO:
O PASSADO E O FUTURO DA VIOLÊNCIA: 9

CONFLITOS CLIMÁTICOS: 18
    O Ocidente I: 18
    Os Outros: 23
    O Ocidente II: 25
    Em Busca de Soluções: 34
    As Mortes têm Sentido: 38

O AQUECIMENTO GLOBAL E AS CATÁSTROFES SOCIAIS: 42
    Subcomplexidade: 47
    Quem somos "nós"? 49
    Os velhos problemas ambientais: 50

VARIAÇÕES CLIMÁTICAS – UMA RÁPIDA VISÃO GERAL: 55
    Dois graus a mais: 62

OS MORTOS DE ONTEM: 63
    O Fim do Mundo: 63
    Justificativas: 66
    A Contagem dos Corpos: 69
    Realidades Alteradas: 74

OS MORTOS DE HOJE:
O ECOCÍDIO 81
A Carne de sua Mãe está entre meus Dentes: 81
O Genocídio de Ruanda: 89
Vidas Apinhadas: 90
O que Viram os Matadores? 94
Darfur – A Primeira Guerra Climática: 96
A Ecologia da Guerra: 102
As Sociedades Fracassadas: 104
Nações em Colapso: 111
A Violência e as Variações Climáticas: 114
A Injustiça e a Desigualdade Temporal: 121
A Violência e a Teoria: 127

OS MORTOS DE AMANHÃ:
AS GUERRAS PERMANENTES, A LIMPEZA ÉTNICA,
O TERRORISMO E A EXPANSÃO DAS FRONTEIRAS: 132
As Guerras: 134
As Guerras Permanentes: 140
Os Mercados da Violência: 149
Adaptação: 156
Limpeza Étnica: 158
Conflitos Ambientais: 164
O Terror: 169
O Terror como Meio de Transformação do Espaço Social: 183
Significados Bloqueados: 186
Eneias, Hera, as Amazonas e a FRONTEX: Guerras Indiretas: 188
A Rota Marrocos-Espanha: 189
Campos de Refugiados: 193
Novamente a FRONTEX: 196
Estrangeiros Ilegais: 200
Os Refugiados e o Asilo Político: 209
Fronteiras fora do Próprio Território: 210
Os Rápidos Processos de Transformação da Sociedade: 213
As Modificações Climáticas Exageradas: 215

PESSOAS TRANSFORMADAS DENTRO DE REALIDADES ALTERADAS: 225
Linhas Básicas em Transformação: 226
Padrões de Referência e a Estrutura da Ignorância: 232
Conhecimento e Desconhecimento do Holocausto: 235
A Transformação das Linhas Básicas do Lado Oposto: 246

O RENASCIMENTO DOS VELHOS CONFLITOS: CRENÇAS, CLASSES, RECURSOS E A EROSÃO DA DEMOCRACIA: 255

O Deslocamento da Violência: 259

MAIS VIOLÊNCIA: 261

O QUE SE PODE FAZER E O QUE NÃO SE PODE I: 264

Continuar Agindo como de Costume: 265
Os Passados Futuros: 272
A Boa Sociedade: 276
A Tolerância Repressiva: 282
Saber Narrar a Própria História: 284

O QUE SE PODE FAZER E O QUE NÃO SE PODE II: 288

ANEXOS: 294

Gráficos e Tabelas: 294
Obras Consultadas: 295
Agradecimentos: 316

UM BARCO NO MEIO DO DESERTO: O PASSADO E O FUTURO DA VIOLÊNCIA

"Um leve tinir atrás de mim fez com que virasse a cabeça. Seis negros caminhavam em fila, percorrendo penosamente a senda estreita. Eles avançavam eretos e devagar, balançando pequenos cestos cheios de terra nas cabeças, e o ruído acompanhava cada um de seus passos. (...) Eu podia contar-lhes as costelas, as articulações de seus membros lembravam os nós de uma corda; cada um deles trazia uma golilha, um anel de ferro soldado ao redor do pescoço, todos interligados por uma corrente frouxa, cujos elos excedentes pendiam entre eles: era seu avanço compassado que fazia com que os elos tilintassem em um ritmo regular." Esta cena, descrita por Joseph Conrad em seu romance intitulado "O Coração das Trevas", descrevia a época de maior florescência do colonialismo europeu, distando dos dias de hoje pouco mais de cem anos.

A brutalidade impiedosa, com a qual os primeiros países industrializados buscavam satisfazer sua fome de matérias-primas, de terras e de poder, e que deixou as suas marcas sobre os demais continentes, não é mais aceita pelas condições vigentes nos países ocidentais. A memória da exploração, da escravidão e do extermínio tornou-se a vítima de uma amnésia democrática de que estão afetados todos os estados do Ocidente, que não querem recordar que sua riqueza, do mesmo modo que seu poderio e progresso, foram construídos ao longo de uma história mortífera.

Em vez disso, o que se encontra é um orgulho pela descoberta, observância e defesa dos direitos humanos, pela prática do politicamente correto, pela participação em atividades humanitárias, sempre que em algum lugar da África ou da Ásia uma guerra civil, uma inundação ou uma seca compromete as necessidades fundamentais de sobrevivência dos povos. Determinam-se intervenções militares para ampliar os domínios da democracia, esquecendo que a maioria das democracias ocidentais foi edificada sobre uma história de guerras de fronteiras, limpeza étnica e genocídios. Enquanto se reescrevia a história assimétrica dos séculos 19 e 20 dentro das condições de vida confortáveis e mesmo luxuosas das sociedades ocidentais, muitos habitantes de países do segundo e do terceiro-mundo mal suportam ouvir falar em tal história, porque foram dominados violentamente através dela: poucos dos países pós-coloniais foram conduzidos a uma soberania estável, muito menos a condições de bem-estar social; em muitas dessas nações, a história da espoliação continua a ser escrita sob diferentes disfarces e, em numerosas sociedades frágeis, não se encontram hoje sinais de progresso, mas sim de maior regressão.

O aquecimento progressivo do clima, um produto da fome inextinguível por mais energia fóssil dominante nas terras que primeiro se industrializaram, prejudica com maior rigor as regiões mais pobres do mundo; uma amarga ironia, que escarnece toda a esperança de que a vida se possa tornar algum dia mais justa. A capa deste livro mostra o vapor "Eduard Bohlen", antigamente encarregado de serviços postais, cujos destroços permanecem há quase cem anos recobertos pela areia do deserto da Namíbia. Ele desempenhou um pequeno papel na história das grandes injustiças. A 5 de setembro de 1909, no meio do nevoeiro, o barco encalhou diante da costa do território que na época se denominava África do Sudoeste Alemã. Hoje em dia, os restos do navio se encontram duzentos metros terra adentro; durante o século transcorrido, o deserto se ampliou oceano adentro. O "Eduard Bohlen", que percorria desde 1891 a linha comercial oceânica da companhia Woermann, sediada em Hamburgo, regularmente transportava correspondência para a África do Sudoeste Alemã. Durante a guerra de extermínio travada pela administração colonial alemã contra as tribos Hereros e Namas, serviu ocasionalmente como navio negreiro.

Durante esta guerra genocida, travada no princípio do século 20, uma boa parte da população indígena da África do Sudoeste não foi exterminada; foi conduzida a campos de concentração ou levada para campos de trabalhos

A GUERRA DA ÁGUA

forçados, em que os prisioneiros de guerra eram vendidos como trabalhadores escravos. Bem no começo da guerra, a administração colonial alemã enviou a um comerciante sul-africano chamado Hewitt 282 prisioneiros, que foram alojados precariamente nos porões do "Eduard Bohlen", sem que lhes encontrassem melhores possibilidades de acomodação, e com os quais não se sabia exatamente o que fazer, enquanto os Hereros não fossem completamente derrotados. Hewitt ficou entusiasmado com essa possibilidade e barganhou para que o preço fosse reduzido para 20 marcos por cabeça, com o argumento, considerado justo, de que os homens já estavam embarcados e ele não estava preparado para pagar pelas mercadorias despachadas o preço normal, além dos direitos alfandegários correspondentes. Ele obteve os prisioneiros em condições mais favoráveis e o "Eduard Bohlen" partiu do porto de Swakopmund, a 20 de janeiro de 1904, em direção à Cidade do Cabo, na África do Sul, de onde os homens foram enviados para trabalhar nas minas.[1]

Na verdade, foram os Hereros que iniciaram a guerra contra a administração colonial alemã, durante a noite de 11 para 12 de janeiro de 1904, começando por destruir uma estrada de ferro e derrubar grande quantidade de postes telegráficos e continuando pelo massacre de surpresa de 123 trabalhadores alemães ainda adormecidos nas fazendas.[2] Após algumas tentativas inúteis de apaziguamento da luta, o governo real de Berlim enviou o general-de-divisão Lothar von Trotha para comandar as tropas coloniais alemãs. Von Trotha adotou desde o início o conceito de uma guerra de extermínio, de acordo com o qual ele não procurou simplesmente vencer os Hereros por meios militares, mas os impeliu para o extermínio no deserto de Omaheke, onde ocupou todas as nascentes de água, provocando pura e simplesmente a morte de seus adversários pela sede.[3] Esta estratégia foi tão bem-sucedida quanto fora cruel; foi relatado que os sedentos cortavam as gargantas de seus animais para beber-lhes

---

[1] Veja Jan Bart Gewald, *The Issue of Forced Labour in the "Onjembo": German South West Africa, 1904-1908* [A questão dos trabalhos forçados na "Onjembo": África do Sudoeste Alemão, 1904-1908, publicado no *Bulletin of the Leyden Centre for the History of European Expansion* [Boletim do Centro Histórico da Expansão Europeia de Leiden (Holanda)], 19/1995, pp. 97-104, citação da p. 102. (Nota do Autor = NA). "Onjembo" foi o nome atribuído pelos Hereros a seu conflito com os colonizadores alemães. Hoje o termo designa os safáris de caça organizados pelo governo da Namíbia. (Nota do Tradutor = NT).

[2] Veja Medardus Brehl, *Vernichtung der Herero. Diskurse der Gewalt in der deutschen Kolonialliteratur* [O Aniquilamento dos Hereros. Discurso da Violência na literatura colonial alemã], München (Munique), 2007, p. 96. (NA). Os Hereros não eram nativos da Namíbia: haviam descido da Guiné Equatorial, então Guiné Espanhola (de onde o nome "Hereros" ou "Guerreiros"), através do Congo e de Angola poucas décadas antes, como conquistadores, movendo uma guerra de extermínio contra os Namas, um ramo dos bosquímanos, habitantes originais da região, chamados pelos alemães de "hotentotes". A língua Nama é hoje oficial na Namíbia. (NT).

[3] Medardus Brehl, *Vernichtung der Herero. Diskurse der Gewalt in der deutschen Kolonialliteratur* [O Aniquilamento dos Hereros. Discurso da Violência na literatura colonial alemã], München (Munique), 2007, p. 98. (NA).

11

o sangue e que finalmente esmagavam seus intestinos para deles retirar os últimos restos de umidade. Não obstante, acabaram morrendo.[4]

Mas a guerra prosseguiu, mesmo depois de os Hereros terem sido aniquilados; determinou-se que os Namas, uma outra etnia, deveriam ser desarmados e subjugados enquanto as tropas alemãs ainda se encontrassem no território. Diferentemente dos Hereros, os Namas não ofereceram combate aberto, mas se limitaram a um combate de guerrilhas, que se tornou um grave problema para as tropas coloniais, que adotaram, por sua vez, uma estratégia diferente, a qual logo seria imitada com frequência ao longo do mortífero século 20: para retirar dos guerreiros os recursos sobre os quais se apoiavam, os alemães assassinaram as mulheres e filhos dos Namas ou os encerraram em campos de concentração.

A violência foi realizada sob a pressão das circunstâncias e produziu suas consequências. Estas permaneceram, originaram novos meios de aplicação da violência, que se foram tornando tanto mais amplos quanto mais eficientes se demonstravam. Isto porque a violência é inovadora: ela gera novos meios e encontra novas proporções. As tropas coloniais alemãs, não obstante, tiveram de combater os Namas durante mais de três anos. Além disso, nem todos os campos de concentração permaneceram sob controle do governo; também empresários privados, como a empresa de linhas marítimas Woermann, estabeleceram seus próprios campos de trabalhos forçados.[5]

Esta guerra de extermínio não foi somente um exemplo da impiedade da violência colonial, como um modelo para os genocídios futuros – por meio de seu propósito de total eliminação, cumprido pelo internamento nos campos estabelecidos, que significavam uma estratégia de extermínio por meio dos trabalhos forçados. Todos já ouvimos contar a história de suas consequências; o Departamento I dos escritórios do Estado-Maior, encarregado de redigir a história da guerra, escreveu orgulhosamente, em 1907, que "nenhum esforço, nenhuma privação" foram poupados "para que os inimigos fossem privados dos últimos vestígios de sua capacidade de resistência, pois metade deles foi morta nas regiões desérticas pela captura progressiva de todos os poços de água, até que, finalmente, sem mais energia, eles fossem sacrificados pela natureza de sua própria terra. O deserto sem água de Omaheke completou o que

---

[4] Veja Jürgen Zimmerer, Krieg, KZ und Völkermord in Südwestafrika [A Guerra, os Campos de Concentração e o Genocídio na África do Sudoeste], publicado em Jürgen Zimmerer e Joachim Zeller (editores): *Völkermord in Deutsch-Südwestafrika. Der Kolonialkrieg (1904-1908) in Namíbia und seine Folgen* [Genocídio na África do Sudoeste Alemã. A Guerra colonial (1904-1908) na Namíbia e suas Consequências], Berlim 2003, p. 52. (NA).

[5] *Ibidem*, pp. 54ss. (NA).

as armas alemãs haviam iniciado: a aniquilação da tribo dos Hereros."[6] Isto se passou há cem anos; desde então, as formas de violência se modificaram, nem tanto em sua forma e aspecto, mas na maneira segundo a qual são referidas. O Ocidente não costuma mais, salvo em casos excepcionais, empregar violência direta contra outros estados; as guerras são hoje empreendimentos realizados por longas cadeias de ação e numerosos atores, por meio dos quais a violência é delegada e se torna informe e invisível. As guerras do século 21 são pós-heroicas e apresentadas como sendo conduzidas de má-vontade pelas nações que as empreendem. E no que se refere ao orgulho nacional por ter sido alcançada a aniquilação de tribos selvagens... isto é coisa que, desde o holocausto dos judeus, se tornou impossível mencionar.

O "Eduard Bohlen" se enferruja hoje, semienterrado na areia do deserto da Namíbia e talvez tenha chegado o momento em que o modelo completo das sociedades ocidentais, com todas as suas conquistas de democracia, direitos humanos, liberdade, liberalidade, arte e cultura, sob o ponto de vista de um historiador do século 22, se demonstre tão irremediavelmente deslocado como nos parece hoje a visão do velho navio negreiro nadando no meio do deserto, um corpo estranho peculiar que dá a impressão de se ter originado em *outro mundo*. Isso no caso de ainda haver historiadores quando chegar o século 22.

Este modelo de sociedade, tão impiedosamente desenvolvido ao longo de uma guerra com a duração de um quarto de milênio, tornou-se agora dominante, em um piscar de olhos, no momento em que seu caminho vitorioso atingiu um alcance global, no qual até mesmo os países comunistas e aqueles que não eram exatamente comunistas foram incluídos, pela atração irresistível de padrões de vida em que os automóveis, as televisões, os computadores de tela plana e as longas viagens determinaram as novas fronteiras de sua atuação, produzindo consequências inesperadas que ninguém havia calculado. As emissões de gás carbônico que a fome de energia das indústrias e das administrações dos países de desenvolvimento descontrolado produzem em níveis progressivamente maiores ameaçam os ritmos normais de desenvolvimento do clima terrestre. Suas consequências já se tornaram visíveis, embora o futuro ainda seja imprevisível. Ainda mais claramente agora, quando se percebe que a utilização

---

[6] Citado *apud* Jürgen Zimmerer, Krieg, KZ und Völkermord in Südwestafrika [A Guerra, os Campos de Concentração e o Genocídio na África do Sudoeste], publicado em Jürgen Zimmerer e Joachim Zeller (editores): *Völkermord in Deutsch-Südwestafrika. Der Kolonialkrieg (1904-1908) in Namíbia und seine Folgen* [Genocídio na África do Sudoeste Alemã. A Guerra colonial (1904-1908) na Namíbia e suas Consequências], Berlim 2003, p. 45. (NA).

desmedida das fontes de energia fóssil não pode mais ser continuada indefinidamente, uma vez que o fim destas reservas pode ser esperado antes de muito tempo, já que o esgotamento de tais recursos é inevitável, devido ao desinteresse pelas consequências e o descontrole com que são queimados.

Mas não é somente porque as transformações climáticas causadas pelas emissões de gases poluentes e que já provocaram um aquecimento global médio da ordem de dois graus não pareçam mais poder ser controladas que o modelo ocidental já atingiu os seus limites, mas também porque uma forma de desenvolvimento globalizado que tenha por base o consumo incontido de recursos naturais não poderá funcionar como um princípio de abrangência mundial. Isto porque este modelo funcionou logicamente apenas enquanto o poder de uma parte do mundo acumulou o que foi desviado de outras partes; este modelo é particular e não universal – nem todos os países poderão segui-lo doravante. Enquanto a astronomia não nos oferecer planetas próximos o bastante que possam ser colonizados, chegamos à constatação desapontadora de que a Terra é apenas uma ilha. Não teremos mais para onde nos expandir, depois que as reservas tenham sido esgotadas e os campos de cultivo ocupados pela urbanização.

Agora que os recursos restantes claramente estão se esgotando, pelo menos em muitas regiões da África, da Ásia, da Europa Oriental, da América do Sul, do Ártico e das Ilhas do Pacífico, surge o problema de que cada vez mais pessoas encontrarão cada vez menores bases de segurança para sua sobrevivência. Está ao alcance de todos a constatação de que conflitos armados surgirão entre estes povos, para que eles possam se nutrir do cultivo das próprias terras e das de seus vizinhos ou porque queiram beber das fontes de água que progressivamente se esgotam em seus territórios ou nos territórios próximos; de forma semelhante, também se tornou visível para todos que as pessoas, dentro de um futuro previsível, não mais tenham mecanismos práticos de contenção dos refugiados de guerra e do meio ambiente, ao mesmo tempo que não se possam mais separar deles, porque cada vez mais novas guerras provocadas pela decadência ambiental surgirão e os povos fugirão para escapar às consequências da violência. Uma vez que eles terão de permanecer em algum lugar, darão origem a novas fontes de violência – em seus próprios países, onde não saberão o que fazer com os refugiados internos, ou nas fronteiras de outras terras que desejem atravessar, mas onde não serão desejados de qualquer maneira.

O objetivo deste livro é o de responder às questões provocadas pela maneira como o clima e a violência se inter-relacionam. Em alguns casos, como o da

Guerra do Sudão, este relacionamento é direto e pode ser constatado de imediato. Em muitos outros contextos de violência presente ou futura – no caso das guerras civis, de conflitos permanentes, do terror, da imigração ilegal, das disputas fronteiriças, das agitações e revoltas – predomina uma ligação com as modificações climáticas e os conflitos ambientais de caráter apenas indireto, especialmente no sentido de que o aquecimento da temperatura provoca efeitos desiguais ao redor do globo, dependendo da densidade demográfica, da situação geográfica e das condições de vida, porque afeta as diversas sociedades de forma altamente diferenciada.

Porém, tomadas em seu conjunto, quer as guerras climáticas assumam uma forma direta ou indireta, qualquer que seja a forma como se travem os conflitos do século 21 – a violência terá um grande papel futuro ao longo deste século. Não se verão somente as *migrações em massa*, mas soluções violentas no enfrentamento dos *problemas dos refugiados*, que não abrangerão apenas os direitos à água ou ao cultivo e exploração do solo, portanto, *guerras de recursos naturais* e não somente conflitos de religião, ou *guerras de consciência*. Uma característica central da violência, que será costumeira no Ocidente, será a preocupação de transferir suas manifestações para o mais longe de seus próprios territórios quanto seja possível – pela contratação de forças de segurança e de defesa privadas ou, no caso de que as suas fronteiras mesmas sejam ameaçadas, em localizar o conflito do outro lado dos seus limites, concentrado em países econômica ou politicamente dependentes. Também as preocupações políticas sobre a segurança, provocando a realização de atos criminosos antes que os fatos os justifiquem, na forma de precauções prévias tomadas anteriormente à manifestação das circunstâncias, se enquadram neste processo da manipulação crescente da violência indireta. Ainda que o Ocidente não se envolva diretamente no meio dos conflitos, como no caso do Afeganistão ou do Iraque, porém favoreça o deslocamento da violência para além de suas fronteiras, atribuindo-lhe um caráter indireto, ele permite a permanência em outras terras de situações sociais em que as condições para o exercício da violência são centrais e permanentes, sob as quais as pessoas buscam viver apesar de todas as dificuldades. Tudo isto é sinal de uma assimetria que vem governando a história mundial há mais de duzentos e cinquenta anos, mas que hoje em dia se agrava progressivamente em razão do aquecimento climático global.

Seria pouco produtivo fazer uma pesquisa e querer realizar um prognóstico verdadeiro sobre guerras e conflitos violentos que possam ocorrer no futuro, sem querer descobrir por que tais processos sociais não se desenvolvem linearmente – não se podem saber hoje quais modificações o degelo da camada de *permafrost* siberiano colocará em ação ou que grau de violência a inundação de uma megalópole ou de um país inteiro poderá provocar. E podemos saber ainda menos como as pessoas do futuro reagirão perante as ameaças e quais consequências serão por sua vez desencadeadas por suas reações. Isto vale principalmente para o começo da compreensão das variações climáticas e seus efeitos por parte das ciências naturais por este motivo: será extremamente fácil deixar de perceber que, via de regra, a base argumentativa dos pesquisadores das condições climáticas se baseia na história. Eles calculam em particular os processos das grandes transformações que podem ser diretamente verificados pela sua mensuração presente; por exemplo as concentrações de dióxido de carbono na atmosfera, na água ou no gelo, comparadas com as medições exatas dos dados históricos mineralógicos realizadas por seus predecessores.

Os cenários futuros, que suscitam preocupações claramente justificáveis, são calculados a partir dos dados registrados no passado e de forma inteiramente semelhante, encontram-se neste livro muito poucas especulações sobre os futuros possíveis, porque foi registrado como e por que a violência foi desencadeada no passado e tais dados nos levam a estimar com relativa precisão qual será o desempenho da violência no decorrer do século 21. A violência *sempre* foi uma opção nos relacionamentos humanos e é inevitável que soluções violentas também sejam encontradas para os problemas futuros, quando retornarem condições ambientais desfavoravelmente modificadas.

Deste modo, encontram-se nas páginas seguintes não somente descrições das Guerras Climáticas, como também pesquisas informadas sobre a maneira como as pessoas incluídas no âmbito dessas guerras tomarão decisões com relação às mortes ou como sua percepção do ambiente será modificada, porque as condições objetivas de uma situação não decidem como as pessoas se comportarão, mas sim a forma e a maneira como estas condições serão percebidas e entendidas. Neste conjunto também se incluem as questões referentes aos motivos pelos quais certas pessoas se decidem a transformar-se em terroristas suicidas, por que ocorrem guerras em cuja conclusão ninguém está interessado ou por que cada vez mais pessoas estão dispostas a trocar o direito a suas liberdades pessoais por garantias de segurança.

Este livro refere-se apenas por alto à narrativa dos problemas, porque os problemas percebidos logo conduzem a soluções, sempre que são realmente percebidos como ameaças; subsequentemente revela os resultados de três pesquisas acuradas sobre as mortes de ontem, de hoje e de amanhã, passando imediatamente a uma descrição da modificação das linhas básicas, ou seja, os fenômenos fascinantes das possíveis transformações das pessoas em sua percepção e valorização do meio ambiente, sem que isso as leve a observar ou modificar seus próprios comportamentos.

A pergunta final de um livro como este decorre naturalmente, ou seja, o que pode ser feito para impedir os piores efeitos dessas transformações? Ou – dito de forma mais patética – para observar e seguir as lições práticas da história. O primeiro capítulo da seção de encerramento se interessa assim pelas possibilidades de uma modificação cultural que nos permita um abandono da lógica mortífera do crescimento incessante e do consumo ilimitado, sem que as pessoas sejam forçadas a abdicar de tudo. Os capítulos desta seção acabam encerrando sua exposição de forma otimista e apresentando reflexões sobre como o conceito de *uma boa sociedade* possa ser adotado e desenvolver-se a partir de agora.

Depois, segue-se ainda um segundo capítulo de encerramento, no qual são apresentadas as perspectivas mais sombrias correspondentes à minha avaliação de como se irão passar as coisas sob as variações climáticas futuras: não haverá nenhuma possível solução que nos seja favorável. Suas consequências não somente modificarão o mundo e estabelecerão novas formas de comportamento, de fato, retomadas das mesmas que se conhecem de há muito, como também significarão o fim do racionalismo e de seus conceitos de liberdade. Mas também existem livros que estão sendo atualmente escritos por outros autores, que manifestam a esperança de que estas conclusões estejam erradas.

CONFLITOS CLIMÁTICOS

O Ocidente I

No ano de 2005 foi anunciada a criação de uma "Agência Europeia para a Administração do Trabalho de Cooperação Operacional nas Fronteiras Externas dos Estados-membros da União Europeia". Por trás deste nome hermético e aparentemente burocrático se ergue uma instituição altamente dinâmica que controla as fronteiras externas da União Europeia de maneira firme e eficiente. Cerca de cem funcionários trabalham constantemente para alcançar este objetivo e administrar uma força conjunta de todos os estados-membros, formada por quinhentos a seiscentos policiais de fronteira em destacamentos móveis e que – esta é uma nova realidade – também devem realizar tarefas *fora* das atribuições normais das polícias de fronteira regulares. A Agência dispõe atualmente de vinte aeroplanos, trinta helicópteros e mais de cem barcos, todos equipados com as mais recentes inovações técnicas, como equipamento de visão noturna, computadores portáteis etc.

Uma vez que o nome oficial é tão proibitivo, pode-se entender facilmente que seja em geral referido por uma abreviatura: nas "*frontières exterieures*" [fronteiras externas] da França, a denominação é reduzida para "FRONTEX" e isto não exclui o fato de que o nome seja programático. A FRONTEX está intimamente associada a outras autoridades, como a EUROPOL, delibera sobre as políticas de fronteira locais, particularmente nos pontos de passagem de imigrantes ilegais e dá apoio ao que é chamado de "execução conjunta pelos estados--membros das medidas de recondução da partida obrigatória de indivíduos provenientes dos estados do terceiro-mundo."[7] Por "indivíduos provenientes aos estados do terceiro-mundo" se entendem pessoas que não têm direito a asilo político e são transportadas para seus países de origem, ou seja, em linguagem oficial, "repatriadas" depois que tenham ingressado no território da União Europeia de qualquer modo extraoficial, o que se refere principalmente àqueles imigrantes que não se encontrem protegidos pela assinatura do Tratado de Schengen, no Luxemburgo, firmado por seus próprios países.[8]

O Tratado de Schengen, assinado a 26 de março de 1995, colocou em vigor as medidas destinadas a tratar dos problemas de segurança das fronteiras externas dos países-membros localizados dentro dos limites da União Europeia. Ao mesmo tempo que, no interior do território abrangido pelo Tratado de Schengen, a movimentação e as viagens de seus cidadãos são livres, do mesmo modo que se estabeleceu a renúncia ao controle fronteiriço nas viagens entre a Alemanha, a Holanda e a Áustria, permanece um "Regulamento segundo os Países de Origem", que exige uma prova de perseguição política para quem solicita asilo, particularmente quando procedem de países considerados "seguros"; existe igualmente um "Regulamento para os Países do Terceiro-Mundo", que se esforça ao contrário, para que as pessoas que ingressam mediante contratos de trabalho, por exemplo, de Serra Leoa para a província espanhola da Andaluzia, permaneçam lá e que aquelas que viajem para a Alemanha sejam, em qualquer circunstância, recambiadas para a Espanha e não possam mais pedir asilo naquele país. Não existe nada de surpreendente no fato de este regulamento, inicialmente em vigor nas fronteiras espanholas e portuguesas, ter tido sua vigência consideravelmente aumentada, a fim de incluir as fronteiras da Europa Oriental, ao mesmo tempo que as candidaturas para asilo político na Alemanha tenham baixado para um quarto do nível de 1995. Realmente, uma questão vem sendo apresentada em toda a União Europeia, ou seja, tomando em consideração os números presentes e futuros de refugiados impelidos pelas variações climáticas, cujo aumento vem se tornando progressivamente mais rápido, que a defesa das fronteiras externas dos países europeus deva ser empreendida de forma muito mais enérgica, decisão esta que poderá ser tomada muito em breve.

---

[7] Conforme o *site* oficial http://www.frontex.europa.eu. (NA).

[8] Em primeiro lugar a Alemanha, a França, a Bélgica, o Luxemburgo e a Holanda ajustaram a facilitação do turismo dentro de suas fronteiras internas; ao mesmo tempo, combinaram medidas de controle mais firmes em suas fronteiras externas; a partir daí foram assinados tratados incluindo a Itália (1990), Portugal (1991), Grécia (1992), Áustria (1995), Dinamarca, Finlândia e Suécia (1996), seguindo-se em 1997, a assinatura do Tratado de Direitos da União Europeia em Schengen, Luxemburgo. A Noruega, a Islândia e a Suíça permanecem fora da União Europeia. (NA).

Por esta razão a FRONTEX foi promulgada por decreto e já tem registradas oficialmente suas primeiras consequências – um aumento considerável do retorno forçado dos barcos de refugiados que desembarcam nas Ilhas Canárias. Por sua vez, estes refugiados que – geralmente em barcos de borracha – percorreram 1.200 quilômetros em mar aberto desde a África Ocidental até a Grande Canária ou Tenerife, são pessoas provenientes de países onde predominam condições que tornam impossível sua sobrevivência. Alguns deles foram desalojados por grandes projetos de construção de represas, outros fogem de guerras civis ou de campos de refugiados, outros ainda saíram de megalópoles como Lagos, na Nigéria, onde três milhões de pessoas vivem em favelas, nas quais não existe nem água encanada, nem esgotos. Para escapar destas circunstâncias, eles contratam, mediante o pagamento de somas exorbitantes, embarcações apresentadas como rebocadores e adquirem lugares em barcos superlotados, na sua maioria sem condições de navegação em alto-mar e sem perspectiva de empreender a viagem de retorno, mas aceitam mesmo assim o alto risco de não sobreviverem à travessia.[9] Apesar de tudo isso, somente no ano de 2006, cerca de trinta mil destes imigrantes chegaram com vida às Canárias, desembarcando aqui e ali e constituindo um sério problema para as autoridades responsáveis pela segurança, sem esquecer que representam igualmente um problema considerável para a indústria do turismo.

Outros refugiados preferem atravessar o Estreito de Gibraltar, que tem apenas 13 quilômetros de extensão, mas não é menos perigoso, devido às condições dominantes das velozes correntes marítimas e ao denso tráfego de navios pesados. Embora o número dos fugitivos que chega a alcançar as praias espanholas e portuguesas do outro lado do estreito não seja correspondente ao grande número de refugiados referido acima, via de regra, a maior parte deles é devolvida em quaisquer circunstâncias aos seus países de origem. Não obstante, calcula-se que, somente em 2006, cerca de 3.000 pessoas atingiram os pontos de desembarque. Aqui também se apresenta a mencionada FRONTEX, que exerce uma atuação direta e vigorosa para evitar "as tentativas de imigração ilegal em condições de perigo de morte".[10]

Ninguém está interessado em saber os motivos que levam estes refugiados a querer chegar à Europa a qualquer preço; ao contrário, a FRONTEX trabalha

---

[9]   Um lugar nos barcos puxados pelos assim chamados rebocadores custa entre 2.000 e 4.000 euros. Este dinheiro é reunido pelas famílias dos refugiados e lhes é emprestado na esperança de receber eventualmente somas mais elevadas destes últimos, depois que se transfiram novamente e consigam empregos na Europa como trabalhadores imigrantes. Compare com Klaus Brinkbäumer, *Der Traum vom Leben. Eine afrikanische Odysee* [O Sonho da Vida, uma Odisseia Africana], Frankfurt am Main, 2007. (NA).

[10]   Conforme o *site* oficial http://www.frontex.europa.eu. (NA).

no sentido de obstruir totalmente estas rotas perigosas, determinando naturalmente as formas ideais para a segurança das fronteiras, dificultando ao máximo a passagem pelas fronteiras externas nas proximidades da África, se possível impedindo de antemão que os refugiados cheguem a sair do continente. Já em outubro de 2004, o então ministro do interior do Conselho Federal Alemão, Otto Schilly, apresentou a proposta de instituir acampamentos para os capturados, a fim de realizar interrogatórios diretamente no local e sítio de captura, destinados a demonstrar se um pedido de asilo era justificável ou não.[11] Esta ideia provocou o desagrado da maioria dos ministros do interior dos demais países-membros e deu igualmente origem a fervorosos protestos da parte de organizações para a defesa dos direitos humanos. A busca de outras soluções, e as correspondentes discussões entabuladas com a União Africana permanecem tenazmente empacadas até hoje, enquanto os problemas de segurança nas fronteiras se agravam e presentemente não existe qualquer alternativa, a não ser que se permita o ingresso livre dessa gente na Europa. A situação dos enclaves espanhóis de Ceuta e de Melilla tipifica diretamente o problema, com as fronteiras sendo progressivamente reforçadas e elevadas, ao passo que os refugiados encontram meios desesperados de atravessar as cercas – algumas vezes na forma de ataques em massa, como aconteceu em setembro de 2005, quando cerca de oitocentas pessoas ao mesmo tempo tentaram tomar de assalto a fronteira.

Enquanto isso, os países invadidos encontram alívio graças à criação de novas técnicas – como a cerca americana na fronteira com o México, onde foi implantado, além dela, um sistema de defesa no valor atual de dois bilhões de dólares, o qual, entre outras coisas, capta por GPS a posição de potenciais invasores da fronteira, mostrada ao vivo nos *laptops* [computadores portáteis] das patrulhas mais próximas da polícia de fronteira. Espera-se que o número de ilegais que atravessam a fronteira seja assim drasticamente reduzido. Somente no ano de 2006, foram detidas um milhão e cem mil pessoas que tentavam atravessar essa fronteira. Em setembro de 2006, o Congresso americano aprovou o plano de construção de uma cerca eletrônica de alta tecnologia, com a extensão de 1.125 quilômetros, na expectativa de apoiar o funcionamento das autoridades de segurança fronteiriça. A cerca acabou realmente por alcançar a extensão de 3.360 quilômetros, mas ainda assim é atravessada,

---

[11] Cornelia Gunβer: Der europäische Krieg gegen Flüchtlinge [A Guerra europeia contra os Refugiados], publicado em *Ak – Analyse und Kritik* [Análise e Crítica], 19 de novembro de 2004. Uma versão revisada (2005) pode ser acessada em http://www.fluechtlingsrat-hamburg.de/content/eua_EULagerplaene.Gunβer.pdf. (NA).

HARALD WELZER

embora as medidas tomadas intimidem um grande número de invasores potenciais, especialmente porque a permanência nas terras da fronteira não é de modo algum desejável, uma vez que esta é composta na sua maioria por zonas desérticas ou montanhosas; o caminho mais curto é de 80 quilômetros. Entre 1998 e 2004, esta travessia a pé provocou a morte de 1.954 pessoas.

Tanto a América do Norte quanto a Europa precisarão no futuro estabelecer defesas muito mais vigorosas, diante do assalto assustador dos milhões de refugiados que, já se espera, sejam impelidos pelas mudanças climáticas. A fome, a falta de água, as guerras e a desertificação africana causarão pressões incalculáveis e preocupações constantes nas fronteiras das ilhas de prosperidade formadas pela Europa Ocidental e pela América do Norte. O WBGU (*Wissenchaftliche Beirat der Bundesregierung Globale Umweltveränderungen* [Conselho Científico do Governo Federal Alemão para Consultas sobre as Modificações do Ambiente Global]) afirma que em seu conjunto "um bilhão e cem milhões de pessoas não dispõem atualmente de qualquer acesso seguro a um suprimento de água potável em quantidade e qualidade suficientes". Esta situação, também relata, poderia "em certas regiões do mundo agravar-se consideravelmente, uma vez que, devido às variações climáticas, deverão ocorrer grandes oscilações no regime de chuvas e, consequentemente, no suprimento de água".[12]

Além disso, já existem ao redor do mundo cerca de 850 milhões de pessoas sofrendo de desnutrição; um número que, outrossim, em vista das previsões dos especialistas sobre as consequências das variações climáticas, tende a aumentar consideravelmente, na medida em que as terras cultiváveis ou as colheitas delas provenientes forem progressivamente diminuindo por uso excessivo e esgotamento. Os conflitos internos de repartição de terras daí resultantes conduzirão a um aumento progressivo do risco da escalada de violência, com as consequências correspondentes sobre o deslocamento de populações e migrações internas e externas, por meio das quais o número dos assim chamados focos de emigração tenderá a uma ampliação cada vez maior. As políticas de desenvolvimento deverão, a partir deste pano de fundo, conforme propõe o Conselho Científico do Governo Federal Alemão para Consultas sobre as Modificações do Ambiente Global, ser compreendidas como "uma política de segurança preventiva".

---

[12] Wissenchaftliche Beirat der Bundesregierung Globale Umweltveränderungen [Conselho Científico do Governo Federal Alemão para Consultas sobre as Modificações do Ambiente Global] (WBGU): *Welt im Wandel – Sicherheitsrisiko Klimawandel* [Mundo em Transformação – Variações Climáticas e Riscos de Segurança], Berlim/Heidelberg 2007 (no prelo [sic]); dados especializados e uma sinopse abrangente podem ser consultados no *site* da editora, em http://www.rhombos.de/shop/a/show/story/?1106&PHPS ESSID=8398524d78686a29de09a62fe51342d3. (NA).

As atuais medidas defensionistas nos dão uma previsão sobre o que irá transcorrer quando os fluxos de refugiados provocados pelas variações climáticas se tornarem muito mais potentes. Os conflitos sobre espaço vital e recursos, provocados pelo aquecimento da Terra, provocarão uma ampliação fundamental da violência nas sociedades ocidentais durante as próximas décadas. A FRONTEX é somente uma precursora bastante modesta. Deste modo, as variações climáticas não serão somente uma circunstância dos interesses políticos mundiais de urgência exclusiva no exterior, mas se transformarão no principal desafio social das sociedades modernas, porque as possibilidades de sobrevivência de milhões de pessoas serão ameaçadas e estas serão levadas a empreender migrações maciças. Deste modo, surgirá a pergunta inevitável sobre como se deverá administrar as massas de refugiados que saírem dessas terras e se deslocarem para os países desenvolvidos, simplesmente porque não terão mais condições de existência ou sobrevivência em seus países de origem e desejarão tomar parte das condições superiores prevalecentes nos países privilegiados.

Os Outros

Ao norte do Sudão existe um deserto que, ao longo dos últimos quarenta anos, se expandiu cem quilômetros em direção ao antes florescente Sudão Meridional. Isto foi provocado, inicialmente, porque as precipitações pluviométricas vêm diminuindo regularmente na região e, por outro lado, pelo aumento descontrolado no uso das pastagens, pelo desmatamento das florestas e pela consequente erosão do solo, que determinaram a esterilidade de grandes trechos dessa nação. Desde a independência do país, cerca de 40% do total das matas do território foram inteiramente destruídas; no momento atual, o desflorestamento das reservas restantes se expande a um ritmo de 1,3% anual. Para muitas regiões do país, o programa de controle ambiental das Nações Unidas prognostica uma perda total das florestas no transcurso dos próximos dez anos.

Os modelos climáticos da atualidade preveem um aumento geral da temperatura no Sudão da ordem de meio grau até o ano de 2030 e de um grau e meio até 2060; de forma oposta, o regime de chuvas irá diminuir mais 5% nesse período, com relação às precipitações anuais do presente. Para as colheitas de

HARALD WELZER

cereais isto significa um retrocesso da ordem de 70% aproximadamente. No Sudão Setentrional vivem ainda cerca de trinta milhões de pessoas. A avaliação destes números nos faz saber facilmente que este país já se encontra entre as regiões mais pobres do mundo; de forma semelhante, vem sendo submetido a ameaças ecológicas progressivas, além do fato de que há meio século vem sendo travada no Sudão uma guerra civil. Esta já provocou o deslocamento de cinco milhões de refugiados dentro deste país, as assim chamadas IDP (*Internal Displaced Persons* [Pessoas Internamente Deslocadas]), que foram forçadas a abandonar suas aldeias por causa da expulsão sistemática por milicianos. Eles não somente assassinam muitos, como incendeiam as aldeias e até as matas, para impedir o retorno dos sobreviventes.

A maioria dos "deslocados internos" vive em acampamentos de refugiados, que não dispõem praticamente de qualquer estrutura, sem energia elétrica, sem esgotos, sem água encanada e sem cuidados médicos. As necessidades alimentares são, em sua maior parte, garantidas por organizações de ajuda internacional. Os moradores dos acampamentos já destruíram toda a madeira utilizável em um raio de dez quilômetros ao redor; mas continuam precisando de lenha para cozinhar suas refeições. A terra desnuda que os cerca é perigosa; muitas mulheres que saem em busca de lenha são estupradas e mesmo mortas. Naturalmente, não são simplesmente assaltadas, porque não têm nada que possa ser roubado.

A província ocidental de Darfur apresenta o mesmo aspecto e talvez a situação por aqui seja ainda mais grave, uma vez que se travam também operações militares nas terras limítrofes dos países vizinhos, o Chade e a República Centro-Africana. Em Darfur já existem cerca de dois milhões de "deslocados internos", a maior parte dos quais vive em acampamentos desordenados que foram se estabelecendo ao redor das cidades e núcleos populacionais regulares. Em alguns lugares o número de habitantes aumentou na ordem de 200%, desde o início oficial da guerra em Darfur. Não se sabe exatamente na Europa e nos Estados Unidos se, no presente, ocorre nessa área um genocídio, mas se conversa bastante sobre isso. Entre duzentas mil e meio milhão de pessoas teriam sido mortas desde o início da guerra.

O Sudão é o primeiro caso de um país assolado pela guerra que seguramente teve as variações climáticas como causa direta para a violência e a guerra civil. Até o presente podemos considerar que as violentas consequências das variações climáticas foram somente indiretas em outras terras, mas nesses países em que a própria sobrevivência humana se acha ameaçada, as menores modificações climáticas acarretam tremendas consequências. E no Sudão estas modificações não são absolutamente menores. São causa direta da luta pela sobrevivência. Em um país no qual 70% da população vive no campo e depende dele para seu alimento, cria--se um enorme problema quando as áreas de cultivo ou a terra fértil começam a encolher. Os pastores nômades avançam além de seus territórios habituais, a fim de que seu gado possa pastar, justamente nas áreas cultivadas pelos pequenos agricultores, onde plantam cereais, hortaliças ou árvores frutíferas para sua subsistência e a de suas famílias. Quando os desertos se ampliam em virtude desse processo, os pastores nômades necessitam da terra dos camponeses e as invadem, de forma ainda mais destrutiva. Existe uma fronteira crítica, a partir da qual os interesses de sobrevivência somente podem ser defendidos pela violência.

Entre 1967 e 1973 e novamente entre 1980 e 2000 o Sudão sofreu uma série de secas catastróficas – uma parte de cujas consequências foi o deslocamento maciço da população de grandes áreas, enquanto milhares de pessoas morreram de fome. Naturalmente, sob o manto do desastre ecológico, ocorreram outros numerosos conflitos, realmente tão numerosos que perturbaram a observação de um dos piores panoramas na história da violência, que foi posto de lado e passou praticamente despercebido dentro do quadro geral.[13] Isto não deve causar surpresa: desde 1955, com maior ou menor intensidade, variando de região para região e ocorrendo numa sucessão de províncias, grassa uma guerra civil que dura mais de meio século. Apenas entre 1972 e 1983 houve uma fase de armistício frágil e inconstante. Em 2005 foi assinado um tratado de paz, desde o qual realmente não se lutou mais no Sudão Meridional. Mas desde 2003 permanece uma guerra violenta na província de Darfur, no Sudão Ocidental. A situação provocada pelo conflito é desastrosa para a população, mesmo que não nos lembrássemos de dizer uma só palavra sobre a escassez de água potável, a catástrofe do avanço das areias, o envenenamento causado pelos esgotos a céu aberto, os crescentes depósitos de lixo ao ar livre e a destruição ambiental causada pela expansão da indústria petroleira. Existe uma relação direta entre as variações climáticas e a guerra. O panorama do Sudão é a visão de nosso futuro.

O Ocidente II

Também nas terras ocidentais ocorre um alvoroço provocado pelas variações climáticas e suas consequências, desde o começo do ano de 2007, quando os

---

[13] Veja Gerard Prunier: *Darfur. Der uneindeutig Genozid* [Darfur: O Genocídio obscuro], Hamburgo, 2006. (NA).

HARALD WELZER

três relatórios do IPCC (*Intergovernmental Panel on Climate Change* [Painel Intergovernamental sobre as Modificações Climáticas]) foram publicados. Também existem discussões no que se refere ao aparecimento de cenários globais mais sombrios: por enquanto, sabe-se que existem regiões do mundo que gozam das vantagens do aquecimento global, porque as mudanças das condições climáticas de fato melhoram seu ambiente, do mesmo modo que sua atração turística. Nas costas alemãs do Mar do Norte, por exemplo, os donos e administradores de hotéis se alegram com esse aquecimento; os territórios adequados para a plantação de vinhedos estão se ampliando progressivamente em direção ao norte. O Relatório Stern,[14] que comparou os custos de um aumento irrefreado da temperatura com os custos necessários para interromper o processo de aquecimento global, indicou que o primeiro motivo de preocupação, quando relacionado ao segundo, poderá abrir horizontes econômicos inteiramente novos para os países dotados de alta tecnologia. Sir Nicholas Stern, antigo economista-chefe do Banco Mundial, havia assinalado que os custos de um aquecimento climático mundial incontido exigiriam de 5% a 20% da renda mundial *per capta*, e o percentual mais elevado seria o valor mais provável. Contra isso, o custo de uma estabilização das emissões de dióxido de carbono na atmosfera até o ano de 2050 custaria somente 1% do produto social bruto, valor perfeitamente compatível com o crescimento econômico normal durante esse mesmo período.

Naturalmente, há consideráveis diferenças, de acordo com o ramo específico da economia – os fornecedores de energia renovável teriam grandes lucros, enquanto a indústria dos esportes de inverno, como as estações de esqui, seria prejudicada. Mas no conjunto haveria o início imediato de uma modificação das políticas climáticas que constituiria uma oportunidade econômica para o Ocidente. A diminuição dos gastos com a produção de energia, induzida pela invenção de aparelhos e métodos de todos os tipos para poupar energia, como a adoção de veículos híbridos, biocombustível, chapas de coleta de energia solar, e muitos mais, constitui uma promessa para o futuro. Já se fala sobre a *Terceira Revolução Industrial*, ao mesmo tempo em que se esquece que foram a Primeira e a Segunda as causas originais dos problemas atuais.

As cidadãs e cidadãos demonstram a aquisição de uma consciência ambiental, de acordo com a qual não querem mais viajar em veículos aéreos, com boas razões misturadas com outras más. As reflexões sobre as variações climáticas

---

[14] Nicholas Stern: *Stern Review on the Economics of Climate Change* [Relatório Stern sobre a Economia das Transformações Climáticas], Cambridge & outros, 2007. (NA).

conduzem a reações inesperadas. Os motoristas preferem modelos mais fortes, como aqueles que eram produzidos originalmente, porque a época dos veículos terrestres de alta potência com doze cilindros e 500 HP já passou.[15] Os assim chamados "fundos climáticos" e "fundos permanentes" são anunciados com o argumento de que são formados por ações de companhias ativamente interessadas na retificação climática e que são mais "permanentes" que todo o desenvolvimento conjunto do mercado. "Os poupadores privados que investirem nestes fundos não somente obterão lucros financeiros por meio das variações climáticas, como terão igualmente a consciência tranquila de que estão tomando alguma espécie de ação para contrariá-las."[16]

O que demonstram estes exemplos? Eles assinalam a adaptação das pessoas diante das transformações ambientais globais. Mas devemos compreender que, de fato, tais adaptações absolutamente não se baseiam em modificações comportamentais, mas podem ser simplesmente o efeito de uma transformação perceptual dos problemas existentes. Há pouco tempo, foi publicado um estudo referente à maneira como os pescadores encaram o problema da constante diminuição dos peixes no Golfo da Califórnia. Apesar de ser perceptível a considerável diminuição da população de peixes correspondente à pesca predatória nas regiões costeiras do golfo, verifica-se que quanto mais jovens são os pescadores, menos se preocupam com a diminuição do número de peixes. Diferentemente de seus colegas mais velhos, eles não têm experiência direta sobre a quantidade e a variedade das reservas de pescado que antigamente podiam ser capturados nas proximidades das áreas costeiras.[17]

Podem-se considerar os problemas vindouros como aleatórios, como possibilidades vagas e distantes ou como percepções irrisórias e, desse modo, estabelecer-se o próprio comportamento de forma contrária a esta posição afirmativa de perigos difusos. Em seu presente modificado, os investidores se comportam como os jovens pescadores da Califórnia meridional mexicana, cujas percepções parciais deste presente são defendidas contra opiniões dissonantes e consideradas como dependentes de numerosas possibilidades e fatores,

---

[15] Ainda que os números de novos registros de todas as outras categorias de veículos na Alemanha estejam em regressão, as relações das estatísticas de registro de veículos terrestres obtiveram um aumento de 5,2%; no que se refere a modelos desportivos, chegou mesmo a 17% (veja as estatísticas do Escritório Federal de Veículos Motorizados, *Fahrzeugzulassungen im Juni 2007* [Licenciamento de veículos em junho de 2007], comunicado à imprensa nº. 21/2007). (NA).

[16] Suplemento de propaganda dos fundos de investimento publicado no jornal *Frankfurter Allgemeinen Zeitung* (edição internacional), volume 2 nº. 10, 2007, p. 12. (NA).

[17] Veja Andrea Sáenz-Arroyo *et alii*, *Rapidly Shifting Environmental Baselines Among Fishers of the Gulf of California* [A rápida mudança das bases de comparação ambientais entre os pescadores do Golfo da Califórnia], *Proceedings of the Royal Society* [Atas da Sociedade Real], 272/2005, pp. 1957-62. (NA).

que eles mesmos tratam de forma simplificada. Logo lhes parece terem uma *consciência* suficiente do problema, discordando quando alguém lhes sugere que o tratam de forma indiferente ou sem importância ou até mesmo o encaram como uma preocupação sem sentido. Mas é a forma normal como as pessoas agem, focalizando os problemas e descurando de suas causas originais.

Todavia, é necessário compreender que a consideração de um problema e seu próprio comportamento com relação a ele são coisas bem distintas, que não se acoplam naturalmente uma a outra, se é que têm alguma conexão mútua. Uma consideração pode ser facilmente abandonada de acordo com a situação, conforme as experiências da realidade imediata e as condições concretas de afastamento, enquanto as ações, via de regra, são executadas sob pressão e dependem de necessidades situacionais específicas – e é por esse motivo que as ações das pessoas são com frequência festejadas, ao mesmo tempo em que suas opiniões são contestadas. É interessante notar que só muito raramente as pessoas encontram dificuldade em integrar estas contradições. As pessoas comparam seu comportamento com comportamentos ainda piores de seus semelhantes e encontram nessa moldura motivos para considerar a problemática inteira como ridiculamente sem importância ou descartá-la como ultrapassada, a fim de se interessarem por novas considerações futuras. Todos estes mecanismos psicológicos servem para reduzir a dissonância entre os pontos de vista morais que defendem e as atitudes concretas que assumem.[18]

Tais reduções da dissonância cognitiva não são triviais; podem ocorrer igualmente no contexto de situações extremas, por exemplo, quando pessoas são ordenadas a matar outras pessoas e sentem dificuldade em cumprir a ordem, porque esta tarefa interfere com sua autoimagem moral. Eu procurei demonstrar, em um estudo sobre assassinatos em massa durante guerras de extermínio, como estes homens conseguem conciliar a matança com sua

---

[18] A teoria social-psicológica clássica dentro desta conexão é a chamada "Teoria da Dissonância Cognitiva", desenvolvida por Leon Festinger com o apoio de sua equipe em torno do exemplo dos seguidores de uma seita norte-americana que, na espera do "arrebatamento", o transporte material dos crentes para o Reino dos Céus, venderam todos os seus bens e se reuniram no alto de uma montanha, onde todos os eleitos sobreviveriam ao fim do mundo. O resultado amplamente conhecido demonstra que os seguidores da seita precisaram reunir uma considerável dissonância cognitiva. Festinger e seus colegas entrevistaram os crentes modernos, que, naturalmente, não apresentaram a menor dúvida sobre a adequação de sua espera à realidade. Fora apenas uma nova provação da firmeza de sua fé para confirmar sua condição de escolhidos por Deus. A Teoria da Dissonância Cognitiva foi construída a partir deste alicerce, afirmando que as pessoas de alguma forma tratam a dissonância, quando suas esperanças não são confirmadas pelos fatos, procurando uma forma permanente de reduzir sua percepção dessa dissonância. Isto pode ocorrer de duas maneiras diferentes – ou a esperança da realidade é adiada ou adaptada, de modo a ser revisada em retrospecto ou a realidade da esperança passa a ser interpretada de uma forma diferente. Consulte Leon Festinger, Henry W. Riecken e Stanley Schachter: *When Prophecy Fails* [Quando uma Profecia falha], Minneapolis, Minnesota, 1956. (NA). Esta é, aliás, a origem do movimento adventista moderno. (NT).

própria moral.[19] Eles precisam, enquanto estão ainda orientados para um plano interior de referências mentais, impedir o surgimento de quaisquer dúvidas quanto à necessidade e justiça de suas ações.

Estes homens se reúnem em bandos de extermínio, longe de suas comunidades e grupos sociais habituais e, a partir de então, se estabelecem determinadas normas, dentro das quais comprovadamente se desenvolvem comportamentos mútuos e temporários, através de cujas barreiras nenhuma crítica externa pode penetrar. Eles se comportam no âmbito de situações "totais",[20] para as quais a heterogeneidade social se torna o ambiente cotidiano comum, dentro das quais os papéis costumeiros, os contatos sociais e as exigências normais são corrigidos ou as situações conflitantes influenciadas umas pelas outras. Os próprios assassinatos se transformam em simples tarefas, consideradas necessárias, que os homens executam com considerável dificuldade, porque matar pessoas indefesas, especialmente mulheres e crianças, é totalmente contrário à autoimagem que haviam previamente construído. Realmente, é apenas quando conseguem pensar em si mesmos como pessoas forçadas a cumprir uma tarefa penosa, que eles se percebem obrigados a realizar, eles conseguem conciliar sua autoimagem básica de "bons rapazes" com seu trabalho pavoroso.[21] O motivo pelo qual aqueles que haviam executado durante a guerra passada raramente desenvolvia sentimentos de culpa e a maioria deles simplesmente conseguiu integra-se na sociedade alemã do pós-guerra sem grandes dificuldades.

O fato é que a característica que mais claramente se destaca, por deprimente que isso seja, é que quem cometeu ações diretas em conexão com os massacres da guerra, via de regra, não desenvolveu qualquer sentimento de culpa pessoal pelo que fez, mas em geral representa seus atos como realizados contra a própria vontade e contrariamente a seus próprios sentimentos, porque nos

---

[19] Harald Welzer: *Täter. Wie aus ganz normalen Menschen Massenmörder werden* [Criminosos: Como pessoas perfeitamente normais se transformam em assassinos de massas], Frankfurt am Main, 2005. (NA).

[20] Erving Goffman, em suas pesquisas psiquiátricas sobre o estabelecimento do conceito de "instituição total" definiu que uma de suas características marcantes era a de, para os indivíduos que nelas se incluem, as regras diárias e corriqueiras das instituições externas perderem toda a sua validade. Por exemplo, seus seguidores se revestem de traços de identidade habituais e comuns ao grupo – eles não podem mais abandonar sua aparência externa comum, por exemplo, as cabeças raspadas e os uniformes da instituição em que se acham inseridos. Eles mesmos não conseguem mais regular seus próprios ritmos diários, falam de maneira previsível e raramente ou nunca mantêm contato com o mundo exterior ao grupo em que se inserem. Dentro dessa instituição, eles desenvolvem seu próprio sistema de regras, o qual, em muitos aspectos, contraria as normas vigentes nas sociedades externas. Instituições totais são, por exemplo, academias de formação de oficiais ou outras entidades militares, do mesmo modo que estabelecimentos psiquiátricos ou mosteiros. (Veja Erving Goffman, *Asyle* [Asilo], Frankfurt am Main, 1973). (NA).

[21] Foi este o testemunho de Otto Ohlendorf, comandante do Grupo de Ações Especiais D durante o Julgamento de Nürnberg [Nuremberg], com referência aos fuzilamentos em massa que determinou e fez executar, declarando "ser igualmente uma vítima, porque os massacres que fora forçado a realizar constituíam uma carga permanente em sua alma". (Tribunal Militar Internacional: *Der Prozess gegen die Hauptkriegsverbrecher* [Processo contra os principais criminosos de guerra], Volume 4, Nürnberg, 1948, p. 355). (NA).

HARALD WELZER

campos de batalha era forçado a fazer coisas pavorosas, cuja realização lhes causara também grande sofrimento. Podemos encontrar aqui também vestígios da ética himmleriana da *Anständigkeit* ["decência" ou "decoro", no sentido romano][22] que, na mesma época, não somente era corrente, como tornava possível a realização desses crimes, fazendo com que seus autores se considerassem como pessoas que tinham de aguentar os aspectos desagradáveis de seu trabalho e sofressem por causa disso. A leitura de seus depoimentos no pós-guerra muitas vezes nos impressiona pelo aparecimento constante desta autodefesa biográfica inquebrantável e incontestavelmente coerente.

Tais exemplos assinalam atitudes de violência extrema, para cuja influência sobre o comportamento de pessoas em situações concretas, em princípio, não são decisivas as próprias situações concretas em que se encontrem, mas sim a maneira como tais pessoas as percebem e suas interpretações individuais de tais percepções. Primeiro a interpretação conduz a uma conclusão e esta, por sua vez, determina o comportamento. É deste modo que surgem comportamentos que, externamente, parecem irracionais, contraproducentes ou sem sentido; contudo, para aqueles que os manifestam, parecem altamente significativos, mesmo quando lhes causam remorsos ou os prejudicam diretamente. Foi deste modo que Mohammed Atta encarou o choque dos dois aviões contra as Torres Gêmeas ou quando o terrorista Holger Meins, da chamada RAF (*Red Army Fraction* [Fração do Exército Vermelho]) se decidiu a fazer greve de fome até morrer na prisão. As imagens humanas super-racionalistas, sobre as quais se baseiam tantas teorias comportamentais, não têm

---

[22] A consideração dos massacres como solução geral é definida como um trabalho difícil e contrário à moral corrente no Discurso de Poznan, proferido por Heinrich Himmler a 4 de outubro de 1943 e formulada da seguinte maneira: "Exporei aqui perante todos, com a maior sinceridade, também um capítulo muito difícil de nossa atividade. Apenas entre nós, este tema deve ser, de uma vez por todas, mencionado abertamente, contrariamente a tudo que podemos falar oficialmente. [...] Eu me refiro ao 'vácuo judaico', a erradicação do povo judeu. É uma dessas coisas que podem ser facilmente descritas. 'O povo judeu será extirpado', diz um de nossos correligionários, e está claramente incluída no programa de nosso Partido a eliminação dos judeus, sua erradicação, dizemos nós. É uma tarefa que cabe a cada um de nós, os bravos oitenta milhões de alemães; cada um de nós terá acesso a um judeu decente. É claro que todos os outros são uns porcos, mas este será um judeu de primeira classe. E dentre todos vós a quem falo, nenhum ficou simplesmente observando, nenhum se desviou da tarefa. A maior parte de vós sabe o que significa cem corpos jogados lado a lado, quinhentos cadáveres amontoados ou mil mortos colocados em fileira. Isto continuará a ocorrer e de fato – com a exceção dos mais fracos entre os homens – permanecerá às nossas vistas, porque é isto que nos endurece. Isto não está escrito em nenhum lugar e nunca achará lugar para ser escrito em nenhuma das páginas de nossa história, porque sabemos como será difícil agir, quando, ainda hoje, em cada cidade – entre os que foram atingidos pelos bombardeios, entre os feridos e entre quem passa por privações em decorrência da guerra – ainda existem judeus como sabotadores secretos, agitadores e amotinadores. [...] Temos o direito moral, temos o dever para com nosso povo de destruir essa gente que deseja nos destruir. [...] Enquanto isso, todos nós podemos dizer que, por amor de nossa própria gente, cumpriremos integralmente esta difícil tarefa. E não abrigaremos o menor remorso em nossos íntimos, não sentiremos a mínima culpa em nossas almas, não aceitaremos qualquer sombra em nosso caráter por essas ações." (Tribunal Militar Internacional: *Der Prozess gegen die Hauptkriegsverbrecher* [Processo contra os principais criminosos de guerra], Volume 29, Nürnberg, 1948, p. 145, nota 1919). (NA).

A GUERRA DA ÁGUA

lugar para estas formas de *Racionalidade Particular*. Somente depois que se pesquise como as pessoas percebem a realidade é que se pode compreender por que as conclusões produzidas por tais percepções – contempladas externamente – parecem ser totalmente bizarras.

Talvez também seja proveitoso examinar com mais bom-senso a situação particular que não permite a alguém entreter a menor dúvida sobre como deverá proceder, uma vez que numerosas sociedades nos próximos anos ou décadas deverão enfrentar um colapso produzido pelas modificações climáticas[23] e que este deverá modificar radicalmente as condições de vida para todas as pessoas envolvidas, uma coisa em que, por outro lado, ninguém realmente *acredita*. Esta forma irritante de "cegueira apocalíptica" (segundo a expressão de Günter Anders) depende da singular capacidade das pessoas de não se deixarem demover de seus comportamentos habituais, uma linha de conduta firmemente alicerçada, em que se prendem as mais importantes cadeias da complexidade dos procedimentos modernos ou da irresponsabilidade percebida para com as consequências de suas ações. Zigmunt Bauman denominou este fenômeno de "adiaforização", isto é, a dissociação entre a personalidade e sua responsabilidade pelos comportamentos apresentados durante a execução de um trabalho.[24]

Deste modo, um pressuposto para poder administrar a responsabilidade constitui, por exemplo, que todos os parâmetros para um determinado comportamento sejam conhecidos. Nas sociedades modernas, funcionalmente diferenciadas, com suas longas correntes comportamentais e sua complexa interdependência, em princípio é difícil conhecer os detalhes mediatos que a elas conduzem, o que se perde das consequências das ações e, portanto, aquilo que pode ser praticamente responsabilizado pela orientação de nossas próprias ações. Claramente estamos sujeitos, neste sentido, aos efeitos de instituições como a Justiça, as Instalações Psiquiátricas, os Escritórios de Consultoria etc., que têm a função de moderar e regular tais comportamentos e ações – cada um deles com sua própria dialética, de tal modo que também aqui os processos fazem parte de um trabalho, que pode ser deste modo conduzido,

---

[23] Para este prognóstico não faz diferença se presentemente se assume um ponto de vista antropogenético sobre a origem das variações climáticas ou se estamos lidando com uma oscilação climática "natural". A resposta desta questão discutida é relevante no que diz respeito às estratégias político-ecológicas sobre a redução das emissões de dióxido de carbono etc., mas não para as composições de diferente teor que se referem às consequências sociais e políticas das variações climáticas e é neste sentido que a estamos tratando. (NA).

[24] Veja Zygmunt Bauman, Die Rationalität des Bösen [O raciocínio dos malvados], publicado em *Auf den Trümmern der Geschichte* [Sobre os Destroços da História], organizado por Harald Welzer, Tübingen, 1999, p. 101. (NA).

conforme a formulação de Heinrich Popitz, para a anulação da responsabilidade dos trabalhadores intermediários, "na forma fatal da não-dependência do que (usualmente liga) as pessoas entre si nas situações referentes a seu trabalho. Ambos os fatores (não-responsabilidade e não-dependência) conduzem sem dificuldade aos excessos de indolência que todos conhecemos."[25]

O problema dos desvios da responsabilidade surge assim dos processos de modernização da sociedade e constitui, até certo ponto, o preço do desenvolvimento contínuo e da recriação de tais instituições – a responsabilidade transformada em competência e a transformação automática desta em não-competência. Porém, talvez ainda mais grave seja que as pessoas somente podem assumir responsabilidade enquanto existe uma continuidade temporal entre as ações e as consequências dessas mesmas ações, que lhes permita um reconhecimento recíproco de responsabilidade. Enquanto lidamos com causas lineares e as consequências diretas de seu desenvolvimento, desde que se manifestem durante a vida dos atores envolvidos nas ações que provocaram as causas e que não surjam após tal período, tais reconhecimentos são possíveis, enquanto eles ainda estiverem sujeitos às decisões das cortes de justiça internacionais, como foi o caso dos sérvios, que realmente não chegaram a realizar o extermínio dos bósnios muçulmanos, porque surgiu a percepção de que deveria ser realizada uma intervenção antes que esse extermínio se consumasse. Outros exemplos podem ser encontrados na esfera do direito comercial, que determina a responsabilidade pela venda de produtos danificados, no direito penal e nas decisões referentes às companhias seguradoras etc. Em todos estes casos se pondera de que maneira alguém é responsável pela causa inicial das consequências de uma ação e até que ponto as consequências da referida ação poderiam ter sido antecipadas.

Mas o que acontece nesta área problemática, quando fica perfeitamente estabelecido quem foi ou foram os causadores originais de uma determinada ação e de suas consequências, porém dito ou ditos atores não poderão ser responsabilizados porque não se encontram mais entre os vivos? Na área do direito comercial este problema já foi resolvido pela regulamentação do instituto do direito sucessório,[26] que não vige na área cível, a qual rege os processos contra cidadãos particulares. Mas este é apenas o aspecto mais

---

[25] Heinrich Popitz, *Phänomene der Macht* [Os fenômenos do Poder], Tübingen, 1986, p. 97. (NA).

[26] A propósito, este foi o caso da companhia de navegação "Deutschen Afrika-Linien", sucessora legal da Woermann-Linie, com relação ao vapor "Eduard Bohlen", a qual, em setembro de 2001, foi considerada como representante legal perante os descendentes dos Hereros, pela participação de sua predecessora no genocídio de seus antepassados. (NA).

suave do problema. A coisa se torna muito mais complicada quando estamos procurando as causas iniciais das variações climáticas que deram origem aos problemas assinalados no presente, as quais se localizam no mínimo há meio século e que a situação das pesquisas sobre as ciências naturais da época absolutamente não tinha condições de prever. E o problema, em seu conjunto, se torna ainda mais intrincado quando as estratégias de intervenção contra as consequências das ações não antecipadas naquela época ainda são altamente discutíveis e inseguras no presente, sobretudo porque não se pode determinar quais consequências temporais nos poderão trazer em um futuro distante. Aqui o relacionamento de uma sucessão temporal entre os comportamentos e as consequências de tais comportamentos é de extensão tal que abrange várias gerações e, deste modo, só pode ser estabelecido mediante a intervenção das ciências. Ainda não existem experiências concretas e cuidadosamente planejadas para a determinação das motivações das ações passadas e isto constitui um obstáculo, do mesmo modo que não seria contribuição suficiente para o cálculo das responsabilidades de pelo menos uma parte dos problemas que enfrentamos hoje.

Logicamente não se pode esperar de tais experiências a conclusão de que se possa atribuir a uma pessoa que tenha vivido quarenta anos até 2007 a responsabilidade de um problema cujas causas temporais se localizam inicialmente *antes* de seu nascimento e cujas soluções serão encontradas *depois* de sua morte, uma vez que tal pessoa não poderá ter tido influência direta nem sobre as causas iniciais nem sobre as soluções do problema. Mas, de forma semelhante, pode-se esperar dessas pessoas um comportamento atual responsável perante os problemas esperados e provocados no presente e se apresenta finalmente a pergunta sobre se estas pessoas *podem* ser responsabilizadas por tais problemas futuros no sentido tradicional da figura jurídica e, em caso afirmativo, de que maneira o estabelecimento de tal responsabilidade poderá ser encarado.

Esta pergunta tem considerável alcance para a vida pública de uma nação: pois o que significa o desmoronamento do cálculo temporal de um relacionamento de causa inicial e suas consequências para a evolução da consciência política e para a decisão política final? Mais ainda: qual influência tem a aceitação da irresponsabilidade, ou seja, como perceberemos as consequências sociais determinadas pelas variações climáticas e suas possibilidades de solução? Indo um pouco mais adiante: quais soluções consideraremos possíveis no presente que hoje não nos pareçam totalmente impensáveis?

Em Busca de Soluções

No primeiro terço do século 18, quando ninguém ainda conseguiria pensar que, duzentos anos depois, os ideais de progresso, racionalidade e eficiência que assinalaram a época então chamada de "moderna" viessem a ser aplicados ao genocídio industrial, Jonathan Swift desenvolveu um conceito sobre a maneira como o empobrecimento progressivo do povo irlandês poderia ser contido. Se fosse seguida a proposta de Swift, os filhos dos pobres não mais precisariam partilhar com seus pais uma existência desesperada de fome, roubo e mendicância, uma carga que terminava por recair sobre o reino; de forma oposta, eles "pelo resto de seus dias não sentiriam falta de alimento nem de vestuário, ao contrário poderiam dar em troca uma contribuição para a nutrição e, de forma semelhante, para o vestuário de muitos milhares". A tarefa que Swift propunha representaria uma solução, e ele ilustrava sua proposta com dados estatísticos sobre o crescimento constante da indigência entre a população, porque cada criança correspondia a um certo dispêndio econômico popular e produzia uma compensação desproporcionalmente inferior aos gastos incorridos para seu desenvolvimento.

Esta era a solução proposta: "Desta forma, ofereço humildemente esta proposta à consideração pública, considerando que, das cento e vinte mil crianças que já pudemos calcular, vinte mil sejam reservadas para a reprodução, das quais somente um quarto deverá ser do sexo masculino, mais do que permitimos às ovelhas, ao gado vacum ou aos porcos; e a minha razão principal é a de estas crianças raramente serem o resultado de um casamento legal, uma circunstância que não recebe grande consideração da parte de nossos selvagens; portanto, um macho deve ser suficiente para servir quatro fêmeas. As restantes cem mil crianças, quando atingirem um ano de idade, podem ser oferecidas à venda a pessoas de qualidade e fortuna através do reino, motivo pelo qual as mães serão aconselhadas a amamentar cuidadosamente os filhos durante o último mês, de tal modo que as crias se tornem gordas e fortes, apropriadas para uma boa mesa. Uma criança significará dois pratos para reforçar uma refeição entre amigos e, quando a família se alimentar sozinha, os quartos dianteiros e traseiros constituirão um prato razoável; temperados com um pouco de sal e pimenta poderão ser cozidos ao quarto dia, com o mesmo gosto de carne de panela, especialmente no inverno."[27]

---

[27] Jonathan Swift, *Satiren und Streitschriften* [Sátiras e Panfletos polêmicos], München [Munique], 1993. (NA).

A seguir, Swift apresentou uma longa lista dos efeitos positivos de sua proposta, acrescentando que as crianças poderiam ser empregadas como matéria-prima para o comércio, a gastronomia e a indústria curtidora. E ele considerou questões de caráter moral – argumentando que poderiam evitar os abortos e o infanticídio – que pudessem ser levantadas contra sua proposta. No final de sua dissertação, Swift resumiu: "Garanto, com toda a sinceridade de meu coração, que não tenho o menor interesse pessoal em meu esforço para promover esta obra necessária, não tendo outros motivos senão o bem-estar do povo de minha nação, o desenvolvimento de nosso comércio, a preocupação pelo destino das crianças pequenas, o alívio da pobreza e o proporcionamento de um certo prazer para os ricos. Não disponho de quaisquer filhos pelos quais possa obter um único centavo através da adoção desta proposta; o mais jovem já tem nove anos e minha esposa já passou da época de ter filhos."

A "modesta proposta" é, sem dúvida, a melhor conhecida das sátiras de Swift e, de fato, se refere abertamente ao desenvolvimento de uma proposta que pareceria totalmente impensável a partir dos posicionamentos morais básicos das nações ocidentais. Com sua prova científica da racionalidade dos assassinatos em massa, apoiada em estatísticas materiais e flanqueada por ponderações moralísticas, Swift lançou um olhar sobre um futuro em que o juízo instrumental reduziu cada posicionamento moral a uma categoria mínima que, se necessário, pode servir somente à autojustificação das ações, mas que não estabelece nenhuma barreira para a desumanidade.

A história dos tempos modernos já mostra uma boa quantidade de soluções radicais para enfrentar os problemas sociais percebidos; até que consequências esta tendência pode chegar é perfeitamente assinalado pela "Solução Final do Problema Judaico", embasada no aniquilamento dos judeus e, através deste, obtendo a anulação da "questão judaica". A partir de quanto podemos aprender com os casos recentes da Turquia, da Alemanha, do Camboja, da China, da Iugoslávia, de Ruanda e de Darfur ou através do vasto campo mundial do emprego da "limpeza étnica",[28] soluções radicais constituem sempre uma opção, mesmo nas sociedades democráticas, em que tais processos mortíferos não são facilmente encarados como negações das condições de procedimento "normais", mas interpretados como "casos especiais".

---

[28] Veja Norman M. Naimark, *Flammender Hass. Ethnisch Säuberungen im 20. Jahrhundert* [Um ódio inflamado: Limpezas étnicas ao longo do Século Vinte], Munique, 2005; Michael Mann: *Die dunkle Seite der Demokratie. Eine Theorie der ethnischen Säuberung* [O lado obscuro da Democracia: Teoria da Limpeza Étnica], Hamburgo, 2007. (NA).

Os poucos cientistas sociais que buscam inverter esta perspectiva e apresentam a questão do que realmente significam os fenômenos de catástrofe social para a Teoria da Sociedade são geralmente marginalizados e permanecem sem influência científica em grande escala. Isto vale para os raciocínios filosóficos, como os de Günter Anders ou Hannah Arendt, e igualmente para as considerações sociológicas de Norbert Elias e Zygmunt Bauman. A sociologia das catástrofes encontra facilmente entrada nos conceitos de defesa da pátria, mas não acha nenhum apoio na construção das teorias sociológicas. Dentro da teoria da história as teorias das catástrofes são escassas, mesmo no presente, do mesmo modo que no campo da teoria política.

Deste modo, as catástrofes sociais do século 20 demonstraram, com toda a clareza, que as limpezas étnicas e os genocídios não constituem exceções na senda normal da modernidade, mas ao contrário, permanecem como possibilidades sociais dentro da evolução das sociedades modernas. Processos sociais como o Holocausto não devem ser encarados como "rompimentos da civilização" (Dan Diner) ou como "retornos ao barbarismo" (Max Horkheimer e Theodor W. Adorno), mas antes compreendidos como consequências de experiências contemporâneas para restauração da ordem e resolução do que são percebidos como problemas sociais. Realmente, como demonstrou Michael Mann, por meio de uma volumosa pesquisa, as limpezas étnicas e os genocídios estão intimamente ligados aos processos de modernização, mesmo quando, em contraposição ao que parece ser uma violência arcaica, são apresentados sob aparência bem diversa. Isto vale para uma análise do terrorismo islâmico, que representa uma reação à modernidade, mas à qual está intimamente ligado, mesmo que de forma negativa.

Zygmunt Bauman, em suas pesquisas sobre a "dialética da ordem",[29] explicou por que o Holocausto não se encontra em uma posição sistematicamente contrária aos postulados das ciências sociais: em primeiro lugar, porque, observando todos os eventos da história judaica, mesmo quando considerados como um problema da patologia da modernidade,[30] eles constituem situações normalmente manifestadas pela conduta social externa ao grupo; em segundo, porque o Holocausto não foi mais que uma síntese infeliz de fatores funestos a ela associados, os quais – cada um deles tomado em si mesmo – não constituíam em absoluto situações estranhamente aberrantes e que, via de regra, eram enfraquecidos e diluídos pela ordem social. Deste modo, a sociologia tranquilizou-se e, portanto, não se

---

[29] Veja Zygmunt Bauman, *Dialektik der Ordnung* [A Dialética da Ordem], Hamburgo, 1992. (NA).

[30] *Ibidem*, p. 15. (NA).

esforçou para manter sistematicamente em mira o estudo do Holocausto. Isto significa, até certo ponto, que o aniquilamento industrial de massas humanas foi um "caso de teste" para a observação do potencial latente da modernidade, como nova informação sobre a maneira como era composta e sobre o destino de seus mecanismos de desenvolvimento. Bauman constatou assim a existência de um "paradoxo": pois o próprio Holocausto fornecia mais informações sobre a condição da sociologia "do que eram capazes as interpretações sociológicas anteriores para o esclarecimento das condições do referido Holocausto".[31] Logo a seguir, ele afirmou que o Holocausto deve ser encarado como a construção de um campo de ensaio sociológico, dentro do qual as características das sociedades modernas seriam libertadas, "cujos efeitos não tinham sido anteriormente observados e demonstrados de forma empírica, senão em condições 'não-experimentais'".[32]

Hannah Arendt insistiu firmemente que o caráter sistemático da teoria da sociedade das instituições modernas era demonstrado pelos campos de concentração. A existência dos campos[33] assinala que as sociedades totalitárias e a dinâmica da violência social originam novos comportamentos, estabelecidos dentro de sua racionalidade peculiar, que externamente parecem sem sentido ou totalmente insanos, mas que, segundo a perspectiva dos próprios atores, podem estar ligados intimamente a seus sistemas de percepção. Tais sistemas particulares de percepção não são examinados nem contestados pelos instrumentos de aferição do significado de que dispõem as ciências sociais, uma vez que são orientados por um modelo de comportamento racional.

A ciência da história encontra aqui um problema particular, porque em retrospecto se abrem possibilidades interpretativas que não eram possíveis nessa época. Consideradas historicamente, dão motivos para a ciência histórica ser orientada para conceitos de abrangência filosófica, que sejam "encarados com uma compreensão simpática e observados à luz das posições culturais

---

[31] *Ibidem*, p. 17. (NA).
[32] *Ibidem*, p. 25. (NA).
[33] Veja o capítulo de Hannah Arendt: *Social Science Techniques and the Study of Concentration Camps* [Técnicas sociológicas e o estudo dos campos de concentração], publicado em *Essays in Understanding* [Ensaios sobre a Compreensão], *1930-1954*, editado por ela mesma e por Jerome Kohn, Nova York, 1994, p. 232. Este trabalho foi igualmente uma pesquisa radical destinada a problematizar o comportamento da sociologia com relação ao Holocausto. Os campos de extermínio, conforme escreveu Arendt, ofereceriam a possibilidade de estabelecer pressuposições básicas sobre o conceito da sociedade, tal qual descrita pelas ciências sociais como apresentando uma forma de pensar baseada no mesmo tipo de raciocínio mundialmente comum, estar violentamente abalado, porque dita sociedade em seu comportamento social estabeleceu atitudes imprevisíveis e sem modelos históricos anteriores. Ela relaciona aqui como pressuposições básicas aquelas que, por meio de suas atitudes sociais se podem encaixar em molduras identificáveis com relacionamentos causais, que através das possibilidades de compreensão intersubjetivas podem apresentar um sentido – resumindo, que tudo quanto é identificado na realidade social pode ser enquadrado em motivos básicos esclarecedores, que provocam os comportamentos e as consequências de tais comportamentos. (NA).

históricas anteriores" e que "suas economias sejam relacionadas a uma compreensão da história idealística e otimista com relação ao progresso da cultura."[34] Este conceito da compreensão se evidencia, em presença dos delitos sociais modernos como inadequado, porque confronta uma realidade incompreensível dentro de um sentido convencional.

As Mortes têm Sentido

A política de aniquilamento do nacional-socialismo constitui uma variante dos morticínios da guerra colonial, porque ampliou grandemente seu âmbito, no sentido de que todas as pessoas definidas como supérfluas ou nocivas não somente deveriam ser removidas, mas que a política violenta de extermínio deveria ser realizada com um máximo de aproveitamento: "a Extinção por meio do Trabalho". Através da construção de gigantescas instalações de produção subterrâneas, por exemplo, para a fabricação de foguetes de transporte de bombas V-2 ou de aviões de combate Messerschmitt-262 de propulsão a jato, por exemplo, os prisioneiros eram tratados de maneira tão radical, que sua expectativa média de sobrevivência após serem transportados para esses assim chamados campos de trabalho era de apenas alguns meses. Os trabalhos forçados eram aplicados ao mesmo tempo como exploração das energias e meio de extermínio, porque havia um suprimento constante de novas pessoas que deveriam ser levadas a trabalhar até morrer.

Esta política se enquadrava abertamente no planejamento e execução de um sistema que, *mutatis mutandis*, significava claramente *Trabalhar até Morrer*. O extermínio por meio do trabalho deveria ser organizado técnica e logisticamente; para a montagem de um campo de trabalho, a administração devia providenciar a construção de barracões para os prisioneiros, o que implicava instalações sanitárias, alojamentos individuais [para os guardas], meios de transporte, energia elétrica, água, encanamentos, carros de transporte de materiais etc. No planejamento e instalação da infraestrutura para a aniquilação por meio do trabalho, o próprio aniquilamento assumia para os engenheiros e arquitetos a forma de um transporte de matéria-prima para uma fábrica, com todos os seus aspectos de profissionalismo e busca de eficiência, como se

---

[34] Veja Manfred Broszat, *Nach Hitler. Der schwierige Umgang mit unserer Geschichte* [Depois de Hitler: A difícil Convivência com nossa História], Munique, 1987. (NA).

A GUERRA DA ÁGUA

estivessem trabalhando em quaisquer outras circunstâncias de suas profissões. O formato de um transporte de matéria-prima aplicado aos que deveriam ser mortos também era encontrado na organização dos assassinatos maciços que, em algum ponto do ano de 1941, foram empreendidos por trás das frentes de combate em constante expansão pelos territórios conquistados aos russos. Também aqui se encontrava uma normalização completa dos assassinatos, igual às técnicas empregadas com relação ao que era percebido como trabalho a ser realizado pelos prisioneiros e a necessidade de soluções profissionais para os problemas que – como em qualquer outra fábrica – surgiam durante a execução das tarefas conjuntas, mesmo que fizessem parte de um sistema de genocídio sistemático. Este era um processo de divisão de trabalho, de tal modo que ninguém se percebia diretamente como homicida, nem que as mortes fossem consequência direta de suas ações, até mesmo pelo fato de os assassinatos serem realizados de forma distanciada – como as câmaras de gás.

De fato, dentro dos parâmetros da guerra de extermínio movida pelo nacional-socialismo, as mortes se enquadravam no que era percebido pelos executores como uma completa racionalidade, de tal modo que podiam interpretar todos os seus atos como a realização de um trabalho igual a qualquer outro, mesmo que fosse "um trabalho desagradável", em cuja execução eles mesmos sentiam padecimento, como se fossem outras tantas vítimas. A carga emocional que este trabalho percebido como necessário acarretava para seus executores era – conforme foi dito – um tema permanente dos discursos de Heinrich Himmler, do mesmo modo que nos depoimentos posteriores dos perpetradores. Eles realmente se permitiam sentir esse sofrimento, porque de forma alguma se percebiam como assassinos, nem durante a execução dos morticínios, nem mais tarde, no período do pós-guerra. Eles se achavam em posição de incluir suas ações dentro de um modelo referencial que para eles fazia perfeito sentido. Esta capacidade de obter um modelo referencial significativo – eu mato para atingir um alvo mais elevado, eu mato por amor das próximas gerações, eu mato de forma *diferente* dos outros, porque este *trabalho* não me causa a menor alegria – é o modo psicológico em que se inserem as pessoas através da capacidade referida para fazerem coisas inconcebíveis, para simplesmente fazerem qualquer coisa imaginável; os atos humanitários, ao contrário, não são impostos por nenhum talento ou instinto particular de repressão da capacidade de consciência dos seres vivos.

As pessoas existem dentro de um universo social, no interior do qual realmente têm a capacidade de fazer *tudo* quanto for possível. Não existe nenhum limite natural ou de qualquer outra ordem para os comportamentos humanos

HARALD WELZER

e, como nos indica a presente cultura dos atentados suicidas, não existe sequer o limite de preservar a própria vida. Deve-se, portanto, considerar apenas como folclore a afirmação de que os instintos caçadores dos homens despertam quando sentem cheiro de sangue, o que os leva a amotinar-se e a agir como matilhas de cães, com a afirmação convincente de que isto seja até mesmo um dado antropológico. Ao contrário, a violência tem formatos sociais e históricos específicos e encontra sua explicação em contextos igualmente específicos.[35]

Dentro da ideologia nacional-socialista os morticínios tinham significado por se enquadrarem no contexto de que conduziam a um alvo superior, a saber, auxiliar na purificação racial da sociedade que deveria assumir o domínio do mundo. A rapidez do desenvolvimento das técnicas de genocídio conduziu a um distanciamento e à descarga da responsabilidade pessoal pela violência – em lugar de fuzilamentos em massa, havia uma industrialização do extermínio; os assassínios não eram mais cometidos pelas próprias mãos; ao contrário, as mortes eram realizadas por meio da técnica e o manejo dos corpos das vítimas cabia a grupos escolhidos entre os próprios prisioneiros. Desde a instalação das câmaras de gás e a aplicação do Zyklon B como meio de extermínio, o próprio genocídio não dependeu mais do exercício de violência *direta* da parte dos que o conduziam.

Os dias de recordação oficial e a organização de cerimônias para manter viva a lembrança do Holocausto são sempre relacionados à esperança de que se possa aprender com a história e que, por meio deste conhecimento histórico nos preparemos para que as pessoas se esforcem para "nunca mais" acontecer o que ocorreu "naquela época". Por que então, poderíamos indagar, este

---

[35] Estes contextos subjazem às transformações que dão prosseguimento à própria violência; as técnicas empregadas em massacres não permanecem iguais ao longo deste processo – elas são melhoradas, desenvolvem rotinas, maneiras de agir mais eficientes, as pessoas adquirem conjuntos de instrumentos adequados a seu ofício, passam a usar uniformes correspondentes à sua profissão. Alf Lüdtke descreveu em várias ocasiões as afinidades entre o trabalho industrial e as atividades guerreiras e, de fato, chegou a afirmar que, nas camadas proletárias, as pessoas consideravam como um "trabalho" aquilo que executavam ao assumirem certas funções, por exemplo, como soldados ou policiais da reserva. Nos testemunhos autobiográficos desses homens, do mesmo modo que em cartas de campanha ou em diários redigidos durante a Segunda Guerra Mundial, Lüdtke encontrou frequentemente analogias entre a guerra e o trabalho, corporificadas na disciplina militar, na monotonia da execução das ordens, descrevendo claramente a observação de que "para eles, uma ação de caráter militar, por exemplo, fazer recuar o inimigo ou exterminá-lo em combate – do mesmo modo que as mortes de pessoas e a destruição de bens materiais – era considerada *a realização de um bom trabalho*. Lüdtke resumiu: "O preço da violência ou da ameaça de violência, os morticínios ou mesmo a resignação ao próprio sofrimento eram percebidos como uma tarefa a ser realizada e, deste modo, como razoável ou pelo menos aceita como necessária e inevitável". Consulte o artigo de Alf Lüdtke, *Gewalt und Alltag im 20. Jahrhundert* [A violência e o cotidiano durante o século vinte], publicado por Wolfgang Bergsdorf *et alii* (editores) em *Gewalt und Terror* [A violência e o terror], Weimar, 2003, páginas 35-52, aqui p. 47. (NA).

A GUERRA DA ÁGUA

"nunca mais" sucederia, depois da existência de tantos exemplos de que as pessoas não agem por exceções radicais dos pensamentos humanitários, mas encontram sentido em agir contrariamente às teorias, definições e conse-quências das conclusões de caráter humanístico e podem integrar suas ações dentro de conceitos em que aprendam a confiar – que as pessoas, tudo considerado, *não querem* permanecer dentro dos níveis determinados pela inteligência e por sua educação humanitária.

Se nos colocarmos diante do panorama dos inumeráveis exemplos históricos do restabelecimento da disposição para o massacre e das transformações da violência, como poderemos deixar de reconhecer que a existência do Holocausto somente aumentou a possibilidade de tais coisas poderem acontecer novamente? Na Ruanda de 1994, a maioria da população achou perfeitamente razoável matar 800.000 tútsis durante um período de três semanas. Não passa de uma superstição moderna que o pavor retrospectivo provocado pelos monumentos e pelas cerimônias vá durar o suficiente, que as pessoas nunca mais acreditem que a morte de outras pessoas seja uma opção em aberto para a solução, quando essas outras pessoas forem percebidas como um problema. Cada vez menos estamos tratando com a agressão no sentido psicológico, mas sim com a racionalidade do objetivo. Para a solução de problemas, conforme escreveu Hans Albert, o retorno às armas "em muitas ocasiões compensou melhor do que o emprego de quaisquer outros instrumentos."[36] Em outras palavras: o que podemos realmente aprender com a história?

---

[36] Citado *apud* Heinrich Popitz, *Phänomene der Macht* [Os fenômenos do Poder], Tübingen, 1986, p. 87. (NA).

O AQUECIMENTO GLOBAL E AS CATÁSTROFES SOCIAIS

No final de agosto de 2005, o furacão Katrina lançou-se em direção ao sudoeste dos Estados Unidos, provocando prejuízos de mais de oitenta milhões de dólares e quase arrasando completamente a cidade de Nova Orleans. Acabara de se apresentar aqui uma catástrofe anunciada: já em outubro de 2001, o cenário da inundação fora previsto pela revista *Scientific American*.[37]

Após a ruptura de dois canais, 80% da superfície da cidade foi submerso por 7,60m de água. A pressão da correnteza foi mais além, porque a água não podia ser bombeada e alagou as estradas de acesso, de modo a impedir a entrada de socorros à cidade. O socorro exigido pela catástrofe demonstrou-se muito maior que os recursos imediatamente disponíveis; logo após a inundação começaram os primeiros saques. O estádio Superdome, estabelecido como refúgio imediato para os flagelados pela inundação, demonstrou-se ineficiente, pois em pouco tempo ficou superlotado e logo se desenvolveu em seu interior uma escalada de violência, obrigando as autoridades a declarar estado de guerra, com o consequente estabelecimento da lei marcial. A governadora da Louisiana, Kathleen Blanco, convocou a Guarda Nacional no dia 1º. de setembro para interromper os saques, proclamando

---

[37] Versão alemã em *Spektrum der Wissenschaft* [O Espectro da Ciência], janeiro de 2002; igualmente em *Spektrum der Wissenchaft Dossier* [Dossiê de O Espectro da Ciência], 2/2005: *Die Erde im Treibhaus* [A Terra e o Efeito Estufa]. (NA).

que "Estas tropas (a Guarda Nacional) têm autorização para atirar e matar. Os soldados não hesitarão em fazê-lo e eu espero que o façam."[38]

Na Estação Ferroviária Central de Nova Orleans foi organizada uma prisão provisória para cerca de 700 pessoas, onde demarcaram celas cercadas por correntes; para evitar qualquer tentativa de fuga a polícia e a Guarda Nacional cercaram o local, mas a medida não se revelou suficiente. Houve tentativas de fuga coletivas, tiroteios, estupros, lojas saqueadas, arrombamentos etc. Primeiro uma força de 65.000 soldados do exército entrou em ação no palco da catástrofe, tentando pacificar o local diversas vezes. Esta tarefa demonstrou-se difícil e acabaram por evacuar uma parte dos sobreviventes.

A enchente não tratou todas as pessoas da mesma forma: a maior parte dos moradores abastados conseguiu fugir, enquanto foram principalmente os pobres, em sua maioria de ascendência afro-americana, que permaneceram no local durante e após a destruição da cidade. Do mesmo modo, os bairros não foram todos atingidos com a mesma violência. John R. Logan, que tentou interpretar as consequências sociais do furacão Katrina, registrou que 45,8% da parte destruída de Nova Orleans era habitada por afro-americanos; nas zonas que não chegaram a ser destruídas a porcentagem da população negra era apenas de 26,4%. Dados semelhantes podem ser encontrados nos relatórios sobre índices de pobreza.[39]

Enquanto isso, a cidade foi destruída em escala tal, que chegou a ser sugerido que não fosse reconstruída. A partir dessa catástrofe, surgiu o conceito de *refugiados climáticos*, para indicar a fuga de pessoas devido a eventos atmosféricos. Duzentos e cinquenta mil dos antigos residentes de Nova Orleans não retornaram à cidade após sua evacuação e se estabeleceram em outras partes do país. No ano seguinte ao furacão, cerca de um terço dos residentes brancos não havia retornado; mas três quartos dos moradores afro-americanos tampouco voltaram, de tal modo que, após a catástrofe, apresentou-se uma estrutura populacional diferenciada da anterior. Deste modo, como efeito da catástrofe, a cidade não somente passou a ter uma nova estrutura social, como também uma nova geografia política.[40]

---

[38] Consulte http://www.forumcivique.org/index.php?lang=DE&site=ARCHIPEL&sub_a=ARCHI_131&article =731. (NA).

[39] Veja John R. Logan, *The Impact of Katrina: Race and Class in Storm-Damaged Neighborhoods* [O impacto do Katrina: Raça e classes sociais nos bairros danificados pela tempestade], Brown University, 2006, disponível no *site* http://www.s4.brown.edu/katrina/report.pdf. (NA).

[40] Veja John R. Logan: *Unnatural Disaster: Social Impacts and Policy Choices after Katrina* [Desastres antinaturais: Impactos sociais e escolhas políticas após o Katrina], publicado em Karl-Siegbert Rehberg (editor), *Die Natur der Gesellschaft. Verhandlungen des 33. Kongresses der Deutschen Gesellschaft für Soziologie in Kassel* [A natureza da sociedade. Atas do 33º. Congresso da Sociedade Sociológica Alemã em Kassel], 2006, Frankfurt am Main (no prelo [sic]). (NA).

Aquilo a que as pessoas habitualmente se referem como uma catástrofe natural, como por exemplo, uma inundação consequente de um evento atmosférico extremo, é demonstrado perfeitamente e em todas as suas facetas pelo exemplo de Nova Orleans como sendo algo completamente diferente: a ignorância do perigo da enchente até o deflagrar da catástrofe se demonstrar de forma inteiramente suficiente, a extensa e quase inexorável anarquia, que só foi controlada por reações extremas das forças de segurança, a desigualdade social perante as consequências do furacão, a justificativa da criação de uma categoria completamente nova de refugiados e a nova democracia social da cidade apresentam as características conjuntas de um evento que pode ser, com toda a justiça, denominado de *Catástrofe social*.

Realmente, o conceito de "catástrofe natural" constitui uma leviandade semântica – porque a natureza não é sua causadora, nem está sujeita a ela e, portanto, não sofre qualquer catástrofe em si mesma. Mas é inegável que ela pode produzir eventos que sejam catastróficos para as pessoas e que, de tal modo, tenham consequências de caráter social que ultrapassem completamente suas expectativas e capacidade de reação. O exemplo de Nova Orleans serve como pano de fundo para comprovar duas delas: a primeira é que nos dá um embasamento para afirmar que as modificações climáticas que se aproximam provocarão acontecimentos atmosféricos extremados progressivamente mais fortes; isto significa que, durante os próximos anos e décadas, fenômenos semelhantes tornarão a ocorrer em outras cidades localizadas em regiões costeiras e pode-se prever que o combate à catástrofe, em geral, não venha a ser muito melhor do que o ocorrido em Nova Orleans, onde falhou de uma forma tão espetacular. A circunstância de que a sociedade mais rica da Terra, em vista da extensão de uma catástrofe assim abrangente, achou necessário pedir auxílio ao exterior, nos assinala perfeitamente que as catástrofes que virão a ocorrer em um futuro muito breve encontrarão claramente uma diminuição dos abastecimentos de socorro, acrescida pelas dificuldades de transporte e de reposição, um fator que, dentro das circunstâncias normais, teria permanecido imperceptível.

E existe ainda o segundo aspecto pela demonstração do qual o caso de Nova Orleans deve despertar nosso interesse. As catástrofes sociais desnudam o cenário do palco em que se instala a sociedade, demonstram abertamente quais são, em seu conjunto, suas funções e disfunções, que anteriormente permaneciam ocultas; abrem janelas para o submundo da sociedade e demonstram claramente como esse estrato social é controlado em seu funcionamento externo pelas condições da normalidade. Também assinalam as desigualdades entre as condições da vida e da subvida, enquanto o funcionamento normal das instituições o impediam, e separava em compartimentos estanques os bairros abastados dos setores ocupados pelos operários, que se tornavam assim menos visíveis; descobriu igualmente as fraquezas da administração, já existentes anteriormente, embora não fossem expostas às claras e demonstrou ainda a disponibilidade sempre presente do recurso à violência como opção de controle. Tudo isso se viu claramente em um único momento de abandono do caminho seguido habitualmente pelas formas de comportamento; mesmo percebendo, ao menos pelo que foi demonstrado em Nova Orleans, que comparativamente, nem foram tantas as mortes, nem tão grande a destruição ocasionadas por ela.[41]

Uma reflexão ampla sobre as catástrofes sociais também nos fornece informações consideravelmente melhores sobre a maneira como as sociedades realmente funcionam, segundo a hipótese de que os casos normais dão informações sobre seu próprio caráter. Em presença de catástrofes, não se apresenta um estado de exceção dos procedimentos normais de uma sociedade, mas exclusivamente uma dimensão de sua existência que permanece escondida em sua vivência quotidiana. A partir deste alicerce, não se deve pesquisar o que dá solidez às sociedades, mas aquilo que as leva à ruína.[42]

---

[41] Naomi Klein descreveu um aspecto das catástrofes sociais que até então não havia sido observado: os desastres podem também ser uma oportunidade para modificar as disposições da estrutura social, que nas condições sociais da normalidade não se deixa transformar facilmente. A destruição de Nova Orleans deu margem para um amplo processo de privatização do sistema escolar – em lugar das 131 escolas públicas existentes antes da inundação, permanecem hoje apenas quatro; em vez das sete escolas particulares anteriores, existem agora 31 das assim chamadas *Charter Schools* [Escolas de Funcionamento Autorizado por Decreto]. Veja Naomi Klein, *Die Schock-Strategie. Der Aufstieg des Katastrophen-Kapitalismus* [Estratégia de Choque: A ascensão do capitalismo das catástrofes], Frankfurt am Main, 2007, p. 16. Em contradição, John R. Logan relata a reabertura de 54 escolas públicas ainda no outono de 2006. Veja John R. Logan: *Unnatural Disaster: Social Impacts and Policy Choices after Katrina* [Desastres antinaturais: Impactos sociais e escolhas políticas após o Katrina], publicado em Karl-Siegbert Rehberg (editor), *Die Natur der Gesellschaft. Verhandlungen des 33. Kongresses der Deutschen Gesellschaft für Soziologie in Kassel* [A natureza da sociedade. Atas do 33º. Congresso da Sociedade Sociológica Alemã em Kassel], 2006, Frankfurt am Main, p. 464. Finalmente, os planejadores sob as ordens de Albert Speer durante a Segunda Guerra Mundial não encaravam os bombardeios aliados das cidades alemãs apenas com desagrado, mas os percebiam como justificativa, sem a qual a reconstrução de cidades novas não seria possível no pós-guerra, salvo por extensos trabalhos de demolição. Deste modo, as catástrofes também apresentam aspectos positivos para quem sabe se aproveitar deles. O exemplo da equipe de Speer assinala que o capitalismo global realmente não precisa criar novas estratégias, conforme afirma Naomi Klein. (NA).

[42] Veja Elke M. Geenen, *Kollektive Krisen, Katastrophe, Terror, Revolution – Gemeinsamkeiten und Unterschiede* [Crise coletiva, catástrofe, terror e revolução – Semelhanças e Diferenças], publicado em Lars Clausen *et alii* (editores), *Entsetzliche soziale Prozesse* [Os espantosos processos sociais], Münster, 2003, pp. 5-24. As sociedades se tornam, por exemplo, tanto mais ofensivas quanto mais complexas se tornam: os indivíduos, os grupos sociais, as empresas e os políticos apresentam horizontes de planejamento diversificados, conforme escreveu Lars Clausen, dos quais poderão resultar não somente conflitos, mas também amplas sensações de insegurança e distanciamento. (Veja Lars Clausen, *Reale Gefahren und katastrophensoziologische Theorie* [Perigos reais e a teoria das catástrofes sociais], publicado em Lars Clausen *et alii* (editores), *Entsetzliche soziale Prozesse* [Os espantosos processos sociais], Münster, 2003, pp. 51-76, especificamente na página 58.) (NA).

As variações climáticas conduzirão a uma acumulação de catástrofes sociais, que terão influência temporária ou permanente sobre a formação das sociedades, sobre a qual nada se sabe, porque, até o presente, tal influência nem ao menos despertou um certo grau de interesse. As ciências sociais e culturais estão concentradas na normalidade[43] e permanecem cegas às catástrofes. Conforme revela qualquer olhar sobre a história cultural da natureza,[44] as transformações climáticas necessariamente se oporão às ciências sociais e culturais. Com efeito, as transformações sociais que se apresentam no presente – desde a guerra climática de Darfur até o encolhimento do espaço de sobrevivência dos Inuit (esquimós) – terão uma influência clara e surpreendente sobre o alcance das teorias do conteúdo e da abrangência das ciências culturais e é mais do que tempo para tais ciências se modernizarem, saírem do mundo do discurso e dos sistemas e retornarem ao da estratégia, a fim de procurar meios sociais para a defesa de suas próprias existências. Isto porque uma parte considerável dos povos do mundo, em futuro próximo, encontrará dificuldades cada vez maiores através da mencionada expansão dos desertos, do progressivo aumento das exigências sobre a fertilidade do solo e sua consequente erosão, que irão diminuir cada vez mais suas possibilidades de sobrevivência em muitas regiões, acrescidas do aumento excessivo da acidez das águas oceânicas, da pesca predatória, da poluição dos rios e do encolhimento dos lagos.

E nada disso será consequência de catástrofes naturais, porque as razões desses processos são basicamente antropogênicas, ou seja, causadas por seres humanos. E, de qualquer modo, suas consequências serão sociais. Elas se manifestarão por meio de conflitos entre aqueles que estarão em busca de recursos escassos, os quais terão de abandonar as regiões tornadas inabitáveis e procurar estabelecer-se em outras, e os habitantes das áreas onde tais recursos ainda existam. Ou elas se manifestarão em destruições futuras, como o descuido manifestado em certas regiões industriais europeias já deu margem ao envenenamento ambiental pela poluição, fazendo com que a incidência de câncer

---

[43] Deste modo, fica perfeitamente claro como é espantoso terem sido feitas tão poucas pesquisas sobre o submundo da fachada de normalidade social, do mesmo modo que sobre o quadro escondido por detrás do quadro que a sociedade mostra de si mesma. A prostituição, a economia do crime, a cultura da violência etc., são os filhos desprezados pelas pesquisas sociológicas. (NA).

[44] Veja Joachim Radkau: *Natur und Macht. Eine Weltgeschichte der Umwelt.* [A natureza e o poder: História mundial do meio ambiente], München, 2000; Josef H. Reicholf: *Eine kurze Naturgeschichte des letzten Jahrtausends* [História natural abreviada do último milênio], Frankfurt am Main, 2007; e Jared Diamond: *Arm und Reich. Die Schicksale menschlicher Gesellschaften* [Pobres e Ricos: O destino das sociedades humanas], Frankfurt am Main, 2006. (NA).

tenha aumentado de modo a fazer com que a expectativa de vida, em referidas áreas, tenha diminuído desde a década de 1990 de 64 para 51 anos.[45]

A partir do cenário de todas as consequências sociais palpáveis das surpreendentes transformações climáticas e ambientais com que temos de lidar no presente, quase todas as discussões científicas sobre estudos das *ciências naturais* que tratam dos fenômenos e resultados das variações climáticas estão sendo forçadas a calcular prognósticos e novos modelos – enquanto no campo das ciências sociais e culturais domina o silêncio, a um ponto em que fenômenos como a *derrocada de sociedades,* os *conflitos por recursos naturais,* as *migrações maciças,* as *ameaças à segurança,* o *ódio,* a *radicalização* e as *economias de guerra* ou da *violência* etc., vêm sendo descartados como estando além do alcance de sua competência. Incontestavelmente, a história da ciência nunca nos apresentou uma situação semelhante à presente, em que, com evidências científicas, os cenários prognosticados para amplas regiões do mundo, indicativos de amplas modificações nas condições de vida, venham sendo encarados com uma indiferença tão estoica. Isto assinala uma falha na capacidade de discernimento do mesmo modo que em sua consciência de responsabilidade.

Subcomplexidade

A responsabilidade causada por esse desinteresse irá recair sobre os estudiosos das ciências físicas e naturais, que evidentemente não são nem competentes, nem têm autoridade para medir as dimensões sociais das variações climáticas. Na verdade, não é que sejam incapazes de descrever suas consequências sociais, pois os cientistas físicos realmente são admiravelmente confiáveis no que se refere ao cálculo de medidas complexas, mas não estão preparados para o estudo dos processos de construção do desenvolvimento adotados pelos seres humanos. Tampouco é sua função descrever os variados modelos culturais, parâmetros de referência e padrões de significado socioculturais necessários para a percepção dos problemas e elaboração de possíveis soluções – campos para os quais não têm a menor preparação *profissional* e cuja compreensão ninguém pode esperar deles. Todavia, como membros da

---

[45] Veja Fred Pearce: *Wenn die Flüsse versiegen* [Quando os rios secam], München 2007, p. 275. (NA).

sociedade, eles apresentam uma consciência geral dos problemas sociais e de suas possíveis soluções que, via de regra, nos capítulos finais de seus livros apresentam considerações solicitamente profundas e mesmo invejáveis sobre sua preocupação com o colapso de sociedades, o estreitamento dos rios, o derretimento das calotas polares etc. – a saber, quando se fazem as indagações sobre o que se faz agora, é possível a enumeração de todos os fatos apocalípticos do que ainda poderá ser feito.

Isto não significa que o pensamento dos cientistas físicos e tecnológicos, via de regra, seja indiferente ao que a situação atual da humanidade possa produzir, no sentido de que *nada mais* possa ser feito em contrário; em sua maioria, eles apresentam admoestações no sentido de que diferentes formas de comportamento, como a racionalidade coletiva e a irracionalidade individual (e sua inversão) se acham intimamente ligadas; como podem intervir os sentimentos sobre os propósitos de ação racional, como se formam os comportamentos sociais, sem que nenhum dos participantes perceba seu sentido e como se manifesta a participação sem resistência dos acontecimentos, dando margem novamente ao surgimento de novos problemas comportamentais.

É por isso que se torna irritante a leitura de livros como os de Tim Flannery,[46] Fred Pearce[47] e Jill Jäger,[48] em que se revela um contraste claro entre a agudeza das análises e a fragilidade das propostas de solução dos problemas. Quando, por exemplo, Tim Flannery, no final de seu estudo desmoralizador, recomenda a compra de um carro menor e que, em nossas atividades domésticas, se empregue a antiga verruma manual em vez da furadeira elétrica, suas soluções são subcomplexas e de modo algum alcançam as dimensões dos problemas anteriormente descritos. Mas isso não pode ser criticado, porque realmente Flannery está interessado na dimensão profissional dos aspectos físicos do problema e não tem nada a ver com suas dimensões sociais. As modificações climáticas, de acordo com o estudo de Flannery, *pars pro toto*, isto é, tomando a parte pelo todo, são estudadas em sua gênese e conforme a projeção de seus desenvolvimentos futuros sob o ponto de vista das ciências físicas, mas não se referem a suas consequências do ponto de vista das ciências sociais e culturais, ainda que tais consequências *sejam* principalmente sociais e culturais.

---

[46] Tim Flannery, *Wir Wettermacher. Wie die Menschen das Klima verändern und was das für unser Leben auf der Erde bedeutet* [Nós, os formadores do tempo. Como as pessoas modificam o clima e o que isto significa para nossa vida sobre a Terra], Frankfurt am Main, 2006. (NA).

[47] Fred Pearce: *Wenn die Flüsse versiegen* [Quando os rios secam], München 2007, p. 45. (NA).

[48] Jill Jäger, *Was verträgt unsere Erde noch?* [O que nossa Terra ainda suporta?], Frankfurt am Main, 2007. (NA).

Quem somos "nós"?

Ainda permanece um outro exemplo por elucidar. Ninguém emprega mais a primeira pessoa do plural na exposição de seus argumentos do que os neurocientistas, em suas obras didáticas publicadas em torno das variações climáticas ou sobre outros problemas ambientais da atualidade. Eles escrevem: "Nós" provocamos isto ou aquilo, "nós" confrontamos este ou aquele problema, "nós" precisamos parar de fazer isto ou aquilo, para que o "nosso" planeta possa ser salvo. Mas ninguém sabe o que está por trás deste "nós".

Em uma primeira acepção, o termo "nós" representa claramente a humanidade, mas a "humanidade" não é nenhum ator, porém uma abstração. Na realidade, ela é composta por indivíduos contados em bilhões, os quais, a partir de seus substratos culturais muito diferenciados, com suas possibilidades muito diversas de desenvolvimento e com seus diferentes recursos de poder político, agem dentro de comunidades de sobrevivência complexas. Entre o presidente da diretoria de uma empresa multinacional fornecedora de energia, que está constantemente em busca de novas fontes de matéria-prima e uma camponesa do interior da China não existe nenhum "nós" social que possa ser concretamente localizado; ambos vivem em mundos sociais totalmente diversos e com exigências bastante diferentes e, acima de tudo, os dois raciocinam de forma completamente diferente. E esse presidente da diretoria de uma empresa multinacional compartilha de um futuro na primeira pessoa do plural com seus próprios netos? Mais ainda, terá alguma coisa em comum com os netos da camponesa chinesa? Indiscutivelmente não, quanto mais com a realidade social vivenciada ainda hoje por uma criança refugiada em Darfur ou pelos Muhajeddin do Afeganistão ou mesmo por uma menina albanesa que se prostitui nas ruas de Tirana.

O emprego do pronome "nós" presume uma percepção coletiva da realidade, que simplesmente não existe, particularmente dentro do contexto de problemas globais como o aquecimento mundial. Em diferentes partes do mundo, as pessoas sofrerão as suas consequências de formas altamente diferenciadas e, enquanto para algumas elas despertam uma preocupação difusa e distante com o futuro abastecimento de seus netos, os filhos de outras já estão morrendo de fome agora. Ou quando "todos nós", isto é, o leitor ou leitora deste livro e eu mesmo, determinamos viver amanhã em um ambiente de "clima neutro", em que não produziremos mais emissões de dióxido de carbono além das que sejam absolutamente necessárias para a manutenção da vida, somos sabotados por um outro "nós", conforme declarou o funcionário chinês interessado no abastecimento de energia, a "nossa" preocupação é com cada detalhe da necessidade de acrescentar semanalmente à rede elétrica mil megawatts produzidos por usinas termoelétricas alimentadas a carvão, que emitem 30.000 toneladas de dióxido de carbono diariamente pela queima desse carvão.[49]

A indolência política deste "nós" abstrato ignora a influência soberana do poder e de seus efeitos e muito menos controla os posicionamentos ideológicos resultantes. Cientificamente, uma descrição do mundo na primeira pessoa do plural não somente é impossível, conforme demonstra indubitavelmente a história cultural da natureza, como assinala as diferenças radicais das necessidades de sobrevivência nas diferentes regiões da Terra.[50]

Os velhos problemas ambientais

Desde o século 17 já não foi mais possível
a manutenção significativa de um total isolamento,
principalmente com a destruição provocada nas florestas remanescentes.
As grandes fogueiras passaram a ser acesas do outro lado do Oceano.
Não é por acaso que o Brasil, com suas terras quase incalculáveis,
deve seu nome à palavra francesa para "carvão vegetal"

– W. G. Sebald, Os Anéis de Saturno.[51*]

As modificações do clima não apresentam somente um efeito de agravamento das atuais assimetrias globais, cujas consequências podem ser vistas nos conflitos violentos e nas guerras; elas também agravam os efeitos das mudanças ambientais que não têm nada a ver com as causas das próprias variações climáticas. A opinião prevalecente no debate atual é que temos de enfrentar os

---

[49] Klaus-Dieter Frankenberger, *Chinas Hunger nach Energie* [A fome de energia da China], publicado pelo jornal *Frankfurter Allgemeine Zeitung*, edição de 27 de março de 2007, p. 12. (NA).

[50] Jared Diamond: *Arm und Reich. Die Schicksale menschlicher Gesellschaften* [Pobres e Ricos: O destino das sociedades humanas], Frankfurt am Main, 2006. (NA).

[51*] A interpretação mais comum é que seja o nome do pau-brasil, que não era absolutamente usado para fazer carvão, mas como madeira-de-lei, da qual também se extraía um corante vermelho. Segundo Vicente Tapajós, o Brasil já era visitado desde os tempos dos fenícios, egípcios e hebreus, em busca dessa madeira, além de ouro, animais, aves etc. O mesmo autor lista mais de uma dezena de nomes, oscilando entre "braddash" e "bersino" pelo qual a "grande ilha" era conhecida pelos navegadores europeus e levantinos, documentando a presença de normandos, venezianos e portugueses no Brasil séculos antes do descobrimento; contudo, é possível que os resíduos da madeira fossem transformados em carvão ou usados de outro modo como combustível, mas este seria apenas um emprego colateral. (NT).

A GUERRA DA ÁGUA

problemas ambientais que se agravam progressivamente e apresentam a tendência de colocar em perigo nossa própria existência de uma maneira *inovadora*. Mesmo que o movimento ecológico já tenha mais de três décadas e encontre seus precursores desde o Romantismo, os velhos temas do movimento ambiental – poluição dos mares, envenenamento do solo, a complexidade das espécies em extinção, a queima das florestas tropicais, o encolhimento dos rios, a retração dos mares interiores – presentemente não despertam mais qualquer interesse, com a possível exceção do debate sobre a energia nuclear e mesmo este sem o entusiasmo que o revestia durante as décadas de 1970 e 1980. Isso é extremamente irritante, porque a lógica da exploração dos combustíveis fósseis para a produção de energia é a causa tanto dos *velhos* como dos novos problemas que vêm surgindo.[52]

De qualquer modo, os alvos formulados pelo Protocolo de Quioto, ratificado por numerosos países, no sentido de que, a partir de 2012 a emissão de gases seja reduzida pela introdução de um novo sistema, demonstravelmente não serão atingidos, o que fica bem claro pela simples observação do papel que os Estados Unidos ou a China exercem por meio sua constante recusa a se submeterem a regulamentos supranacionais.

Qualquer que seja o tema clássico do movimento ambientalista que se aborde – a destruição da terra arável através da construção desordenada e da urbanização, o número crescente de veículos individuais, o constante aumento global da emissão de gases poluentes que causam o efeito estufa, a poluição crescente dos oceanos, a deformação dos recém-nascidos em territórios prejudicados, como a zona em redor do Mar de Aral, na Confederação de Estados Independentes [ex-União Soviética] etc. – além de todos os outros problemas previamente existentes que foram agravados pela globalização, a consciência diária parece ter-se afastado deles. Aqui não é o lugar para referir as horripilantes falhas do desenvolvimento e seus efeitos sobre as áreas ambientais, especialmente nos países do antigo Bloco Oriental, mas também nos Estados Unidos,[53] porém somos forçados a lembrar que as medidas ecológicas de

---

[52] A preocupação com o aquecimento climático global, aliás, não é recente. Faz duas décadas que avisos neste sentido vêm sendo claramente apresentados, e o fenômeno dos gases que provocam o assim chamado "efeito estufa" vem sendo o tema de explanações ainda mais antigas. Na "economia da atenção", segundo o termo cunhado por Georg Franck com referência aos problemas ambientais, mencionam-se também conjunturas semelhantes e a distribuição desigual, do mesmo modo que em outros campos econômicos. (NA).

[53] A indústria petroleira mundial queima conjuntamente entre 150 e 170 bilhões de metros cúbicos de gás natural por ano, a mesma quantidade consumida pela Alemanha e pela Itália no mesmo período (veja Anselm Waldermann: *Profitdenken schlägt Umweltschutz* [A busca de lucros derrota a defesa ambiental], publicado na revista *Spiegel-online*, 6 de setembro de 2007, em http://www.spiegel.de/wirtschaft/0,1518,504278,00.html). (NA).

controle adotadas por alguns dos estados da Confederação Norte-Americana, como a Califórnia ou por certos países europeus, como a Alemanha e a Áustria provocaram efeitos exclusivamente localizados, mas não têm condições de causar qualquer transformação sobre a poluição ambiental global, nem sobre o rumo de progressão da crescente exploração de recursos.

O que principalmente se modificou durante as últimas três décadas foi a *consciência do problema* e não o próprio problema. Surge a pergunta: como modificações comportamentais importantes devem ser motivadas, quando os problemas ambientais parecem tão insuperáveis, como o demonstra o caso do aquecimento global? A possibilidade de controle do problema é claramente pequena e psicologicamente sempre foram as dificuldades que a acompanham que fazem igualmente diminuir a motivação das pessoas para modificar seu comportamento, quando as possibilidade de solução parecem tão questionáveis. Aqui aparece uma situação de modo algum negligenciável, ou seja, a de que a população mundial, de acordo com as previsões, já na metade do século 21 alcançará os nove bilhões de pessoas,[54] e isso significa ser necessário responder ao fato inegável de que haverá cada vez menor quantidade de recursos para um crescimento populacional cada vez maior. Para os problemas ligados a este fenômeno existem presentemente tão poucas soluções como para as desigualdades e injustiças sociais de caráter global.

Uma vez que todas as variações climáticas são antropogênicas, em sua maioria causadas pela exploração irreversível de recursos e pela destruição duradoura dos espaços vitais de sobrevivência, e seus efeitos sobre o crescimento populacional são *problemas sociais* – como, em última análise, são todos os problemas chamados de ecológicos, do mesmo modo as condições de sobrevivência dos seres humanos pertencem ao âmbito social e somente assim podem ser percebidas. Quando se vê a diminuição constante no número e quantidade das espécies que habitam os lagos, rios e mares, as florestas tropicais e as savanas, isso não é absolutamente um problema natural, a natureza não pode absolutamente ser culpada se o número de seus ursos polares e gorilas ou das medusas e algas marinhas diminui. As plantas e animais não têm a menor consciência disso, apenas percebem que seu espaço de sobrevivência encolhe e que morrem por causa disso. Os problemas ecológicos somente são registrados

---

[54] Veja Rainer Münz: *Weltbevölkerung und weltweite Migration* [A população terrestre e as migrações mundiais], publicado por Ernst Peter Fischer e Klaus Wiegand (editores) em *Die Zukunft der Erde* [O futuro da Terra], Frankfurt am Main, 2006, p. 111. No final deste século, teremos de contar com dez a onze bilhões de pessoas, enquanto os recursos naturais disponíveis se tornarão cada vez menores. (*Ibidem*, p. 112). (NA).

em função da sobrevivência de comunidades humanas, porque as pessoas, diferentemente dos demais seres vivos, não têm consciência apenas do passado, mas também de seu futuro. Somente aqui se encontra uma fraca esperança de que sua razão, causadora desta situação, também possa pensar sobre a forma de resolvê-la, antes que, no futuro, nada mais possa ser feito.

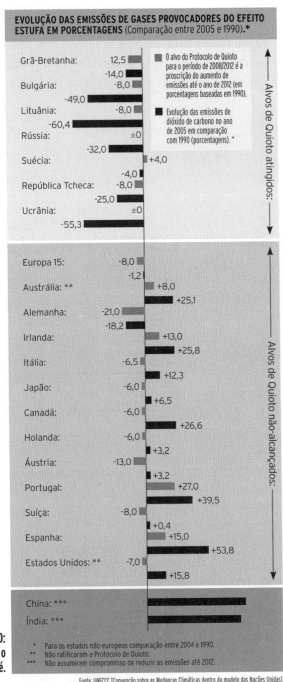

ALVOS DE QUIOTO:
o que deveria ser e o que realmente é.

VARIAÇÕES CLIMÁTICAS – UMA RÁPIDA VISÃO GERAL

Para estudar os problemas das consequências sociais e da violência que poderão resultar das variações climáticas não é decisivo calcular quantos graus subirá em média a temperatura nas próximas décadas ou de quantos centímetros se elevarão as superfícies dos oceanos. Estes cálculos já foram feitos e, provavelmente, serão reforçados pelas variações climáticas, ampliados ou limitados na medida em que oscilarem as dimensões e os dramas provocados pelas transformações climáticas. Ainda menos produtivo para a temática das consequências da violência é o debate sobre se as variações climáticas presentes são antropogênicas, isto é, criadas pelos seres humanos ou se são oscilações naturais do clima, encontradas com frequência na história pregressa de nosso planeta.

Em minha condição de sociólogo, eu me apoio principalmente nos relatórios do *Intergovernmental Panel on Climate Change* (IPCC ou Painel Intergovernamental sobre as Mudanças Climáticas), para a explicação do que está por vir, uma organização cujas publicações constituem um filtro de debates políticos pluralísticos, cujas conclusões não podem ser tidas como exageradas. Seus procedimentos não buscam somente, como se sabe, a *verdade* científica, mas giram em torno de interesses – por exemplo, quais compromissos em quais condições podem ser assumidos como alvo para cada país. A avaliação mais conservadora a que se pode chegar como resultado final destes processos de acordos políticos, é que alguns dos cientistas participantes, de ambos os sexos, foram levados à beira do autorrepúdio. Isto porque os atores políticos se defenderam preventivamente de assumir compromissos e evitaram prometer quaisquer modificações comportamentais que pudessem ser recomendadas pelas análises como resultado de sua indubitável orientação para a imposição de um limite e se opuseram às conclusões, mesmo que estas não contivessem nada de especulativo.

Nesta discussão pública, aliás, passa despercebido pela maioria que os relatórios do IPCC apenas em pequena parte argumentam com base em modelos, prognósticos e hipóteses, mas principalmente se alicerçam em evidências científicas *já mensuradas* sobre o aumento da temperatura mundial, o erguimento da superfície dos oceanos ou a dimensão do derretimento das geleiras. O fato de que estes relatórios empíricos se referem mais aos dados passados e presentes do que ao futuro e deixam em aberto exclusivamente para o futuro distante um grande espaço de manobra para as expectativas, mas não tratam de forma semelhante o futuro próximo. Na maior parte das regiões do mundo já afetadas, as consequências das variações climáticas não somente são fenômenos diariamente perceptíveis, como não dependem dos índices resultantes dos métodos de cálculo e das conclusões de oceanólogos, meteorologistas e paleobiólogos. Isto quer dizer que os aspectos e efeitos essenciais das mudanças climáticas já são tão amplos, que hoje em dia já podem ser claramente avistados?

O relatório publicado pelo IPCC em fevereiro de 2007 apresentou uma probabilidade de 90% de que as variações climáticas presentemente observadas fossem o resultado das atividades dos seres humanos, essencialmente pela emissão constante dos assim chamados "gases provadores do efeito estufa", desde o início do processo de industrialização. Entre eles se destacam, por seu efeito relevante sobre o clima, as emissões de dióxido de carbono provocadas pela queima de carvão e a utilização de combustíveis fósseis para a indústria e o transporte, enquanto o metano e o monóxido de carbono eram emitidos pelos agrotóxicos, mas hoje em dia, principalmente são produzidos pelos animais multiplicados pela pecuária. Estudos científicos demonstram que a concentração de dióxido de carbono e de metano na atmosfera terrestre é mais alta hoje em dia que em qualquer outro período nos últimos 650.000 anos.

O aquecimento do sistema climático global, segundo escrevem seus autores, deriva sem a menor dúvida de seu efeito conjunto e se manifesta pelo

A GUERRA DA ÁGUA

aumento constante das temperaturas da atmosfera e dos oceanos, do derretimento das geleiras e do *permafrost* das tundras, do mesmo modo que pela subida constante do nível dos mares. A temperatura média global vem sendo medida desde 1850; os onze anos mais quentes se localizam no período de 1995 a 2006.[55] A temperatura dos oceanos já aumentou até a profundidade de três mil metros.[56] O erguimento da superfície oceânica é o efeito cumulativo das variações climáticas, porque o volume da água aumenta com a elevação da temperatura, e o derretimento das calotas polares e das geleiras provoca o aquecimento das massas aquáticas. Esta é uma das mais simples interações dos efeitos do aquecimento mundial; mas a circunstância de que existem ainda muitos outros processos interdependentes que contribuem para a autoamplificação destes efeitos torna inseguros os prognósticos a respeito de novos e mais amplos desenvolvimentos sistemáticos. Contudo, as consequências já observadas das variações climáticas assinalam no presente o deslocamento das áreas de chuva e de sua frequência, um imediato aumento das zonas desérticas e a multiplicação do surgimento de condições climáticas extremas, como períodos de frio intenso, tempestades, chuvas torrenciais etc. ocorrendo em regiões nas quais, até o presente, estes fenômenos não se apresentavam.[57]

A última vez em que as temperaturas observadas nas regiões polares foram mais elevadas que as de hoje, foi há 125.000 anos. Se as atuais emissões de gases continuarem, os relatórios do IPCC calculam um amento da temperatura média terrestre da ordem de 0,2 graus centígrados até o final da década presente. No caso de as emissões contínuas serem incrementadas, o aumento da temperatura mundial será ainda mais alto. Os diferentes cenários calculados para a média de emissões, calculados a partir dos dados atuais, nos dão um limite mínimo de aumento médio da temperatura da ordem de 1,1 ºC até o final do século e um limite superior de elevação média de até 6,4 ºC ao redor do planeta. Isto não representa nenhuma diferença gradual, mas um desnível que afetará todas as formas de vida. A superfície dos mares e oceanos ter-se-á elevado entre 18 e 59 centímetros até o final do século.

O futuro nos traz um derretimento progressivo das calotas de gelo polar e das geleiras, além do degelo do *permafrost*; os tufões e furacões serão cada

---

[55] Conforme Rainer Münz: *Weltbevölkerung und weltweite Migration* [A população terrestre e as migrações mundiais], publicado por Ernst Peter Fischer e Klaus Wiegand (editores) em *Die Zukunft der Erde* [O futuro da Terra], Frankfurt am Main, 2006, p. 6. (NA).

[56] *Ibidem*, p. 7. (NA).

[57] *Ibidem*, p. 8. (NA).

vez mais frequentes, e com eles a possibilidade do deslocamento das mais importantes precipitações pluviométricas para o norte e para o sul em detrimento das regiões centrais e os efeitos conjuntos das interações destes processos provavelmente causarão modificações no trajeto das correntes marinhas.[58] Mesmo que ainda não se disponha de dados exatos neste sentido para prever em detalhes o que sucederá, é evidente por si mesmo que todos estes processos terão amplos efeitos sobre o mundo animal e vegetal e, consequentemente, sobre a alimentação e as possibilidades de sobrevivência dos seres humanos.

Os resultados publicados pelo IPCC em abril de 2007 a respeito das esperadas consequências sociais do aquecimento global se baseiam sobre as seguintes condições: as variações climáticas apresentam desenvolvimentos altamente diferenciados de acordo com as diversas regiões; suas consequências sociais não dependem, todavia, apenas destas condições, mas igualmente do grau em que a capacidade de violência será empregada nessa ocasião. Além disso, em regiões como a Europa setentrional, os altos padrões de vida, a boa alimentação e a previsão de medidas contra as catástrofes poderão compensar os prejuízos materiais, portanto as variações climáticas causarão efeitos relativamente pequenos; porém em regiões como o Congo, no qual já dominam a pobreza, a fome, o desgaste das infraestruturas e os conflitos armados, as transformações negativas do ambiente tornarão as condições de vida muito piores.

Os efeitos resultantes provocarão prejuízos de toda ordem: provavelmente, na maioria dos países afetados, haverá menor possibilidade de controlar essas consequências; aqueles que forem menos afetados pelas modificações climáticas até mesmo poderão desfrutar delas, dispondo de modo semelhante de uma maior capacidade de enfrentar os problemas causados pelas variações climáticas. O resultado será que os povos mais afetados por elas serão justamente aqueles que menos provocaram as emissões de gases causadores do efeito estufa, ao passo que os maiores responsáveis pela obstrução da atmosfera previsivelmente serão os que menos terão de sofrer as consequências das modificações ambientais. Aqui é fácil de distinguir um fenômeno de injustiça global historicamente novo: as atuais assimetrias e desigualdades nas condições de vida serão aprofundadas pelas variações climáticas.

---

[58] *Ibidem*, p. 16. (NA).

EMISSÕES DE DIÓXIDO DE CARBONO DE ACORDO COM AS REGIÕES

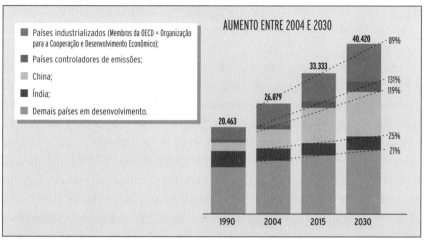

Fonte: IEA (Agência Internacional de Energia).

A *África*, já flagelada pela pobreza, na maior parte governada por governos de procedimento caótico e assolada por numerosos conflitos armados violentos e incontroláveis será justamente o continente a sofrer os maiores efeitos das próximas variações climáticas; o IPCC prognostica que, já no ano de 2020, entre 75 e 250 milhões de pessoas não encontrarão água potável suficiente. Mesmo hoje, em muitas regiões africanas, apenas uma pequena parte da população tem acesso seguro à água potável: na Etiópia somente 22% dos habitantes, 29% na Somália e 42% no Chade.[59] A agricultura, do mesmo modo, se o regime de chuvas permanecer no nível atual ou diminuir, irá sofrer os efeitos do relativo desaparecimento da água no subsolo; em certas regiões, por volta de 2020, a produção agrícola deverá cair pela metade. A situação da pesca não será melhor. O desaparecimento de várias espécies de peixes nos rios e lagos continuará progressivamente; as regiões costeiras serão ameaçadas por inundações.[60] A incidência de doenças como

---

[59] Conforme Eva Berié e outros (redatores), *Der Fischer-Weltalmanach 2008* [Almanaque Mundial Fischer], Frankfurt am Main, 2007, p. 538ss. Em Angola, onde somente 53% dos habitantes têm acesso seguro à água potável, desde 2006 grassa uma severa epidemia de cólera, que até a data de conclusão do verbete já causara 2.174 mortes, a qual se origina, em grande parte, na falta de abastecimento adequado de água potável. Veja também Rainer Münz: *Weltbevölkerung und weltweite Migration* [A população terrestre e as migrações mundiais], publicado por Ernst Peter Fischer e Klaus Wiegand (editores) em *Die Zukunft der Erde* [O futuro da Terra], Frankfurt am Main, 2006, p. 55. (NA).

[60] Veja Robert S. Watson *et alii* (editores), *The Regional Impacts of Climate Change: An Assessment of Vulnerability. A Special Report of IPCC Working Group II* [Impactos regionais das mudanças climáticas: Avaliação da vulnerabilidade. Um relatório especial do Grupo de Trabalho II do IPCC], Cambridge, Massachusetts, 1997, p. 10. (NA).

a malária e a febre amarela aumentará em consequência, espalhando-se por regiões que atualmente não são atingidas, por exemplo, nos países da África Oriental. Na atualidade, já é inteiramente incerto se tais problemas poderão ser superados.

Em diversas zonas asiáticas já se desenvolvem igualmente consideráveis problemas de abastecimento de água; aqui também ocorrerão graves mudanças ambientais, inundações e avalanches em consequência do derretimento das geleiras do Himalaia. Mais de um bilhão de pessoas poderá ser afetado pela falta de água potável por volta do ano de 2050. A produção de alimentos poderá aumentar em diversas regiões (do leste e sudeste asiático), ao mesmo tempo em que diminui em outras (Ásia central e meridional). As doenças intestinais tenderão a aumentar como efeito da ampliação das inundações; o aumento da temperatura das águas provavelmente provocará o surgimento de epidemias de cólera nas regiões costeiras. As possibilidades de combate a estes efeitos serão diferentes em cada país, mas em muitos casos, as providências tomadas serão insuficientes.

A *Austrália e a Nova Zelândia* encontrarão igualmente problemas de abastecimento de água (parte dos quais já se manifestam); as variações climáticas causarão acima de tudo problemas naturais de caráter complexo. As tempestades e inundações se multiplicarão. Contudo, a Austrália e a Nova Zelândia contam com uma boa capacidade de controle e de defesa contra estes fenômenos, de tal modo que as consequências sociais não serão tão dramáticas quanto na África ou na Ásia.

A *América do Sul* já está sendo atingida por problemas de diminuição das reservas de água do subsolo e pela formação de desertos. As derrubadas e queimadas que ocorrem nas florestas tropicais, independentemente das condições climáticas, com a consequente erosão do solo, exercem aqui a função de agravamento dos efeitos das variações climáticas, o que, em seu conjunto, também significa a diminuição das espécies animais e vegetais. O perigo de inundações também afeta as regiões costeiras, do mesmo modo que em outras partes do mundo; as possibilidades de compensação e de defesa também aqui variam de acordo com os países atingidos.

Nas *regiões polares*, as consequências sociais das variações climáticas são igualmente pequenas, porque praticamente ninguém mora nelas; por outro lado, os efeitos causados pelo aquecimento global sobre estas regiões serão extremamente graves para o planeta. O derretimento dos *icebergs*, o degelo do *permafrost* e o aumento da erosão nas zonas costeiras não somente causarão efeitos sobre os habitantes e sobre o mundo animal, como também soerguerão o nível das superfícies oceânicas, além de afetarem a evaporação. Quanto aos efeitos positivos do aquecimento global, encontram-se aqui melhores possibilidades de aproveitamento da terra e melhor acesso a matérias-primas existentes sob as camadas de gelo, do mesmo modo que a abertura de novas passagens para o comércio marítimo. Contudo, pode-se esperar um incremento nos conflitos ligados às pretensões territoriais e aos direitos de exploração do solo e dos recursos minerais que já existem hoje.

Os habitantes dos *arquipélagos* do Caribe e do Pacífico serão ameaçados severamente pelas variações climáticas, não somente porque seus recursos principais de pesca e de turismo encolherão, mas acima de tudo pelo fenômeno evidente de que o erguimento da superfície oceânica tornará inabitáveis muitas dessas ilhas. O emprego de medidas de defesa contra as inundações será bastante complicado; isto provocará o deslocamento das populações, com os consideráveis potenciais de conflito que conhecemos através da história.

Em comparação, as consequências das variações climáticas serão praticamente inofensivas na *Europa*, ainda que o derretimento das geleiras alpinas, a ampliação de condições climáticas extremas, a interrupção dos caminhos por deslizamentos e inundações não tenham bons efeitos sobre a agricultura, pecuária e indústrias ligadas ao turismo. Além disso, também aqui se manifestará o favorecimento do norte em detrimento do sul. Enquanto a Europa setentrional usufruirá novas possibilidades de plantações de árvores frutíferas, vinhedos e cereais etc., as regiões meridionais serão afetadas por secas e pela crescente escassez de água. Mas, de um modo geral, os países europeus têm relativa capacidade para circunscrever as consequências das modificações climáticas, que poderão ser compensadas ou mesmo aproveitadas de maneira positiva. Presentemente já estão sendo tomadas medidas para melhor proteção das áreas costeiras. As consequências sociais serão aqui indiretas em todos os sentidos e as questões climáticas aumentam a pressão para ampliar a segurança das fronteiras locais mais afetadas etc.

O mesmo vale para a *América do Norte*. As potencialidades agrícolas provavelmente melhorarão em muitas regiões, ainda que em muitos pontos se deva contar com inundações e escassez de água e as condições para a prática de esportes de inverno venham a piorar. Do mesmo modo, ondas de calor poderão tornar-se um problema sério e, além disso, as áreas costeiras estarão sujeitas ao assalto de furacões e avanço de inundações. Também aqui, do mesmo modo que na Europa, importantes medidas de compensação já estão sendo tomadas.[61] Mas no que se refere às medidas de defesa, vale o mesmo que na Europa, identificam-se muitas diferenças regionais.

Em seu conjunto, percebe-se através do globo uma divisão desigual das consequências sociais e econômicas do aquecimento climático. As injustiças que as acompanham, tanto em termos geográficos atuais como em relação às gerações futuras darão causa progressiva ao agravamento dos potenciais de conflitos.

Dois graus a mais

Entre os pesquisadores e pesquisadoras da atualidade existe completa concordância no sentido de que as consequências sociais e econômicas das variações climáticas talvez já não possam mais ser controladas se o aquecimento mundial sofrer um acréscimo de mais de dois graus com relação aos valores do período pré-industrial – ou seja, cerca de 1,6 graus centígrados acima dos valores presentes. Conforme calculou Fred Pearce, no final da última glaciação havia 600 bilhões de toneladas de dióxido de carbono na atmosfera – um valor que permaneceu constante até o começo da Revolução Industrial. Pelas emissões antropogênicas, esta quantidade subiu desde então para 800 bilhões de toneladas; mesmo que o crescimento da temperatura não venha a ser ainda mais acelerado, o resultado máximo tolerável será uma carga de 850 bilhões de toneladas. Presentemente, estão sendo lançados cerca de quatro bilhões de toneladas por ano na atmosfera. Se esta taxa de aumento não for contida, pelo combate destas emissões provocadas pela industrialização nos países desenvolvidos, o valor de 850 bilhões de toneladas será atingido em cerca de dez anos. Um acréscimo do aquecimento global que alcançará em média os dois graus centígrados mencionados é uma previsão realística, ainda que as emissões mundiais "dentro de mais ou menos cinco anos alcançarão seu nível mais alto, nos cinquenta anos seguintes poderão ser reduzidas, no mínimo, pela metade, e se possa esperar que tais valores se mantenham constantes depois disso."[62] Se um tal alvo será acessível ou não é uma questão que depende de nossa confiança na razão coletiva.

---

[61]   O Serviço de Meteorologia da NASA vem prognosticando desde 2001 um considerável aumento do risco da elevação das marés para a área de Nova York. Perante esta perspectiva já foi planejada para breve a construção de três barreiras de proteção contra as marés, que protegerão a maior parte dos espaços de Nova York (*Frankfurter Allgemeine Zeitung* [Jornal de Frankfurt edição internacional], de 31 de julho de 2007, p. 35). (NA).

[62]   Fred Pearce: *Das Wetter von Morgen. Wenn das Klima zur Bedrohung wird* [O clima do amanhã: Quando as condições atmosféricas constituírem uma ameaça], München, 2007, p. 309ss. (NA).

OS MORTOS DE ONTEM

O Fim do Mundo

O ano 520 d.C. foi catastrófico para o Império Romano Oriental. Constantinopla e outras cidades foram arrasadas por diversos terremotos, o rio Eufrates se expandiu em severas inundações na Mesopotâmia, enquanto o Império tinha de enfrentar simultaneamente conflitos com os persas, búlgaros e árabes. Ademais, teve de enfrentar levantes internos e, acima de tudo, a passagem do Cometa Halley provocou terrível pânico entre os habitantes. Mischa Meier, historiador especializado na história da Antiguidade, listou todos estes flagelos e devastações minuciosamente e estabeleceu entre eles uma característica quase constante: as fontes contemporâneas descreveram detalhada e dramaticamente tanto os desastres locais como os de ampla abrangência, mas sem causar a impressão de que tudo aquilo fosse totalmente inesperado ou parecesse espantosamente ameaçador.[63]

Vinte anos depois, no ano 540 d.C., ocorreu novamente no mesmo espaço uma verdadeira cascata de catástrofes. Novamente um cometa veio pressagiar acontecimentos aziagos e desastrosos, trazendo em sua esteira conquistas e saques realizados pelos búlgaros, e grandes devastações. Em busca de uma reconquista, os ostrogodos ocuparam novamente uma grande parte do Império,

---

[63] Veja Mischa Meier, *Krisen und Krisenwahrnemung im 6. Jahrhundert nach Christus* [As crises e a percepção das crises no século sexto depois de Cristo], publicado por Helga Scholten (editora), em *Die Wahrnemung von Krisenphänomenen. Fallbeispiele von der Antike bis in die Neuzeit.* [A percepção dos fenômenos críticos. Exemplos de choques sofridos deste a Antiguidade até os tempos modernos], publicado em Köln [Colônia] e outras cidades, 2007, pp. 111-125, aqui na página 116. (NA).

dando início a uma guerra de desgaste que causou consideráveis vítimas entre a população civil. A capital foi novamente atingida várias vezes por tremores de terra e a peste negra provocou "uma mortalidade maciça, a que ninguém conseguia sobreviver. O comércio e o suprimento de cereais desapareceram de Constantinopla e de outras cidades. A infraestrutura do Império entrou em total colapso e aldeias inteiras ficaram despovoadas".[64]

Neste caso, porém as fontes contemporâneas descreveram grande terror e a demonstração incontestável de pânico ocasionados pela percepção de ameaças drásticas. De onde surgiu, segundo relata Meier, a diferença surpreendente na percepção destas catástrofes dentro do âmbito deste curto espaço de tempo? A resposta causa assombro, mas também é esclarecedora. A partir do ano 500 esperava-se a chegada do fim do mundo (o qual, segundo os cálculos dos cronistas cristãos, corresponderia à Ressurreição [de Cristo] e estava ligado ao apelido de "Rei do Fim dos Tempos" atribuído ao Imperador Anastasios, aliado ao conhecimento de que o Império Romano do Ocidente sofrera recentemente sua queda final). Dentro do enquadramento destas duas crenças se encaixaram progressivamente os desastrosos acontecimentos de 520 a 530. Perante tantos fatos, as pessoas já estavam mentalmente preparadas para esperar a chegada do apocalipse e os encaravam como prenúncios do fim – Meier descreve com exatidão como estes padrões de significado e de orientação contemporâneos provavelmente se estabeleceram diante do surgimento da dissonância cognitiva provocada pelo fato "de que as catástrofes esboçadas *não* chegaram a acontecer, ao passo que todas as suas condições externas se achavam presentes e *tampouco* se haviam modificado".[65]

A clara circunstância de que o mundo correspondera a todas as expectativas, mas nem assim fora destruído, foi aumentando a preocupação até florescer vinte anos depois em um plano de referências totalmente modificado: o fim do mundo iminente não necessitava mais de quaisquer motivações para o surgimento de eventos catastróficos – "a percepção dos acontecimentos", conforme escreveu Meier, "não se harmonizava mais nos padrões de orientação correntes". [66] Isto resultou em novas e consideráveis críticas ao Imperador, pelo fato de que ele foi responsabilizado pelos acontecimentos ameaçadores.

---

[64] Mischa Meier, *Krisen und Krisenwahrnemung im 6. Jahrhundert nach Christus* [As crises e a percepção das crises no século sexto depois de Cristo], p. 119. (NA).

[65] *Ibidem*, p. 117. (NA).

[66] *Ibidem*, p. 121. (NA).

Este exemplo é interessante, porque assinala com plena clareza que as catástrofes não são simplesmente acontecimentos inevitáveis, mas que dependem principalmente da percepção e significado com que são revestidos pelas pessoas afetadas ou justamente pela ausência de significado percebido em tais eventos. Erving Goffman ocupou-se minuciosamente com esta temática, examinando variadas percepções dos fatos registradas por seres humanos e, em seu livro *"Rahmenanalyse"* (Análise de molduras de referência),[67] expõe como os importantes padrões sociais cunhados nos processos de compreensão dos acontecimentos e de seus significados emocionais se encontram disponíveis – são estes princípios de organização emocional dos acontecimentos que ele denomina de "molduras". Sobre estas bases, ele se permite dizer que, de forma alguma, um acontecimento é encarado com pura objetividade, isto é, que as reações dos que são atingidos por ele, portanto suas molduras referenciais, buscam atribuir um certo grau de ordem à sua percepção dos eventos.

As pessoas tomam suas decisões com base em hipóteses complexas, das quais apenas a menor parte atinge o plano das reflexões conscientes – quanto a este ponto, existe plena concordância entre a psicologia, a psicologia social e a neurologia cognitiva. Dentro das molduras de referência, as percepções, os significados e as diferenças se organizam, passam através do inconsciente e das acepções conscientes e as suas interpretações, naturalmente, se expressam por meio de hipóteses básicas ("é assim que é", "é assim que se faz" etc.), comportamentos socializados e formações de hábitos que, de acordo com as exigências de cada situação, determinam sua maneira de tratar os outros, seus convites, suas ordens e tantas outras coisas mais.

Ocorre deste modo com o significado descoberto nas sensações de ameaça e no alicerce de suas conclusões e das diferenças que se estabelecem por meio de avaliações cognitivas, estas igualmente orientadas por suas molduras de referência, confirmadas reciprocamente por interações e processos grupais e adotadas teimosamente a partir de então. Relevantes para o estabelecimento de um significado são também as condições apresentadas pelas situações variadas que as pessoas encontram ao seu redor, desenvolvendo por meio delas padrões de percepção e de significado e suas diferenças e aplicações por ocasião de ameaças, catástrofes e guerras. Aqui entram ainda conceitos abstratos e modelos da realidade – não somente sobre o fim do mundo, mas sobre as expectativas e sobre o que não pode ser esperado, sobre guerra e paz, justiça e

---

[67] Veja Erving Goffman, *Rahmenanalyse* [Análise de molduras de referência], Frankfurt am Main, 1978. (NT).

injustiça, responsabilidade e vingança etc. Tais favores intercolaboram para a construção paulatina de um modelo referencial concreto para a percepção de situações, conclusões e diferenciações entre os próprios atores. De tal modo, uma situação exatamente igual pode ser percebida de maneira totalmente diversa por diferentes pessoas e segundo vários pontos de vista, o que conduzirá a interpretações igualmente diversificadas. Em concordância, as bases de suas percepções do que podia e não podia ser esperado determinaram a significação da cascata de catástrofes que ocorreram em 520 d.C., enquanto os eventos de 540 d.C. divergiram basicamente de suas expectativas e geraram o pânico coletivo. Basicamente, quando as experiências, acontecimentos e desenvolvimentos não se enquadram mais no horizonte da moldura referencial e não podem ser ordenados dentro dos padrões de percepção habituais, geram em seu conjunto problemas de orientação e, como efeitos destes, a necessidade de entender o que realmente está sucedendo. Dentro da sensação de desordem se desenvolvem o desejo de controlar a visão de conjunto, a busca da transparência e, naturalmente, o anseio pela ordem.

Justificativas

"Eu não sei mais em que dia foi. Mas as pessoas começaram a dizer que o Presidente tinha sido assassinado e ele era o nosso Pai. Os tútsis começaram logo a fugir. Em seguida, começamos a ver casas incendiadas aqui e ali. Estávamos enraivecidos pela morte de nosso Pai. A guerra começou. Os tútsis foram assassinados."[68]

São estas as palavras de um dos executores de um dos mais curtos e pavorosos genocídios da história do século 20. Entre abril e julho de 1994, entre 500.000 e 800.000 pessoas foram massacradas em Ruanda. Os mortos pertenciam, em sua maioria, à etnia tútsis; em apenas treze semanas, aproximadamente três quartos desta parte da população ruandesa foram exterminados. Contudo, os tútsis não foram os únicos acometidos por este massacre maciço – também foram mortos membros da etnia hutu que se opuseram ao genocídio ou o criticaram, os que eram casados com tútsis e outros que, de uma forma ou outra, foram considerados como traidores da causa defendida pelos demais hutus.

---

[68] Scott Straus, *The Order of Genocide: Race, Power, and War in Rwanda* [A ordem do genocídio: Raça, poder e guerra em Ruanda], Nova York, 2006, p. 154 (tradução Harald Welzer). (NA).

Entrementes, acha-se bem documentado o fato de que as diferenças étnicas entre os dois grupos foram essencialmente um produto do colonialismo e, mais ainda, que a melhor posição social da minoria tútsis se deve, em grande parte, ao maior valor que lhes foi atribuído pelas autoridades coloniais. Nos anos anteriores ao morticínio, o sentimento de pertencerem a uma classe social inferior, difundido entre os hutus, oscilou de intensidade, aumentando gradativamente para uma disposição ameaçadora e culminando, finalmente, em inimizade total. Pelo efeito oposto, cresceu na percepção da maioria hutu a ideia de que os tútsis constituíam uma ameaça mortal contra a qual tinham de opor-se com o máximo de energia, antes que se convertesse em realidade o suposto plano dos tútsis para massacrar os hutus. No momento em que, a 6 de abril de 1994, foi praticado um atentado mortal ao avião do Presidente Habyarimana, foi dado início à matança dos tútsis.

"Após a queda, o povo dizia: 'Nosso Pai está morto'. Por que vamos viver e eles viverem, repetíamos, agora que ele está morto? Nós pensamos que tudo estava acabado para nós. As pessoas diziam que nossos inimigos nos tinham agarrado e que nós tínhamos de nos defender."[69]

Estas são as palavras de outro dos genocidas; é visível que os dois homens claramente encontraram um significado firmemente preso a suas ações. Havia a percepção da ameaça de uma agressão mortal e as pessoas tinham de se defender contra ela. Mas o genocídio dos tútsis seria muito mais abrangente do que aquilo que a maioria hutu tinha começado e foi muito mais além do que normalmente teria sido executado pela fúria da população; de fato, foi principalmente o resultado das ordens emanadas dos militares, de altos funcionários e da administração em geral e haviam até mesmo sido preparadas listas com os nomes daqueles que deveriam ser executados. A contagem das mortes atingiu uma cifra de seis algarismos e os assassinatos foram cometidos em sua maioria com machetes, facas longas distribuídas entre a população antes que as ações fossem iniciadas.

Este genocídio já vinha sendo anunciado desde 1960 por meio de diversos conflitos e massacres restritos, mutuamente praticados entre os tútsis e os hutus, ainda que seja digno de nota que ambas as sociedades destes grupos étnicos de forma alguma estivessem estritamente separadas entre si; bem ao contrário, na vida diária permanecia uma convivência ampla e sem problemas entre as duas etnias: casavam-se uns com os outros, trabalhavam juntos, travavam

---

[69] *Idem, ibidem.* (NA).

relações de amizade. De onde então surgiu a fronteira étnica que possibilitou a erupção deste assassínio maciço? O fato de que os hutus guardavam rancor contra os tútsis é perfeitamente perceptível em ambas as declarações que citamos supra. Mas tornou-se perfeitamente claro que as causas mais profundas de seus sentimentos homicidas não eram conhecidas sequer por eles.

Ambos os criminosos tomaram o assassinato de seu Presidente como se fosse uma afronta totalmente pessoal. Eles encaravam o líder político como se fosse alguém que lhes *pertencesse*, como uma relação familiar, como seu defensor e responsável, em uma palavra, como seu "Pai". Deste modo, o atentado homicida contra sua personalidade foi sentido como se fosse o seu próprio e esta lógica se aproxima do fato de que agora ninguém mais podia continuar vivendo. Em sua ação, esta ameaça percebida se manifestou sobre os outros, por mais irracional e desprovido de sentido que isto pareça ser para um observador externo, mas exerce um papel subjetivo dos mais importantes e é o verdadeiro motivo para as ações que se realizaram dentro do arcabouço do genocídio, assassinatos em massa e outros tipos de massacres.[70] Do mesmo modo, quando a atitude da maioria enxerga uma inversão grotesca das ameaças factuais – 90% da população de Ruanda eram hutus – as pessoas reagem como se tivessem de defender as próprias vidas e as de seus parentes, de fato são obrigadas a agir assim, porque se julgam sob ameaça de captura e morte. Trata-se de uma ameaça espelhada pelo próprio sentimento de medo, gerando uma disposição homicida, cujos prenúncios são totalmente invertidos. Os hutus *acreditavam* que os tútsis lhes representavam uma ameaça mortal, do mesmo modo que os antissemitas alemães dos anos trinta e quarenta do século passado acreditavam na conspiração judaica mundial[71] ou os seguidores de Slobodan Milosevic nas malhas de uma armadilha mortal sob a qual se encontravam os sérvios. Mesmo que estas ameaças percebidas fossem completamente irracionais – seus resultados foram, em qualquer caso, a morte real de incontáveis seres humanos. A irracionalidade do motivo não apresenta

---

[70] Veja Harald Welzer, *Täter. Wie aus ganz normalen Menschen Massenmörder werden* [Criminosos: Como pessoas perfeitamente normais se transformam em assassinos de massas], Frankfurt am Main, 2005; Jacques Semelin: *Säubern und Vernichten. Die politische Dimension von Massakern und Völkermorden* [Limpar e eliminar. A dimensão política dos massacres e genocídios], Hamburg, 2007, p. 87ss. (NA).

[71] A leitura dos diários de Goebbels nos conduz um pouco mais adiante, porque ele estava efetivamente convencido da existência de uma conspiração judaica mundial e as alusões a esta conspiração não eram, em absoluto, um truque de propaganda em que ele próprio não acreditasse. Himmler, Hitler, Göring e os incontáveis outros planejadores e executores do extermínio judaico enquadrados em outros níveis hierárquicos e em outros planos de funcionamento partilhavam desta convicção de forma mais ou menos profunda, mas em qualquer caso estavam convencidos da necessidade da realização maciça de um projeto gigantesco para a aniquilação dos judeus e de que este era um trabalho a ser planejado e rapidamente levado à sua conclusão total. (NA).

a menor influência sobre a racionalidade da execução. O Holocausto é o comprovante assustador da justiça do teorema redigido por William Thomas: "Quando as pessoas acreditam que uma situação seja real, esta se manifestará realmente através de suas consequências."

A Contagem dos Corpos

Dentro do contexto da Guerra do Vietnã, soldados norte-americanos cometeram vários massacres contra a população civil. O mais conhecido foi o da aldeia de My Lai, em que quase exclusivamente foram mortos crianças, mulheres e velhos. Esse massacre foi submetido a um dos julgamentos mais objetivos realizados durante a Guerra do Vietnã para examinar um dos mais espetaculares homicídios em massa. Os registros dos interrogatórios espelham a percepção dos soldados de que estavam matando seus *inimigos*, por mais grotesca que nos possa parecer – conforme se encontra na seguinte inquirição:

"[...] Resposta: Eu disparei meu M-16 contra eles.
Pergunta: Por que?
Resposta: Porque eles poderiam ter agarrado minha arma.
Pergunta: Havia crianças e bebês?
Resposta: Sim.
Pergunta: E eles poderiam ter agarrado sua arma? Crianças e bebês?
Resposta: Elas poderiam ter granadas escondidas. As mães poderiam tê-las agarrado e lançado contra nós.
Pergunta: Os bebês?
Resposta: Sim.
Pergunta: As mães estavam com os bebês no colo?
Resposta: Acredito que sim.
Pergunta: E os bebês queriam agarrar?
Resposta: Durante todos os momentos em que aquilo durou, eu calculei que poderiam fazer uma tentativa de agarrar. [...]"[72]

---

[72] Citação *apud* David Anderson: *What Really Happened* [O que realmente ocorreu], publicado em *Facing My Lai. Beyond the Massacre* [Enfrentando My Lai: Além do massacre], por David Anderson (editor), Kansas, 1998, pp. 1-17, aqui p. 8 (Tradução de Harald Welzer). (NA).

Um tal depoimento, contemplado de fora, parece ser inteiramente absurdo, até mesmo insano. Mas uma reconstrução da perspectiva interior dos soldados norte-americanos que serviam no Vietnã nos indica que tais percepções são uma medida extrema causada pela falta de orientação e pela perda de controle resultante do fato de que os soldados nunca haviam sido preparados de antemão para as condições de uma luta na selva e não tinham condições de lidar com as técnicas de guerrilha adotadas pelos vietcongues – com o resultado de enxergarem ameaças em tudo quanto os rodeava. O fantasma de um bebê capaz de atacá-los, que encontramos em não poucos relatos de veteranos, surge claramente através da difusão das ameaças percebidas da parte dos vietcongues que os rodeavam. A ameaça pressentida da parte destes inimigos invisíveis seria encarada como total por muitos dos soldados norte-americanos, e uma ameaça extensa e difusa a esse ponto deveria provocar o surgimento de fortes sentimentos de falta de orientação e de perda de controle. O conceito de um bebê capaz de lançar granadas se baseava na recordação de experiências e testemunhos de ameaças total e absolutamente incalculáveis. Cada um que não pertencesse ao "Nosso Grupo", de acordo com a fantasia ameaçadora, era realmente um inimigo potencial, pior ainda, um inimigo disfarçado.

Esta desorientação e a falta de controle que a acompanhava eram flanqueadas no Vietnã pela desobrigação militar-estratégica de seguir as regras de uma guerra convencional, ou seja, que as mortes de civis podiam ser encaradas como incluídas no âmbito de uma consequência talvez lamentável, mas de modo algum proibida: apenas mais uma etapa estratégica decorrente da *search and destroy* [busca e destruição], das *free fire zones* [áreas sem controle de fogo][73] e da *body count* [contagem dos mortos], isto é, a medida dos resultados da luta pelo número dos mortos. Isto originava um conjunto realmente mortal e era dentro deste cenário que surgiam as fantásticas percepções de que os próprios bebês fossem vietcongues, menos abstrusas dentro deste contexto. Não se fazia qualquer diferença entre as vítimas, desde que fossem funcionais, porque tudo era encarado à luz de uma visão geral e abrangente.

---

[73] A ordem *"Search and Destroy"* [busca e destruição] designava a localização e a destruição completa dos "Ninhos de Resistência", como acampamentos fortificados, esconderijos etc. A designação de determinadas zonas de combate como *"Fire Free Zones"* [áreas sem controle de fogo] significava que, no espaço delimitado por seus limites, todos os alvos encontrados dentro dela que se mostrassem suspeitos deveriam ser alvejados, fossem soldados, crianças ou velhos. Veja Berndt Greiner, *"A Licence to Kill": Annäherung an das Kriegsverbrechen von My Lai* ["Permissão para Matar": Uma tentativa de conciliação dos crimes de guerra de My Lai], publicado na revista *Mittelweg* [O caminho do meio] *36*, dezembro de 1998/janeiro de 1999, pp. 4-24, aqui p. 5. (NA).

A GUERRA DA ÁGUA

Isto não significa, em absoluto, que estas fantasmagorias se limitassem aos soldados que entravam diretamente no campo de batalha. Também nas cúpulas políticas e militares norte-americanas, o desenvolvimento inesperado e catastrófico do cenário da guerra acabou por conduzir ao surgimento de uma visão irracional da realidade que, por exemplo, resultava em sua crença de que os inimigos vietcongues brotavam de toda parte, superavam os guerreiros e, finalmente, se demonstravam a força militar superior. Os chefes do Estado-Maior e os conselheiros presidenciais se encontraram nesse ponto do tempo, conforme foi descrito por um observador contemporâneo, em um "estado de sonolência", em que bloqueavam qualquer avaliação realística das consequências de seus procedimentos.[74]

E o ponto do tempo calculado estatisticamente para alcançar a vitória, um dos meios para a qual era a *body count* [contagem dos mortos] podia ser por enquanto mantido diante dos olhos, estabelecido que fora para quando a energia de luta dos adversários tivesse se esgotado (o qual, conforme haviam calculado os estatísticos do Pentágono, era esperado para o final do ano de 1965). E a estratégia da *body count* conduziu inexoravelmente à prática de mortes indiscriminadas, sem que se estabelecesse diferença entre o abate de homens, mulheres e crianças; apenas se contava o número total de vítimas que, em determinadas ocasiões, se tornou tão desencontrado, que um oficial norte-americano declarou a seus homens, com certa ironia, que as mulheres grávidas deveriam ser contadas duas vezes.

Os historiadores sempre buscam em retrospecto as causas dos fenômenos e, deste modo, pela lógica, encontrar as interligações entre o Comportamento A e uma Consequência B desse comportamento. Este procedimento pode levar a crer que a Consequência B desse comportamento poderia ser tornada completamente diferente como resultado de uma intenção deliberada do Comportamento A. Mas ocorre que os soldados que invadiam as aldeias seguiam uma outra racionalidade do que a empregada pelos comandantes do Pentágono que lhes enviavam as ordens, e o resultado disso é que agiam como se estivessem diante de problemas diferentes. Este orgulho estatístico, como se o desfecho da guerra dependesse do número de cadáveres que pudessem ser contados, conduziu diretamente à escalada da guerra, em que a estratégia da *body count* se transformou num alvo em si mesmo – a tal ponto que, por trás de um conceito basicamente abstrato, foi-se introduzindo a dinâmica da escalada. Na realidade, estamos tratando com uma

---

[74] Barbara Tuchman: *Die Torheit der Regierenden. Von Troja bis Vietnam* [A loucura dos governantes: De Troia ao Vietnã], Frankfurt am Main, 2001, p. 439. (NA).

HARALD WELZER

racionalidade particular que, em situações extremas, particularmente em situações percebidas como ameaçadoras, se torna autocatalisadora e não somente determina as ações, como estabelece de antemão os seus resultados – e os próprios participantes de referidas ações em seguida permanecem sem compreendê-las, estranhamente alheios de si mesmos[75] perante os resultados que efetivamente provocam.

Um outro exemplo da mesma guerra foi a ideia fantástica, mas amplamente difundida, de que o exército norte-vietnamita possui um "Centro Nervoso" colossal em algum ponto da selva, referido como CONVN (*Central Office of North Vietnam* = Escritório Central do Vietnã do Norte), que era necessário encontrar e destruir. Esta fantasia derivava, por um lado, da contínua incapacidade do exército norte-americano, apesar de sua grande superioridade técnica e numérica, de vencer os combatentes vietcongues, cuja capacidade militar era claramente de qualidade inferior e, pelo outro, da suposição de que o próprio inimigo deveria operar logicamente, como faziam os norte-americanos. Foi a partir deste conceito imaginário que resultaram os bombardeios sem sentido, na crença de que a queimada ou o desfolhamento das árvores do jângal asiático permitiria finalmente localizar o tão buscado centro de operações (que, afinal, nem existia). Este também era um efeito da necessidade de retomar o controle. Mas o único resultado surgiu mais tarde aos olhos do mundo, quando foram publicadas as fotografias da menina Kim Phuc, nua e soluçando, com a pele extensamente queimada, fugindo de sua aldeia em chamas, que era mostrada em último plano e que tão efetivamente prejudicou o esforço de guerra dos norte-americanos. Também esta foi uma consequência de ações que, naturalmente, ninguém havia previsto, mas que concorreu claramente para determinar o curso futuro da guerra.

A Guerra do Vietnã foi também uma agressão às condições ecológicas dentro das quais viviam os adversários. A circunstância de que, em razão de uma imagem fantasiosa fossem lançadas sobre o Vietnã "bem oitocentas mil toneladas a mais de bombas do que em todos os cenários de guerra da Segunda Guerra Mundial tomada em seu conjunto"[76] e que a intenção desse bombardeio indiscriminado das florestas com substâncias desfolhantes tenha sido o seu envenenamento deliberado, rapidamente causou efeitos sobre a população vietnamita, os quais permanecerão durante gerações.

---

[75] Foi justamente esta expressão que empregou Willy Peter Reese, um jovem soldado de formação intelectual engajado no *Wehrmacht* [Exército regular] alemão, que se percebeu constantemente envolvido em atos de violência progressiva. Veja Willy Peter Reese: *Mir selber seltsam fremd. Die Unmenschlichkeit des Kriegs, Russland 1941-44* [Estranhamente alheio de mim mesmo. A desumanidade da guerra, Rússia 1941-44] (editado por Stefan Schmitz), Berlim, 2004. (NA).

[76] Veja Berndt Greiner: *Krieg ohne Fronten. Die USA in Vietnam* [A Guerra sem Linhas de Frente: Os Estados Unidos no Vietnã], Hamburgo, 2007, p. 41. (NA).

A GUERRA DA ÁGUA

Dentre todas as guerras que se enquadraram no âmbito da assim chamada "Guerra Fria", a do Vietnã foi, sem sombra de dúvida, a mais absurda, prejudicial e duradoura. Suas consequências profundas permanecem até hoje, não somente na sociedade vietnamita, mas também refletidas na sociedade norte-americana que aqui, em muitos planos, sofreu sua primeira derrota importante: moral, militar, econômica e, em retrospecto, causou a desconfiança dos cidadãos e cidadãs na política de seu presidente.

As causas iniciais da derrota dos Estados Unidos nesse conflito são, em muitos aspectos, de natureza psicológica: fantasias de superioridade, irmanadas aqui com um medo e pânico de perda de prestígio. Foi desse modo que Lyndon B. Johnson e seu sucessor Richard Nixon observaram publicamente que não queriam ser o primeiro presidente norte-americano a perder uma guerra e, como é tão fácil voltar atrás em uma declaração infeliz, determinaram fazer com que a guerra, pelo menos, durasse tão longamente quanto fosse possível – mesmo quando perceberam já não ser mais possível vencer. Seus consultores, inclusive uma pessoa tão inteligente quanto Henry Kissinger, originaram um espaço irreal, na mesma linha da maioria dos oficiais do comando militar, dentro do qual analisavam os problemas percebidos e desenvolviam soluções forjadas por pensamento mágico, que terminavam por conduzi-los cada vez mais fundo em direção à derrocada.

Característico de sua responsabilidade – conforme declarou corretamente Barbara Tuchman – foi sua negação a aceitar as informações práticas que não se coadunavam a suas expectativas. Para começar, eles consideravam simplesmente impossível que um país de "quarta classe", como denominavam o Vietnã do Norte, não pudesse ser vencido e passaram daí a acreditar que bastava fortalecer as suas próprias tropas, aliadas ao exército supervalorizado do Vietnã do Sul e, a partir de então, obstinadamente se apegaram à sua ilusão, por mais que o desastre já se esboçasse claramente.[77] Aqui funciona novamente o confiável mecanismo de redução da dissonância cognitiva – e novamente se impõem os paralelos da Guerra no Iraque, em que mais uma vez encontramos um exemplo do fenômeno psicológico de redução da dissonância cognitiva, pensamento grupal[78] e excesso de autoestima, fortalecido ainda mais pela experiência histórica. Mas novamente estamos frente a frente com interpretações retrospectivas de problemas percebidos.

---

[77] Barbara Tuchman: *Die Torheit der Regierenden. Von Troja bis Vietnam* [A loucura dos governantes: De Troia ao Vietnã], Frankfurt am Main, 2001, p. 474. (NA).

[78] O pensamento grupal desenvolve seus efeitos desastrosos sempre que, dentro do grupo, a preocupação de concordância na refutação das acusações se sobrepõe a uma reflexão realística e bloqueia qualquer crítica a seu comportamento. (veja Elliott Aronson, *Sozialpsychologie. Menschliches Verhalten und gesellschaftlicher Einfluss* [Psicologia Social: Os comportamentos humanos e a influência social], München, 1994, p. 39. (NA).

Realidades Alteradas:

Diante de tal cenário prévio, não é de admirar que realidades radicalmente alteradas conduzam frequentemente a soluções totalmente violentas para os problemas percebidos. Deste modo, as modificações inesperadas de sistemas políticos cobram um preço elevado demais, como ocorreu após a desintegração do Bloco Oriental em 1989, não somente pelo descrédito dos cientistas sociais e políticos, cuja ocupação propriamente dita era a previsão de tais acontecimentos, mas também pela desorientação dos cidadãos e cidadãs dos países afetados e, acima de tudo, pelo desprestígio dos políticos envolvidos. Também as sociedades pós-coloniais foram afetadas em alto grau pelos conflitos provocados pelas transformações do sistema e ainda serão necessárias muitas décadas antes que a maioria delas possa se organizar o suficiente para criar sociedades civis relativamente estáveis. "Deste modo, apenas 19 entre 44 países africanos estavam em situação de construir nações estáveis após o processo de descolonização."[79] Depois da proclamação das respectivas independências, a maioria dos países descambou em conflitos violentos, que em diferentes graus de intensidade, permanecem ou provocam consequências até os dias de hoje (como ocorre no Sudão, no Congo, em Serra Leoa, na Guiné Bissau etc.). Na Etiópia, a guerra durou de 1976 a 1991 e causou de um a dois milhões de vítimas fatais (de fato, mais de 90% destas mortes ocorreram entre a população civil); em Moçambique lutou-se de 1976 a 1992; o número de vítimas ficou entre quinhentos mil e um milhão de mortos; a presente guerra no Congo [chamada de Conflito do Ituri ou de Segunda Guerra do Congo] já provocou a morte de quatro milhões de pessoas desde seu início em 1998.

Mas não são somente as sociedades pós-coloniais que se caracterizam por uma intensificação de sua predisposição para a violência; também as sociedades em transformação do antigo Bloco Oriental não abriram de forma alguma seu caminho para a democracia e o capitalismo sem passarem pela violência. Na lista atual de cerca de sessenta nações instáveis e, portanto, capazes de descambar para ações violentas, quase vinte anos após a desintegração da União Soviética, encontramos o Uzbequistão (número 23 da lista), a Quirguízia (número 28), a Bósnia-Herzegóvina (35), o Tadjiquistão (42), a própria Rússia (43), o Turcomenistão (45), a Belarus (50), a Sérvia-Montenegro (55), a Moldova (58) e

---

[79] Tobias Debiel, Dirk Messner e Franz Nuscheler, *Globale Trends 2007. Frieden, Entwicklung, Umwelt* [Tendências Globais, 2007. Paz, desenvolvimento e meio ambiente], Frankfurt am Main, 2007, p. 97. (NA).

a Geórgia (60).[80] Em não poucos destes Estados existem violentos conflitos entre os diversos grupos étnicos que os compõem.

Nas pesquisas sobre a violência maciça e os genocídios domina até hoje uma grande dúvida sobre o motivo por que as pessoas começam a atacar ou a matar diretamente seus vizinhos – se estes vizinhos, dentro de circunstâncias diferentes, seriam pessoas que pudessem ser tratadas com cordialidade ou mesmo amadas ou se já existe uma predisposição interna contra elas. A vizinhança pode ser, como qualquer morador de um prédio de apartamentos de aluguel sabe muito bem, tal como Jan Philipp Reemtsma demonstrou recentemente de forma impressionante,[81] uma fonte real de violência e nenhum obstáculo ao desencadeamento dela; pode-se facilmente odiar as pessoas com quem somos forçados a conviver.

Como foi dito, a "viscosidade" das dependências grupais, que em ocasiões de crise pode conduzir a comportamentos extremamente violentos, está particularmente localizada na falta de compreensão de onde se localizam as fronteiras grupais. Estas dependências grupais têm principalmente a função de tornar bem claro quem "Nós" somos e quem "Eles" são, ou seja, quem deve ser encarado como amigo e quem deve ser considerado como inimigo. É a própria violência que esclarece e define as fronteiras; depois da agressão ou mesmo depois do morticínio, torna-se bem claro quem éramos "Nós" e quem eram "Eles". Assim um criminoso de guerra da antiga Iugoslávia descreveu como diferenciava os amigos dos inimigos durante a luta: "Os civis são diferentes; os civis não ficam correndo pelas ruas quando atiramos neles (risada), é uma coisa bastante simples: os civis não ficam correndo pelas ruas quando atiramos neles."[82]

As pessoas adotam técnicas de identificação inteiramente diferenciadas e as transmitem às dependências grupais; o dados constantes do documento apresentado são uma destas formas de identificação, as teorias raciais

---

[80]   Esta lista foi estabelecida a partir de uma escala que inclui diversos fatores, entre outros os desenvolvimentos demográficos, o número de refugiados, as violações dos direitos humanos e as intervenções externas. (Tobias Debiel, Dirk Messner e Franz Nuscheler, *Globale Trends 2007. Frieden, Entwicklung, Umwelt* [Tendências Globais, 2007. Paz, desenvolvimento e meio ambiente], Frankfurt am Main, 2007, p 90ss). (NA).

[81]   Jan Phillipp Reemtsma, *Nachbarschaft als Gewaltressource* [A Vizinhança como fonte de Violência], publicado na revista *Mittelweg* 36, edição de 13 de maio de 2004, p. 103. (NA).

[82]   Natalija Basič, *Krieg als Abenteuer. Feindbilder und Gewalt aus der Perspektive ex-jugoslawischer Soldaten 1991-1995* [A Guerra como Aventura: Identificação de Inimigos e Violência segundo a perspectiva de antigos soldados iugoslavos], Gießen 2004 (Editora Diss, Hamburg), p. 226. No Vietnã havia uma forma mais segura de identificar alguém como pertencendo ao Viet Cong: *"If it's dead and it's Vietnamese, it's VC."* [Se estiver morto e for vietnamita, então é um Viet Cong.] (Bernd Greiner, *"First to Go, Last to Know." Der Dschungelkrieger in Vietnam* [O primeiro a ir e o último a saber: Os guerreiros da selva no Vietnã], publicado em *Geschichte und Gesellschaft* [História e Sociedade] 29, 2003, pp. 239-261, especificamente p. 257. Quando alguém era morto, era um Viet Cong. Os mortos e a definição eram uma e a mesma coisa. (NA).

constituem outra, os assassinatos em massa tornam-se logo uma terceira. Desde que o Nosso Grupo seja dominado por um sentimento de ameaça percebida como proveniente de um Grupo Deles, que foi caracterizado como sendo inimigo, surge uma necessidade de identificação cada vez maior. Em uma situação de extrema violência, os indivíduos que pertencem ao grupo inimigo são identificados pelo *próprio resultado da violência*. É a partir da base de tal sistema de orientação autorreferenciável que explode a violência. Dela se origina apenas superficialmente uma percepção de caos para o observador externo. Para os que a praticam, a violência se transforma em ordem.

A mais espetacular escalada da violência e em suas consequências a mais duradoura foi a ocorrida como decorrência da desintegração do sistema de governo ocorrido entre 1989 e 1991 na Iugoslávia dividida, porque o sinal característico central da adjacência estabelecida sem quaisquer problemas entre os diversos grupos étnicos dentro de uma federação era sua direção pelo autocrata carismático Josip Broz Tito. Também aqui dominou a escalada de um conflito violento, que foi se tornando progressivamente mais agudo, como consequência da necessidade sentida pelos grupos que se percebiam como diferentes de se caracterizarem de uma forma mais clara através do exercício da violência. Este processo de autoidentificação definida pela prática da violência não se encontra somente na África subsaariana ou em Caxemira, no norte da Índia, mas no meio da Europa, justamente nesse ponto do tempo em que a Guerra Fria parecia ter acabado e que ninguém mais contava com o surgimento de uma "guerra quente".

Novamente se deve ressaltar aqui o que se desviou da expectativa: ninguém havia previsto até que ponto chegaria a força explosiva do nacionalismo em um mundo tornado unilateral após o colapso da União Soviética e a desorientação e perda de conceitos surgidas em consequência deste desmembramento que seriam geradas em suas antigas repúblicas satélites. Isto não vale somente para as partes envolvidas no conflito da antiga Iugoslávia, mas também para os atores políticos do palco internacional. A falha desastrosa do Ministro do Exterior alemão, Hans Dietrich Genscher, ao reconhecer as repúblicas que se haviam separado da antiga república iugoslava esfacelada, ou seja, a Eslovênia e a Croácia, só serviu para aumentar os conflitos entre as repúblicas secessionistas da Iugoslávia, porque a Sérvia pretendia estabelecer uma nova república iugoslava tomando as antigas repúblicas-membros sob a hegemonia sérvia e considerou esta ação como

A GUERRA DA ÁGUA

uma sabotagem de seus planos – o que novamente serviu para nutrir o radicalismo do nacionalismo sérvio.

Um caso como esse apenas assinala que a política externa para com as quebras de sistemas políticos permanece orientada por conselheiros – cujas opiniões não se modificaram realmente em nada com relação à configuração conjunta dos parâmetros, não obstante o colapso do bloco oriental. Os políticos, como declarou Henry Kissinger, que devia saber do que estava falando "não aprendem nada durante o exercício de seus cargos que já não fosse o resultado de suas próprias convicções anteriores. Estas são um capital intelectual previamente adquirido, antes de tomarem posse de seus cargos oficiais e que vão gastando progressivamente durante seu período em tais funções".[83] Mas não são apenas os políticos, também os administradores, cientistas e até médicos se prendem firmemente a modelos e receitas por meio dos quais obtiveram sucesso frequentemente e durante períodos prolongados, mesmo quando as condições de aplicação dos referidos modelos e receitas já se modificaram inteiramente – com consequências muitas vezes desastrosas.

Mas tal fixidez intelectual não é o único aspecto dramático da política que se identifica nas escaladas de violência consequentes a mudanças de sistema. Ainda mais claramente se revelam as deficiências dos modelos e conceitos dos políticos que se manifestam durante a formação do caráter das novas nações. Isto porque a maioria destes não tem nada a ver nem com a experiência na administração de processos e métodos democráticos, nem com o conhecimento da economia de mercado, nem tampouco com as normas e procedimentos do liberalismo, mas se restringem a táticas para acumulação de poder, corrupção, propaganda, culto da personalidade e assemelhados. Em uma situação de decadência do Estado e desestatização, estas combinações saem do reino da fantasia e se transformam em catastróficas experiências autocráticas. O modelo de construção de um Estado dominante que foi preconizado através do Ocidente é o tipo do estado nacional democrático – todavia, em uma situação de desagregação das instituições vigentes e de necessidade aguda de estabelecimento de um certo grau de controle dentro de uma impossibilidade total de aquisição de uma visão de conjunto, um novo estado nacional pode

---

[83] Por meio da literatura científica, citações oportunas e um tanto fantasmagóricas aparecem com frequência, cujas fontes originais não podem ser identificadas, mas são tão apropriadas que continuam a ser transcritas. É o que ocorre aqui. A fonte desta afirmação de Kissinger não pôde ser verificada, mas eu retirei a citação do livro de Rudi Anschober e de Petra Ramsauer: *Die Klimarevolution. So retten wir die Welt* [A Revolução Climática: De que maneiras poderemos salvar o mundo], Wien (Viena), 2007, p. 161. (NA).

frequentemente se constitui apenas ao longo de fronteiras étnicas, enquanto outros fatores de formação social se tornam invisíveis.[84]

Para a maioria dos atores recém-chegados ao campo dos debates políticos, após a desagregação de um sistema de governo, geralmente o nacionalismo é o tipo de perfil que lhes fornece as melhores possibilidades de sucesso – junto ao qual marcham lado a lado os efeitos autofortalecedores da radicalização: um exemplo claro desse tipo de político foi o caso de Slobodan Milosevic em que se torna perfeitamente visível a maneira como ele procurou manter sob controle seus concorrentes ultranacionalistas, quando menos para assegurar sua própria influência, inaugurando um processo que o levou a radicalizar cada vez mais seu próprio nacionalismo.

A modificação dos acontecimentos modifica também aqueles que originaram tais acontecimentos – um processo que, aliás, também pode ser identificado claramente na elite dirigente do nacional-socialismo e sua progressiva radicalização. Todavia, as previsões destes processos apresentadas pela psicologia social são também bastante precárias, porque as pessoas envolvidas em processos de transformação social com frequência não observam se suas próprias formas de percepção e seus mapas mentais são verdadeiros ou falsos, normais ou incomuns, previsíveis ou imprevisíveis na medida em que tais processos mentais vão se transformando como resultado natural dos próprios acontecimentos. Em outras palavras: como membros de uma sociedade em transformação autonormativa, as pessoas não notam que também as próprias normas são submetidas a mudanças, porque as pessoas constantemente se identificam com o ambiente social que as rodeia. Isto pode ser caracterizado como um fluxo contínuo de suas linhas de referência, as chamadas *shifting baselines* [linhas básicas de transformação] (veja Anschober & Ramsauer, *op. cit.*, p. 212ss.).

Até que ponto a dimensão de uma violência mortal surgiu por toda a Iugoslávia e em outras partes do mundo é amplamente conhecido. Menos confiável é a convicção de que nossas sociedades democráticas constituídas no pós-guerra consigam conservar os fundamentos de seus processos de identificação com as próprias instituições sob condições de extrema violência. Serve como exemplo claro e oportuno o que a sociedade majoritária alemã não-judia tem a lamentar, quando despojou a si mesma de uma parte essencial de sua

---

[84] Estas limitações de pontos de vista não constituem privilégio de sociedades pós-ditatoriais. Também estados nacionais estáveis não nutrem hoje qualquer ilusão com respeito ao desenvolvimento de formas de solidariedade comum além da nacionalidade, caso os processos de globalização não facilitarem diretamente os meios necessários para isso. (NA).

A GUERRA DA ÁGUA

própria cultura ao massacrar os judeus – recaindo a maior parte deste prejuízo cultural sobre a sociedade composta pelos descendentes das pessoas que formavam a comunidade popular desse período. A extrema violência é transgeracional, perceptível mesmo em muitas das transformações duradouras do sistema realizadas desde então, e a própria República Federal Alemã é uma sociedade resultante dos efeitos da violência (conforme a expressão de Klaus Naumann). E nisto ela se diferencia apenas em caráter dimensional das outras sociedades desenvolvidas no pós-guerra, não em seus princípios gerais.

Acontecimentos como o Holocausto ou a desintegração eivada de violência da Iugoslávia como os últimos exemplos prévios da forma como se construíram os Estados europeus se demonstram claramente assustadores: pois foi somente por meio desta construção de Estados sobre processos de limpeza étnica e assassinatos em massa que resultou a formação de Estados etnicamente homogêneos. Conforme Michael Mann recentemente salientou, estes processos foram empregados de uma forma ou de outra durante a constituição da maioria dos países europeus. Claramente a escolha da violência maciça ou da limpeza étnica como processos sociais não constitui exceção ou acidente de percurso ao longo da história, porém o lado obscuro dos processos de democratização com que as nações construíram a si próprias. Não obstante, os caminhos da limpeza étnica e do genocídio não seguem de forma alguma um plano diretor; na realidade, se manifestam não raramente como consequências não-premeditadas da administração nacional. A guerra, a violência e suas dinâmicas imanentes estão embutidas na evolução dos acontecimentos, desde o começo do processo de construção de uma nação, como desenvolvimentos que ninguém havia julgado possíveis anteriormente – da simples expansão do povoamento pode resultar em pouco tempo a expulsão de um grupo que habitava anteriormente uma região limítrofe e esta pode transformar-se facilmente em um genocídio.[85] É importante notar que não estamos tratando aqui de nenhum processo minúsculo ou descartável dentro da dinâmica histórica, mas de uma escalada dos aspectos mais violentos dos processos de modernização, os quais, após a constituição consequente de um novo país são convenientemente respondidos por meio de uma amnésia cultural. Esta atitude também é facilitada pelo fato de que as vítimas da homogeneização se tornaram invisíveis, ou porque foram expulsas do território ou porque não podem mais ser localizadas, uma vez que todas estão mortas.

---

[85] Veja Michael Mann: *Die dunkle Seite der Demokratie. Eine Theorie der ethnischen Säuberung* [O lado obscuro da Democracia: Teoria da Limpeza Étnica], Hamburgo, 2007. (NA).

Se compreendermos as limpezas étnicas e os genocídios dos séculos 19 e 20 como os geradores da modernização, isto poderá nos sugerir com bastante clareza a possibilidade de que as transformações sociais que o processo de globalização poderá trazer em sua esteira possam provocar comportamentos violentos ainda mais homicidas. E se, de maneira semelhante, é assim que se expandem e crescem as sociedades e, por força das transformações de seu espaço vital de sobrevivência, das mudanças causadas em seus sistemas políticos ou das necessidades de mais recursos, lançam outras nações em situações de instabilidade, tanto mais aumenta a possibilidade da escolha das armas de dois gumes que são as soluções violentas para os problemas assim causados.

OS MORTOS DE HOJE
O ECOCÍDIO

A Carne de sua Mãe
está entre meus Dentes

Para os historiadores ambientais, as ilhas são locais favoritos, particularmente nos casos em que suas condições de isolamento forem maiores. Quando o intercâmbio com outras sociedades torna-se nulo, porque as distâncias são muito grandes e as possibilidades de desenvolvimento da navegação muito pequenas, os fatores de influência externa sobre os processos de desenvolvimento e de declínio se tornam praticamente inexistentes. Uma ilha, portanto, lhes garante um local de estudo e de trabalho dentro de condições controladas, delimitando um espaço em que, por um motivo ou outro, também um determinado processo de desenvolvimento interno não raramente conduz a catástrofes.

Neste sentido a Ilha de Páscoa pode ser considerada como a terra dos sonhos dos historiadores ambientais. Ela se encontra a uma distância de 3.500 quilômetros do continente mais próximo, ou seja, a América do Sul, foi colonizada em torno do ano 900 d.C. por polinésios, os quais eram mestres-armadores de canoas e hábeis navegadores, e desenvolveu uma cultura que permaneceu em prosperidade plena e grande desenvolvimento durante meio milênio. A Ilha de Páscoa não gozava realmente, conforme descreve Jared Diamond, das condições ecológicas ideais, como ocorre em muitas outras das ilhas habitadas do Pacífico, mas as riquezas naturais foram suficientes para permitir o crescimento da população, tendo sido capazes de nutrir um máximo de 20.000 a 30.000 pessoas, que se dividiam nessa ocasião em onze a doze clãs, repartindo as terras entre si, cada um deles comandado por seu próprio cacique.

A ilha era originalmente coberta de florestas formadas por vinte e uma espécies diferentes de palmeiras, duas das quais alcançavam altura elevada, uma em particular podendo crescer até atingir trinta metros de altura, sendo portanto capaz de produzir madeira bastante apropriada para a construção de casas e também para canoas longas.[86] A ilha abrigava igualmente vinte e cinco espécies de aves terrestres; os habitantes se alimentavam com o produto de suas colheitas, além da carne das aves, de golfinhos e da incontável descendência de uma espécie de ratões que evidentemente os primeiros colonizadores haviam trazido consigo quando de sua mudança para a ilha.

O apogeu da sociedade da Ilha de Páscoa deve ser localizado por volta do ano 1500 d.C.; o número de construções atingiu o máximo nessa época, decaindo progressivamente em 70% até o século 18.[87]

A sociedade pascoana era uma teocracia; os caciques, que gozavam de uma situação semelhante à de semideuses, exerciam simultaneamente as funções de sumos-sacerdotes e funcionavam, do mesmo modo que ocorria em outras sociedades polinésias, como intermediários entre os homens e as divindades, orientando as relações entre os clãs, estabelecendo relacionamentos com os outros caciques e determinando o comportamento dos habitantes individuais.[88] Historicamente, pode-se descrever assim a Ilha de Páscoa como portadora de todas as qualidades de um pequeno paraíso terrestre, pelo menos para a classe de pequenos proprietários rurais que a dominavam; porém, já no século 18, quando chegaram os primeiros europeus – na famosa expedição exploradora comandada pelo Capitão Cook – eles contemplaram na ilha um cenário bastante semelhante ao de uma pintura surrealista. A terra havia se tornado completamente despida de árvores e praticamente deserta de seus habitantes; os poucos sobreviventes eram, conforme Cook os descreveu em 1774, "baixos, magros, assustados e miseráveis".[89] Com a exceção de ratões e galinhas, não havia quaisquer animais. Ainda mais bizarro era o panorama, em que surgiam cerca de cem gigantescas estátuas de pedra, a maior parte delas derrubadas ou quebradas. Muitas delas atingiam o comprimento de seis metros e pesavam cerca de dez toneladas,

---

[86] Jared Diamond, *Kollaps* [O Colapso], Frankfurt am Main, 2005. (NA).

[87] *Idem*, página 140. (NA).

[88] John Keegan, *Die Kultur des Krieges* [A cultura da Guerra], Reinbek 1997, p. 53. (NA).

[89] Jared Diamond, *Kollaps*, p. 140. (NA).

A GUERRA DA ÁGUA

mas a maior de todas chegava a vinte e um metros de comprimento e pesava duzentas e setenta toneladas.

Em uma pedreira, eles encontraram algumas figuras esculpidas pela metade ou já prontas para serem transportadas. O enigma era como os habitantes tinham conseguido transportar aquelas estátuas gigantes e erguê-las em seus pedestais, uma vez que a ilha claramente não dispunha de madeira que o povo tivesse podido empregar para seu deslocamento e colocação sobre plataformas de pedra. Hoje se sabe que os *moai*, as figuras gigantescas, tinham sido erguidas com o objetivo de representar os chefes dos clãs e serviam para simbolizar seu prestígio e o dos próprios clãs e que, em certo momento, havia se estabelecido uma acirrada concorrência entre eles para ver quem conseguia construir e instalar as maiores figuras; a datação histórica assinala efetivamente o aumento progressivo da altura das estátuas durante o decorrer de um século.[90]

As reconstruções arqueológicas tornam bastante provável que os ilhéus – evidentemente infatigáveis em sua competição por esculturas cada vez maiores – tenham explorado de forma exaustiva e mortal seus recursos ecológicos. O abate dos bosques de palmeiras começou provavelmente logo após a chegada dos primeiros colonos, por volta do ano 900 de nossa era, e só foi encerrado no final do século 17. Não se pode saber o que se passava na cabeça daquelas pessoas, quando derrubaram as últimas árvores da ilha; provavelmente pensaram apenas em suas necessidades imediatas, sem a menor preocupação com o futuro. A madeira das palmeiras servira, enquanto ainda eram abundantes, a uma grande diversidade de fins: para aquecer as casas e cozinhar os alimentos, para a produção de carvão, como material de construção para as casas e canoas e finalmente, mas não menos importante, para os trabalhos de construção das estátuas, por meio dos quais as grandes figuras eram transportadas e erigidas.

Em resumo, conforme escreveu Jared Diamond, "produziu-se na Ilha de Páscoa uma imagem que não era estranha no conjunto do espaço vital do Oceano Pacífico, mas que representava um caso extremo de destruição dos bosques naturais e que, em diversos aspectos, não encontrou nenhum paralelo conhecido em qualquer outra parte do mundo. Para os habitantes da ilha, surgiram consequências imediatamente perceptíveis, porque a matéria-prima e os meios naturais de nutrição começaram logo a escassear, particularmente com o desaparecimento dos frutos produzidos pelas palmeiras. [...] A partir do momento em que não havia mais madeira para o transporte, nem

---

[90] Jared Diamond, *Kollaps* [O Colapso], Frankfurt am Main, 2005, p. 126. (NA).

HARALD WELZER

fibras para a produção de cordas, sucumbiram à tentação de transportar e erigir as estátuas com a madeira de suas próprias canoas."[91] Para uma ilha que não mantinha qualquer contato com o mundo exterior, não havia qualquer maneira de compensar um colapso de recursos naturais de tal nível; a pesca se tornou quase impossível e a destruição dos bosques que anteriormente cobriram aquela ilha varrida pelos ventos provocou uma crescente erosão do solo, tornando também a agricultura praticamente inútil. Sem madeira, não se podiam mais fazer fogueiras para cozinhar; no inverno, os habitantes queimavam as últimas plantas e chumaços de relva. A decadência provocou até mesmo uma mudança na atitude para com os mortos: não havia mais madeira para a cremação, portanto os mortos passaram a ser mumificados ou simplesmente enterrados.

Não é necessário dizer que em uma tal situação, a diminuição das possibilidades de sobrevivência ampliou ainda mais a concorrência pelos poucos recursos que ainda subsistiam, que os diversos clãs tentavam obter para si – realmente, em todos os níveis, para a alimentação, como materiais de construção, como suportes técnicos e ainda para o erguimento de suas representações simbólicas. E como outros exemplos concludentes demonstraram que, em caso de necessidade, "nem só de pão vive o homem" (especialmente quando não tem pão),[92] algo semelhante ocorreu entre os habitantes da Ilha de Páscoa. Aqui encontramos a emancipação de uma prática cultural, que também não poderia ser abandonada sem perigo à renúncia das características tradicionais de suas personalidades. Seja como for, o comportamento autodestrutivo não constituiu um privilégio dos moradores da Ilha de Páscoa – nos países ocidentais, os padrões de pudor ocasionalmente levaram pessoas a morrer dentro de casas em chamas, por acharem que não podiam sair correndo nuas.[93] Norbert Elias escreveu claramente que, comprometidas por determinadas condições de alto descontrole emocional, as pessoas bloqueiam as perspectivas mais distantes que seriam indispensáveis para sua própria salvação.[94] Relata-se que, no começo do século 17, o rei da Espanha, Felipe III, morreu de uma febre "que ele provocou em si mesmo, por permanecer por um tempo demasiado longo diante de um

---

[91] *Idem*, p. 138. (NA).

[92] Ernst Bloch: *Erbschaft dieser Zeit* [A Herança de nossa Época], Frankfurt am Main, 1962. (NA).

[93] Este exemplo foi retirado de Stanley Milgram. (NA).

[94] Norbert Elias: *Die Gesellschaft der Individuen* [A sociedade dos indivíduos], Frankfurt am Main, 1987; também de Norbert Elias, veja *Engagement und Distanzierung* [Comprometimento e Distanciamento], Frankfurt am Main, 1983. (NA).

caldeirão fervendo, o que causou um superaquecimento de seu corpo, porque o criado responsável por essa tarefa havia se afastado do braseiro e não pôde ser encontrado quando o rei o chamou."[95]

Conforme vimos no capítulo anterior, existem grandes diferenças na maneira como as pessoas percebem e interpretam as situações em que se encontram; aqui se torna visível até que ponto estas diferenças podem se tornar autodestruidoras, ainda mais em situações como a do rei Felipe III, em que melhores possibilidades de solução do problema poderiam facilmente ser encontradas. Mas isto também demonstra que, mesmo em casos que se referem à própria sobrevivência, muitas vezes fatores culturais, sociais, emocionais e simbólicos exercem um papel bem mais importante do que o próprio instinto de conservação. Basta examinarmos a atual cultura dos homens-bomba e de outros tipos de terrorismo suicida para encontrarmos um claro paralelo na atualidade.

Felipe III, do mesmo modo que os habitantes da Ilha de Páscoa, estava se orientando por um conjunto de referências que lhe tornava impossível enxergar as infelizes consequências de seus próprios atos. As coisas aconteceram como se os formatos de percepção cultural existentes fossem capazes de deslocar quaisquer outras possibilidades e como se os participantes das ações literalmente não conseguissem *enxergar* o que poderiam fazer de forma diferente. Esse tipo de bloqueio mortal também pode ser criado por meio do treinamento e da disciplina sistematicamente aplicados, a tal ponto que, nos exércitos altamente disciplinados dos séculos 18 e 19, enquanto os soldados de infantaria não recebiam ordem de entrar em batalha, deixavam-se matar indiscriminadamente. "Sem uma palavra de protesto e perfeitamente controlados, os homens se deixavam matar fila após fila e, com frequência, tal carnificina continuava por horas. Foi relatado que a infantaria do exército do Conde Ostermann-Tolstoi, durante a batalha de Borodino, permaneceu durante duas horas perfilada e sem a menor proteção, sob o fogo direto da artilharia francesa e que 'durante esse tempo, as próprias fileiras progressivamente se moviam para preencher os espaços deixados pelos mortos.'"[96]

---

[95] Barbara Tuchman: *Die Torheit der Regierenden. Von Troja bis Vietnam* [A loucura dos governantes: De Troia ao Vietnã], Frankfurt am Main, 2001, p. 16. (NA).

[96] John Keegan, *Die Kultur des Krieges* [A cultura da Guerra], Reinbek 1997, p. 31. Para seus adversários, que não seguiam tais táticas de guerra, mas adotavam o conceito tradicional da luta corpo a corpo, esta estratégia bélica parecia não somente absurda como ridícula (*ibidem*). (NA). Exemplos semelhantes são os piquetes de soldados confederados que se lançavam contra a fuzilaria unionista na batalha de Gettysburg, em 1863 ou as marchas contra metralhadoras dos soldados britânicos durante a campanha de Flandres, na Primeira Guerra Mundial. (NT).

Expresso de outra forma: aquilo que em todos estes casos foi percebido como problema não foi a periculosidade real para a própria sobrevivência, mas o perigo simbólico, tradicionalizado, ligado à posição social ou ao cumprimento do dever ou ao medo de ofender um regulamento repressivo – um tal perigo psicológico pode assumir um peso tão grande que, dentro da perspectiva dos atores, se torna absolutamente impossível divisar qualquer outra possibilidade de comportamento. Deste modo, as pessoas se tornam prisioneiras de suas próprias estratégias de sobrevivência.

Pode-se também assinalar o firme apego à adoção de estratégias que não passam de sobrevivências históricas desatualizadas, que muito depois de sua decadência ainda captam as energias e a fantasia dos contemporâneos. Um exemplo se encontra na construção de fortalezas, que gerações de engenheiros militares se encarregaram conjuntamente de desenvolver e aperfeiçoar cada vez mais, sendo perfeitamente visível que lhes passava despercebido o fato de tanto as técnicas como as origens e formas de condução das guerras já haverem de há muito superado a segurança garantida pelos fortes militares. Deste modo, o aperfeiçoamento dos canhões e de seu alcance destruidor cada vez mais tornava necessária a construção de fortificações exteriores às cidadelas, a um ponto que em Antuérpia, na Bélgica, um cinturão de obras externas foi sendo instalado progressivamente ao redor da fortaleza central, chegando a uma distância de quase quinze quilômetros da cidadela. O absurdo dessas estruturas cada vez mais abrangentes chegou a um ponto em que praticamente não sobrava mais espaço para defender a cidade que deveria ser protegida pela fortaleza, ao contrário, sua proteção foi se tornando cada vez mais reduzida. Além do mais, não se dispunha de um número suficiente de soldados para defender a própria fortaleza e, quando os inimigos realmente se apresentaram, esta se mostrou totalmente inútil, porque estes não se desgastaram em atacar a própria fortaleza, mas tinham objetivos bem mais interessantes, como a tomada da cidade. Historicamente, o abandono da construção de novas fortalezas já devia ter sido registrado nesse ponto do tempo, quando já se sabia perfeitamente que elas haviam se tornado totalmente obsoletas e sem sentido; mas simplesmente as pessoas se prendiam a receitas e métodos conhecidos e que, dentro de outras circunstâncias, tinham sido bem-sucedidos no passado.[97]

---

[97] Compare com este trecho a descrição literária de W. G. Sebald em seu livro *Austerlitz* [A batalha de Austerlitz], Frankfurt am Main, 2003, pp. 25ss. (NA). Apesar de tudo, os franceses construíram ainda uma série de fortificações (a Linha Maginot) ao longo de sua fronteira com a Alemanha, no período entre guerras, a que os alemães se acharam forçados a responder com as casamatas da Linha Siegfried. Mas quando a guerra estourou, os alemães simplesmente passaram através da Bélgica. (NT).

Uma outra situação que, para os participantes, não parece associada ao exercício de poder ou à violência, é o proveito que tira a organização a que cada um deles pertence de ameaçar ou efetivamente exercer violência. Heinrich Popitz acentuou muito nitidamente este ponto por meio do seguinte exemplo bastante simples: em um navio de cruzeiro existe um número de cadeiras de convés correspondente a um terço dos passageiros. Em geral, isto não constitui nenhum problema, porque sempre existe um número suficiente de pessoas ocupadas em outras atividades; as cadeiras de convés são suficientes para atender às necessidades das pessoas que desejam efetivamente ocupá-las. Mas a situação se modifica repentinamente quando chegam novos passageiros a bordo e desenvolvem técnicas para manter as cadeiras ocupadas, mesmo quando não estão sentados nelas. A técnica efetiva é a cooperação social: pede-se a um dos ocupantes que declare que o "seu" lugar está ocupado, isto é, que "guarde" o seu lugar, mesmo quando a pessoa realmente não o vá ocupar. A vantagem dos ocupantes verdadeiros está no fato de este lhes parecer ser um negócio recíproco para quando precisarem que seu próprio lugar seja guardado.

Desta maneira, se constitui um grupo de favorecidos e um grupo (algumas vezes bastante numeroso) de prejudicados. Os favorecidos percebem os benefícios de se organizarem para defender seus interesses mútuos. Esta vantagem estabelece um isolamento contra os demais passageiros, que também gostariam de utilizar algumas das cadeiras de convés, mas não dispõem de qualquer poder para contrariar esses interesses coletivos. Este interesse individual adicionado não confere qualquer vantagem organizacional – especialmente porque os "sem-cadeiras" não dispõem de um modelo cooperativo semelhante àquele que foi desenvolvido pelos privilegiados que ocupam permanentemente os lugares nas cadeiras de convés.

Aqui o poder é exercido por meio de uma simples vantagem organizacional – e este se torna um pouco mais extenso quando se constitui uma terceira classe de vigias pelo estabelecimento de uma ordem de ocupação de determinados lugares em diversos horários do dia mediante autorização dos privilegiados, embora tais cadeiras não pertençam realmente à classe dos favorecidos etc. A fascinação deste exemplo se encontra no fato de, para os prejudicados, *não existir nada visível* por meio de que possam comprovar que sua submissão ao poder seja resultante de uma vantagem organizacional dos privilegiados, porque agora veem mais outros passageiros também utilizando as cadeiras de convés, ainda que seja por meio destes que o poder se fortalece. A única coisa que eles conseguem ver é que nunca sobram cadeiras para eles próprios e talvez sintam frustração e raiva por causa disso, mas realmente esta emoção até dificulta a percepção da verdadeira causa original de sua situação de inferioridade.[98]

Voltando ao caso da Ilha de Páscoa, que realmente sob muitos aspectos é bastante instrutivo para nossa questão de como os significados pressentidos nos problemas são responsáveis pela determinação do comportamento das pessoas: esta situação assinala claramente que a maneira abstrata como os problemas são percebidos pode assumir um aspecto bastante real e concreto e efetivamente conduz sem grandes dificuldades a uma solução violenta. No final da cultura pascoana encontra-se efetivamente uma guerra pavorosa. O conflito pelos recursos, cujo núcleo original fora a destruição das florestas da ilha, acabou por reduzir os habitantes sobreviventes a uma exploração exaustiva de si mesmos, como confirma a descoberta de ossos com sinais de mordidas humanas, além de muitos ossos partidos (para sugar o tutano que havia dentro deles). Este canibalismo final não foi simplesmente identificado pelos achados arqueológicos, também exerce um papel considerável nos relatos orais dos ilhéus sobreviventes. O colapso ecológico não conduziu apenas à erosão do solo, mas também à destruição de sua cultura.

Em 1680, os governantes e sumos-sacerdotes já haviam sido derrubados pelas guerras e os onze ou doze clãs se haviam reduzido a dois grandes grupos que ainda combatiam um ao outro;[99] muitos dos habitantes, com boas razões, se esconderam em covas e cavernas. Nunca mais foram erguidas novas estátuas; ao contrário, foram sendo derrubadas e parcialmente destruídas pelos concorrentes; as grandes lajes de pedra que haviam sido empregadas na construção dos pedestais das figuras foram retiradas para servirem como defesa na entrada das galerias subterrâneas. Como medidas estratégicas de defesa de um grupo contra o outro, eram escavadas covas cada vez mais profundas, que desta forma perfuraram metade da ilha; uma recente inovação técnica, pontas de lança feitas com lascas de obsidiana, tornou as lutas ainda mais mortais. Em resumo: as circunstâncias levaram a ilha inteira a mergulhar em um mundo surrealisticamente destrutivo que, para a maioria dos habitantes, já não permitia a menor chance de sobrevivência. O historiador militar John Keegan fala de uma "guerra absoluta", que conduz primeiro ao fim da organização política, depois elimina a cultura e, finalmente, representa o final da própria vida.[100]

---

[98] Heinrich Popitz: *Prozesse der Machtbildung* [Os processos de construção do poder], Tübingen, 1976, pp. 9ss. (NA).

[99] John Keegan, *Die Kultur des Krieges* [A cultura da Guerra], Reinbek 1997, p. 55. (NA). Estes dois grupos eram referidos no folclore como os "orelhas longas" e os "orelhas curtas". (NT).

[100] *Idem*, página 58. (NA).

A GUERRA DA ÁGUA

Esta experiência insular, que não sofreu a menor influência externa, encontrou assim seu final quando as pessoas passaram a consumir a si mesmas como seu último recurso de sobrevivência. A maior parte dos poucos que conseguiram sobreviver à guerra foram caçados no século 18 por marinheiros peruanos a fim de serem vendidos como escravos no continente.[101] Em 1872, a ilha tinha somente cento e onze habitantes. A maior ofensa que pode ser proferida na linguagem da Ilha de Páscoa é a seguinte: "A Carne de sua Mãe está entre meus Dentes".

O Genocídio de Ruanda

Pois vamos retornar a Ruanda. O genocídio de Ruanda se realizou de forma bastante diversa, com uma velocidade monstruosa, porque aqui literalmente foram os muitos a exterminar os poucos (os hutus correspondiam a 90% da população). Como se formou, em vista destas circunstâncias de clara superioridade numérica, o sentimento de medo entre os hutus, que à primeira vista nos parece tão bizarro, de que os tútsis representavam uma ameaça mortal e que eles usam como justificativa de sua própria necessidade de eliminar os tútsis a qualquer preço?

Por uma preferência quase exclusiva atribuída ao grupo dos tútsis no tempo da administração alemã e posteriormente francesa [de fato belga, a partir de 1918], formou-se o conceito de que os tútsis eram racialmente superiores e correspondentemente, a designação para todas as posições mais elevadas lhes era atribuída – conferindo-lhes uma superioridade material e psicológica que sobreviveu aos tempos coloniais e ainda permanecia na época da independência de Ruanda. Em segundo lugar, após a independência em 1962, a história dos conflitos armados no país foi longa e sangrenta; antes que começasse o genocídio de abril de 1994, a nova nação já fora o teatro de uma guerra civil, em que os tútsis e grupos rebeldes lutavam pelo poder, até que, por ocasião do atentado contra o presidente, o governo passou às mãos da maioria hutu. Com o assassinato do presidente, que também era hutu, o conflito assumiu agudos contornos étnicos.

Um estado de guerra civil corresponde a uma situação de insegurança crônica para os habitantes de uma terra, carregada de uma sensação de ameaça extrema e até mesmo a pura sobrevivência individual recai em um estado em que absolutamente nada favorece a própria segurança ou a redução das ameaças

---

[101] Conforme Joachim Radkau: *Natur und Macht. Eine Weltgeschichte der Umwelt*. [A natureza e o poder: História mundial do meio ambiente], München, 2000, p. 198. (NA).

reais ou percebidas. Desenvolve-se igualmente uma orientação emocional no sentido da transparência, da redução do medo e da confusão. Deste modo, surge também aqui uma clara identificação daqueles que são considerados como amigos e como inimigos, uma classificação exata de quem somos "Nós" e de quem são "Eles". "Os tútsis são os nossos inimigos e quem quer que seja tútsi é nosso inimigo", um sentimento que se desenvolveu a um ponto tal em que os próprios hutus eram massacrados quando tentavam defender os tútsis ou esconder alguns deles ou até mesmo quando se manifestavam publicamente contra os assassinatos. Foi contra este ciclorama, o pano de fundo deste sistema de orientação autorreferencial, que explodiu a violência.

Vidas Apinhadas

Mas a guerra civil em Ruanda foi somente um dos elementos do problema. Um outro é fácil de identificar: nessa época, Ruanda era o país africano com a mais elevada taxa de densidade demográfica, realmente uma das maiores do mundo e o número de habitantes continuava a crescer rapidamente (como acontece hoje em dia em muitas sociedades africanas, apesar das condições catastróficas de sobrevivência). É evidente que as situações de insegurança permanente devido às guerras civis e violência cotidiana se acham ligadas tanto a uma tendência de crescimento descontrolado como à disposição individual para o emprego da violência entre a população; um exame detalhado das estatísticas do distrito de Kanama, situado no noroeste de Ruanda, demonstra que o número já exorbitantemente elevado de habitantes por quilômetro quadrado cresceu de 672 para 788 entre 1988 e 1993; todos (!) os homens jovens viviam até os vinte e cinco anos nas casas de seus pais e como dependentes deles. O tamanho médio das famílias cresceu de 4,9 para 5,3 pessoas durante esse mesmo período de tempo; nas propriedades dos pequenos agricultores, uma pessoa vivia em 1988 da produção de 800 metros quadrados de terra, mas em 1993 sobravam-lhe em média somente 580 metros quadrados.[102] A maior parte dos membros da família não tinha mais condições de viver com o produto

---

[102] Catherine André e Jean-Philippe Platteau: *Land Relations under Unbearable Stress: Rwanda caught in the Malthusian trap* [Relações com a terra sob tensão insuportável: Ruanda capturada pela armadilha malthusiana], publicado na revista *Journal of Economic Behavior and Organization* [Revista da organização e comportamento econômicos], 34/1998, conforme citado por Jared Diamond, em *Kollaps* [O Colapso], Frankfurt am Main, 2005, p. 399. (NA).

de suas pequenas frações de terra e precisava ir buscar uma renda adicional como empregados domésticos, fabricantes de tijolos etc. O número daqueles cuja ração diária se encontrava abaixo do limite oficial da fome (1.600 calorias por dia) foi aumentando rapidamente e, com ele, o potencial e o nível dos conflitos.

Também a situação dos problemas demográficos e ecológicos agravados deve ser interpretada com o auxílio de seus padrões de referências – efetivamente os conflitos e massacres menores que se realizaram durante os anos anteriores ao próprio genocídio já estavam codificados pelos quadros de formação de grupos de "Nós" e de "Eles", do mesmo modo que estes conduziram aos procedimentos de violência maciça que sucederam à queda do avião do Presidente Habyarimana. Com efeito, os fatores ecológicos, demográficos e geográficos são até aqui claramente insuficientes para satisfazer as pesquisas relativas à violência e ao genocídio, cujas conclusões frequentemente se referem à categoria "ideologia", mas que resultam claramente da percepção psicológica dos problemas e de suas supostas causas originais sob a perspectiva dos atores que neles representaram um papel determinado.

A maneira como as causas dos problemas e suas possibilidades de solução são percebidas e interpretadas também acrescenta aqui a sua influência, sobretudo no sentido de quais conceitos são empregados e mediante quais interpretações o mundo é percebido. Ocorre nestes casos que os assassinatos simplesmente não são definidos como tais, porém – como no caso do Holocausto – são denominados de "tratamentos especiais", como a satisfação das "leis da natureza", como a "solução final da questão judaica" ou – como no caso do stalinismo – de conse-quências históricas da "eliminação de classes sociais" – que não assinalam apenas eufemismos, mas são *entendidos* como tais. A hipótese frequentemente expressada de que tais expressões sejam somente dissimulações verbais facilmente nos conduz ao erro. Dentro do sistema nacional-socialista, os judeus eram tidos como perniciosos à população em um sentido biológico; em consequência disso, foram mortos com Zyklon B, veneno destinado a exterminar animais daninhos. Em Ruanda, as pessoas mataram do mesmo modo que se combatem ervas daninhas; de fato, o significado de "cortar" se tornou sinônimo de "matar", de tal modo que os assassinatos com machetes assumiram aqui um significado todo especial[103] (e

---

[103] Semelin classifica aqui de maneira errônea como redução de dissonância e como dissimulação o fato de os judeus serem considerados "animais daninhos" sob o nacional-socialismo ou que os ruandeses se referissem aos massacres como uma "faxina". Chega-se mais perto do significado real se entendermos estas denominações como conceitos considerados verdades incontestáveis pelos criminosos. (Veja Jacques Semelin: *Säubern und Vernichten. Die politische Dimension von Massakern und Völkermorden* [Limpar e eliminar. A dimensão política dos massacres e genocídios], Hamburgo, 2007, p.277ss. (NA).

além disso, como já foi antes claramente sugerido, estes genocídios foram descritos como independentes de uma planificação anterior, mas resultantes de violência espontânea – como se a violência tivesse sido iniciada por uma só pessoa e logo a seguir todos fossem buscar as armas que já tinham em casa). Finalmente, o significado metafórico dos assassinatos maciços destes genocídios exercia um papel altamente significativo, a um ponto que as armas, na gíria corrente, eram referidas como "ferramentas" (isto é, "coisas com que se executa um trabalho").[104]

As mortes eram, em consequência, encaradas como um "trabalho"; os homicídios coletivos como uma forma de limpar o campo antes de lavrar, que era para eles uma atividade tão natural como arrancar as ervas daninhas, ou semelhante ao extermínio de pragas que atacavam as colheitas. Dentro deste contexto se encontrava também a injúria mais comum com que se referiam aos tútsis: "baratas".

Uma nação etnicamente limpa imaginada pelos hutus era referida como "Campo"; o nome que empregavam com mais frequência com relação a si mesmos era o de "Filhos de Camponeses" e a sua tarefa era a de limpar esse "campo" para a próxima lavoura. "Eles matavam como a gente que vai trabalhar na semeadura e só volta para casa depois de estar cansada."[105] Era nesta imagem que a lógica mortal da extinção dos tútsis se apoiava. "Outra coisa que também se afirmava era 'fazer a capina do mato', com o que se indicava que não era somente o 'capim alto', isto é, os adultos, que deveria ser cortado, mas também a 'nova brotação', ou seja, as crianças e até os bebês deveriam ser arrancados do solo. Era essa a força da representação que os levava a exercer atos de extrema crueldade para com as crianças pequenas, crianças de peito e até mesmo os fetos ainda não nascidos."[106]

As pessoas não enganam a si próprias pelo emprego de metáforas para justificar suas ações. Muitas declarações que, segundo a perspectiva externa, parecem ser metáforas ou dissimulações, podem ser, conforme o ponto de vista dos próprios atores, total e inteiramente exatas, interpretadas, por assim dizer, como realidades e, desse modo, totalmente adequadas para a orientação de seus atos.[107] O mesmo vale para a compreensão de uma política extremamente paternalística, como foi claramente expressado nos trechos de ambas as entrevistas transcritas no começo do quarto capítulo. Quando se encara o presidente

---

[104] Anna-Maria Brandstetter: *Die Rhetorik von Reinheit, Gewalt und Gemeinschaft: Bürgerkrieg und Genozid in Rwanda* [A retórica da limpeza, da violência e da comunidade. A Guerra Civil e o Genocídio em Ruanda], publicado em *Sociologus* 51/1-2, 2001, pp. 148-184, precisamente na página 166. (NA).

[105] Alison Des Forges: *Kein Zeuge darf überleben. Der Genozid in Ruanda* [Nenhuma testemunha pode sobreviver. O genocídio em Ruanda], Hamburgo, 2002, p. 212. (NA).

[106] Anna-Maria Brandstetter, *Die Rhetorik von Reinheit* (veja nota 103 supra), p. 168. (NA).

[107] Isto foi explicado claramente na obra clássica de Benjamin Lee Whorf, *Language, Thought, and Reality* [Linguagem, pensamento e realidade], Cambridge, 1956. (NA).

do país como o próprio "pai", seu assassinato adiciona uma nova dinâmica motivacional, do mesmo modo que se pode encarar uma elite de governantes como permutável com nossa parentela real.

Quem desejar reconstruir a forma como as pessoas encaram seus problemas e de que maneira irão procurar solucioná-los deve ser capaz de entender este tipo de coisas. A percepção dos homicídios como atos de legítima defesa constitui, conforme foi dito anteriormente, um momento importante da autolegitimação e do autofortalecimento para todos os que participam de genocídios.

Foi desse modo que funcionou em Ruanda a técnica psicológica da "transferência de incriminação" (conforme a expressão inglesa *"accusation in a mirror"* [acusação espelhada])[108] que também exerce um papel tão fundamental na arte da propaganda: as pessoas desenvolvem de forma putativa fantasias de genocídio a serem praticadas contra si mesmas pelo lado oposto e isto as conduz naturalmente à eliminação completa do outro grupo. De fato, este fenômeno de transferência da culpa não é de forma alguma um fenômeno exclusivamente social-psicológico, mas é empregado explicitamente como um método de propaganda política: com o auxílio deste tipo de técnica, consoante foi dito, "depois que se afirma um número suficiente de vezes que o lado oposto emprega o terror, seu inimigo pode ser diretamente acusado de estar praticando esse terror."[109]

O reverso lógico da difusão de fantasias ameaçadoras é a obtenção de uma predisposição para a defesa contra as ações provenientes do lado em que se enxerga a pretensa ameaça – de tal modo que qualquer conclusão homicida e qualquer ação conducente ao extermínio sistemático desse grupo, *mutatis mutandis* é encarada e efetivamente percebida como um comportamento *necessário* de legítima defesa. Esta espiral da escalada dependente da ameaça percebida é repetida novamente aqui e ali, acabando por descrever atitudes

---

[108] Alison Des Forges, *op. cit.*, p. 94. (NA).

[109] *Idem, ibidem.* (NA). O conflito se ampliou para os países vizinhos. Em Burundi, os tútsis eram a maioria e iniciaram ações de represália contra a minoria hutu, embora não atingissem nem de longe as proporções de Ruanda. O resultado prático foi que essa minoria de 7,5% debandou em massa para Ruanda e os poucos que restaram não foram mais perseguidos. Já no Congo, Laurent Nkunda, da etnia tútsi congolesa, conhecida como Banyamulenge, organizou uma tropa disciplinada que continua até hoje em escaramuças contra a milícia hutu conhecida como Interahamwe. Nkunda afirma que acolheu muitos sobreviventes tútsis de Ruanda e que luta para a comunidade tútsi inteira não ser massacrada, já que o governo de Kinshasa, dominado por membros da etnia banto, não pode ou não quer defendê-los. Embora os tútsis tivessem constituído a maior parte da oficialidade congolesa durante o governo de Mobutu Sese Seko, quando o país ainda se chamava Zaire, quando seu sucessor, Laurent Kabila, foi assassinado e substituído por seu filho, Joseph Kabila, o crime foi atribuído a um oficial tútsis e estes passaram a ser discriminados, o que os levou a abandonarem em massa o exército congolês e a se concentrarem no leste do país, sob o comando de Nkunda. (NT).

assassinas e massacres que, em um movimento giratório, são transferidos para o lado oposto – ou seja, acaba sendo inserida na realidade o que anteriormente era apenas a decoração de uma fantasia avassaladora. Aqui encontramos claramente um meio de produção comportamental altamente adequado e comprovado pelo tempo através da dinâmica de escalada, o mesmo tipo de procedimento empregado durante a guerra provocada pela dissolução da Iugoslávia e na Guerra de Kosovo que a ela se seguiu.

A causa original é a proximidade social dos grupos étnicos que foram diferenciados de maneira prática por meio dos assassinatos, um procedimento de recurso à violência perfeitamente normal, como anteriormente exposto, sem que haja qualquer obstáculo à manifestação da violência em tais situações. Também para a imaginação criadora da ameaça representada por seus inimigos mortais, "Eles, os tútsis" ao grupo de "Nós, os hutus" era extremamente importante que a linha divisória *de facto* não era clara, devido à grande mobilidade entre os grupos – a extrema violência empregada no genocídio apresentava igualmente a função de demarcar de forma bem definida a fronteira entre os conflitantes, a fim de que, por meio dela, pudesse ser estruturada a realidade.

O que Viram os Matadores?

Encontramos no plano da percepção social dos crimes pelos seus executores cinco elementos, que lhes permitiam considerar os assassinatos como significativos: em primeiro lugar, existiam em alto grau entre eles a insegurança e o medo e, por meio desses sentimentos, uma necessidade de orientação que só poderia ser saciada pela violência. Em segundo lugar, havia a percepção de uma situação econômica extremamente opressiva, com perspectivas de agravamento futuro, que conduzia a um considerável agravamento do potencial e dos níveis de conflito. Em terceiro lugar, havia a percepção da ameaça fantasiosa ou real, que, para começar, só poderia ser extinta pela realização prática da imaginação sob o aspecto de futuros assassinatos considerados como uma forma de legítima defesa. Como agravante, além disso, havia em quarto lugar a definição das próprias mortes, que para os matadores pareciam não somente cheias de significação como necessárias – nesse caso, as mortes não somente eram definidas como um trabalho que precisava ser realizado, como este labor estava embutido em um conceito agrícola mais amplo de construção da sociedade e da pátria, porque a obra de morticínio era apresentada como a preparação absolutamente obrigatória da terra para o plantio. Em quinto lugar, os assassinos realmente podiam assegurar-se de que seu comportamento durante o genocídio era normal, significativo e autoexplicável, em vista do fato de todos os demais estarem fazendo o que eles mesmos faziam.

A violência do genocídio, quando contemplada de fora, parece eruptiva, arcaica e espontânea, mas era encarada de dentro pelos participantes como surpreendentemente regulada e – para seus praticantes – como necessária e significativa. Isto era favorecido não somente pelo histórico anterior de mortes e violências exercidas durante a guerra civil e pelo medo e perda de orientação que eram suas consequências imediatas, mas também pela existência de um problema ecológico e demográfico, porque a situação dos indivíduos solteiros, especialmente dos homens jovens, se tornava cada vez mais opressora e progressivamente mais desesperada. Esta era a fonte central da violência que levou a uma majoração tão grande das atitudes agressivas e da disposição para a matança.

O genocídio ruandês não foi somente o resultado de uma guerra climática, mas também não foi provocado apenas por fatores políticos, sociais e históricos. Jared Diamond considera o problema da densidade populacional como um fato que, no mínimo, agravou o conflito. Esta é uma importante indicação de podermos ser a causa de problemas que não exercem a menor função na parte do mundo onde transcorre nossa própria vida (ou mesmo que pareçam exercer), mas que em outras constelações não são vistos. Por exemplo, não faz muito tempo dominava na Alemanha a fantasia de "um povo sem espaço vital", que constituía não somente uma dimensão inteiramente nova do planejamento do espaço e da geopolítica, mas que chegou a conduzir a uma guerra de aniquilamento, considerada desejável e praticável, que deveria permitir a conquista, colonização e repovoamento das regiões localizadas ao oriente do país. Também aqui não é possível entender o problema percebido de forma subjacente, caso ele seja encarado de um ponto de vista puramente ideológico. Tratava-se principalmente de obter novos recursos de espaço físico, de escravizar pessoas e de obter novas fontes de matérias-primas que pudessem ser exploradas. Ideologias como o nacional-socialismo se apoiaram neste alvo, mas não constituíram de forma alguma o próprio alvo buscado.

Contudo, o problema percebido através dos planos de conquista do espaço oriental era bem diferente da situação dos hutus de Ruanda. Aqui as ideologias e reflexões sobre a dimensão e importância exerceram uma influência sobre as percepções, conclusões e determinações das pessoas, mas aquela foi subordinada a coisas reais e mais robustas. Do mesmo modo que um teórico acadêmico do aniquilamento buscava uma carreira universitária brilhante, ao mesmo tempo em que um tenente-coronel da SS poderia ter em vista a obtenção de uma propriedade rural na Masúria quando ambos trabalhavam na preparação dos planos gerais para a tomada das terras orientais, um jovem hutu de Kanama via a possibilidade de sair das acomodações apertadas de sua família patriarcal, quando ele se engajava na incumbência de massacrar os tútsis que fora imposta pelo governo. Ainda que a aplicação da violência permaneça na perspectiva dos perpetradores firmemente embasada em causas originais muito concretas, esta pode ser classificada apressadamente por um observador externo como "ilusão racial", "limpeza étnica" ou "genocídio". Vamos então lançar uma vista de olhos sobre outro genocídio, que começou a ser praticado dez anos após o encerramento do massacre ruandês e permanece em andamento até os dias atuais.

Darfur – A Primeira Guerra Climática

"Primeiro chegaram aviões, que sobrevoaram uma aldeia, como se estivessem localizando seu alvo; depois, eles deram meia-volta e começaram a largar suas bombas. O ataque aéreo foi realizado com aeroplanos quadrimotores de fabricação russa, modelo Antonov AN-12, que realmente não são bombardeiros, mas aviões de carga. Eles não dispõem nem de um compartimento para bombas, nem de equipamento para localização de alvo e as 'bombas' eram de fabricação antiga, usando um misturador de matéria explosiva com um recipiente de óleo cheio de sucata de metal. Elas eram simplesmente colocadas no piso do avião-transporte e roladas por rampas instaladas na parte traseira do veículo aéreo, que era mantida aberta durante o voo, e depois lançadas manualmente. Elas eram assim bombas de dispersão primitivas que desciam em queda livre, já completamente superadas e imprestáveis do ponto de vista militar, porque não podiam ser lançadas com precisão contra os alvos, mas que, contra objetivos civis imóveis funcionavam devastadoramente. Qualquer participante das tropas de assalto era capaz de lançar essas bombas com um mínimo de treinamento e elas eram empregadas exclusivamente como armas de terror contra a população civil. Depois que os Antonov tinham realizado sua tarefa apavorante, eram seguidos por helicópteros militares e/ ou bombardeiros MiG, também de fabricação russa, que disparavam com metralhadoras ou lança-foguetes contra todos os alvos maiores, como escolas ou armazéns que tivessem ficado em pé depois do ataque inicial. A destruição total era claramente premeditada."[110]

Mas a violência não terminava com o ataque aéreo, ao contrário, era agora que ela começava realmente. A tropa dos *Djandjawids* – uma milícia montada em cavalos ou camelos ou transportada em caminhões Toyota de tração nas quatro rodas adaptados – invadia a aldeia, saqueava o que era possível, estuprava todas as mulheres e meninas que encontrava, queimava até os alicerces o que restava das casas e terminava por massacrar todos os habitantes sobreviventes.[111]

Foi esta a introdução do genocídio em Darfur, uma província do Sudão ocidental, começado em julho de 2003 e que permanece sendo praticado até hoje. O que os observadores ocidentais tentaram intermediar inicialmente como sendo um conflito racial entre "milícias de cavaleiros árabes" e "camponeses africanos", foi logo desmascarado por um exame mais acurado como a guerra de um governo desfechada contra seu próprio povo, dentro da qual as variações climáticas exerciam uma função de destaque. Darfur é considerado etnicamente como um entrelaçamento complexo de etnias "arábicas" e "africanas", em que o termo "arábico", via de regra, é associado a estilos de vida nomádicos, e "africano" a comunidades camponesas. Para complicar ainda mais o quebra-cabeça, há uma distinção entre os "árabes nativos" e os estrangeiros que, a partir do princípio do século 19, vieram estabelecer-se na região, em sua maioria comerciantes ou pregadores da fé islâmica. Este último grupo solidificou-se como uma elite estrangeira semicolonial, conforme descrito por Gerard Prunier, compondo uma classe de mercadores de escravos e de marfim, que finalmente conquistou o Darfur inteiro e se mesclou com os árabes naturais da região. Eles se fundiram rapidamente e, mesmo que aqueles vindos de fora fossem conquistadores, misturaram-se facilmente com a população árabe autóctone, assumindo até hoje uma posição conjunta de caráter elitista.[112]

Os *Djandjawids*, cuja brutalidade é extremamente temida, apareceram no cenário do conflito pelo final de 1980, assumindo logo um papel que oscilava

---

[110] Gerard Prunier: *Darfur. Der uneindeutig Genozid* [Darfur: O Genocídio obscuro], Hamburgo, 2006, pp. 132ss. (NA).

[111] *Idem*, página 133. (NA).

[112] *Idem*, página 20. (NA).

"entre o de bandoleiros e a função de tropas de assalto governamentais".[113] Os milicianos foram recrutados entre antigos assaltantes de rua, soldados expulsos do exército, "jovens mestiços, que se empenhavam em lutas de rua com seus vizinhos 'africanos', com quem, na sua maioria, eram mais aparentados do que com as linhagens árabes" e criminosos anistiados, de mistura com jovens desempregados. Essa gente é paga em dinheiro pelo exercício de suas funções, na base de "79 dólares por mês para um soldado de infantaria, 117 dólares quando ele é capaz de conseguir um cavalo ou um camelo; os oficiais, isto é, aqueles que sabem ler [...] recebem até 233 dólares mensais".[114] As armas lhes são entregues por ocasião de seu alistamento.

De forma semelhante ao que ocorreu em Ruanda dez anos antes, a sua participação no genocídio não é absolutamente a de atores espontâneos, que praticam os massacres por razões de ódio ou de vingança, mas fazem parte de "grupos perfeitamente organizados, politizados e militarizados".[115] O resultado de seu "trabalho" foi o assassinato de 200.000 a 500.000 dos habitantes de Darfur até o momento presente. Este genocídio foi evidentemente realizado por meio de massacres organizados, mas nos anos mais recentes, devido à catástrofe que provocou a fome e que assola a nação desde 1984, a história de sua violência está intimamente associada aos problemas ecológicos.

O mundo de Darfur era, conforme descrito anteriormente, caracterizado por uma divisão entre camponeses sedentários ("africanos") de um lado e pastores nômades ("árabes") do outro, embora fisicamente não apresentassem grande diferença. Há cerca de setenta anos ocorrem conflitos entre os camponeses sedentários e os pastores nomádicos.[116] A crescente erosão do solo provocou um aumento progressivo destes conflitos ampliado pelo crescimento constante do número de rebanhos.[117] Os aspectos da modernização, como aquelas mediações realizadas durante os períodos de paz ao longo dos últimos trinta anos para a solução desses conflitos só resultaram na destruição das estratégias tradicionais de solução ou de acertos de contas, provocando consequências imediatas, sem que novas regras de ajuste capazes de

---

[113] *Idem*, página 129 e seguintes. (NA).

[114] *Idem*, página 130. (NA).

[115] *Idem*, ibidem. (NA).

[116] Conforme dados do relatório do UNEP (*United Nations Environment Programme* [Programa Ambiental das Nações Unidas]), publicado em 2007, p. 81. (NA).

[117] Anteriormente, era prática dos nômades pagar uma compensação aos camponeses quando atravessavam suas terras e apascentavam e davam de beber aos animais. O conflito se desenvolveu paralelamente com a crescente escassez de água e de pastagens, particularmente ampliada pelo fato de os rebanhos não pararem de crescer. (NA).

funcionar por si mesmas fossem estabelecidas.[118] Bem ao contrário, observa-se há três décadas que até os pequenos conflitos locais vêm sendo decididos pela força das armas.[119]

Os camponeses sedentários, a partir da seca catastrófica de 1984, tentaram proteger suas propriedades minúsculas e de escassa produção, colocando barreiras à passagem dos rebanhos dos "árabes" através de seus campos, ao mesmo tempo em que as pastagens tradicionais a que estes recorriam haviam encolhido por causa da seca. Devido a essas barreiras, os nômades não podiam mais chegar às pastagens e locais de forragem a que se recolhiam tradicionalmente durante os verões, as quais se localizavam do outro lado das terras ocupadas pelos agricultores. "Em sua tentativa de se locomoverem cada vez mais em direção ao sul úmido, eles começaram a empregar a força das armas para abrir seu caminho através das *marahil* (barreiras) que haviam sido erguidas ao longo do caminho tradicional para as pastagens de verão. Ao mesmo tempo, os camponeses, que segundo um velho costume arrancavam e queimavam as plantas silvestres, combatiam o que para eles eram ervas daninhas, mas que para os rebanhos esgotados dos nômades desesperados constituíam a forragem derradeira."[120]

Aqui se vê claramente que as transformações provocadas pelas variações climáticas constituíram o ponto de partida do conflito. As chuvas que restavam – na maioria das áreas de Darfur a média das precipitações pluviométricas diminuiu de mais de um terço ao longo de uma década – não eram suficientes para que as regiões setentrionais continuassem a ser praticáveis para a pecuária nomádica e provocou seu movimento – inclusive de uma parte dos agricultores sedentários – em direção ao sul, já que a redução do índice pluviométrico atingiu de forma mais direta e violenta os nômades.[121] Desta forma, a seca produziu um número crescente de refugiados internos, que foram concentrados nos campos já mencionados. Uma determinação do governo declarou, não obstante, que deveriam ser "definidos mais precisamente como fugitivos do Chade" e que

---

[118] Veja Alexander Carius, Dennis Tänzler e Judith Winterstein: *Weltkarte von Umwelkonflikten – Ansatz zu einer Typologisierung* [Cartografia mundial dos conflitos ambientais – Tentativa para a classificação de uma Tipologia], Potsdam, 2007, p. 13; veja o *site* http://www.wbgu.de/wbgu_jg2007_ex02.pdf. (NA).

[119] Gerard Prunier: *Darfur. Der uneindeutig Genozid* [Darfur: O Genocídio obscuro], Hamburgo, 2006, p. 83. (NA).

[120] *Idem*, p. 78. (NA).

[121] *Idem*, p. 69. (NA). Fenômeno semelhante ocorreu na mesma época mais para oeste, quando os nômades *thibesti* e *targui* (tuaregues) tentaram sair do Sahel, ao sul do Sahara e descer para as zonas mais úmidas de Chade, Mali, Burkina Fasso e da República Centro-africana, sendo repelidos, especialmente na Nigéria, um país de relativa estabilidade. Aqui havia o fator adicional destas tribos serem odiadas por serem tradicionalmente mercadores de escravos. Boa parte deles morreu de fome e de sede. (NT).

deveriam ser deportados maciçamente para o país vizinho, uma operação que veio a ser conhecida pelo nome de "retorno glorioso".[122]

De forma semelhante, o drástico crescimento da população (mediante um aumento médio de 2,6% ao ano) conduziu ao emprego excessivo das pastagens e ao esgotamento das terras de cultivo, provocando em consequência um aumento permanente do potencial de conflitos já existente. Enquanto as disputas sobre terras e água eram resolvidas pelos métodos tradicionais de assembleias de reconciliação, um terceiro partido assumiu o poder pela derrubada do governo anterior, mediante um golpe de estado militar ocorrido em 1989, por meio do qual foi estabelecendo um regime chefiado pelo General Al-Bashir, o qual deu início a uma nova política. Foi a partir desta época que se formaram as milícias, as quais passaram a crescer gradativamente com o apoio do governo e começaram a interferir nos conflitos – fazendo com que as formas tradicionais de resolução dos conflitos fossem abandonadas e que se agravassem as disputas entre os grupos, aprofundando muito mais o problema da violência.

O cenário atual do conflito é representado de uma parte pelas tropas e milícias do governo e da outra pelas vinte e poucas organizações rebeldes, o que de fato torna uma visão abrangente do quadro geral tão impossível para os participantes como para os observadores externos. O grupo mais forte, a DLF (*Darfur Liberation Front* [Frente de Libertação de Darfur]), formado em fevereiro de 2003 e que buscava inicialmente apenas a autonomia da região de Darfur, decidiu-se logo depois pela defesa das reivindicações de libertação conjunta do Sudão e passou a denominar-se desde então o SLM/SLA (*Sudan Liberation Movement*, com seu braço armado o *Sudan Liberation Army* [Movimento/Exército de Libertação Sudanês]). Aliado àquele existe ainda o JEM (*Justice and Equality Movement* [Movimento pela Justiça e Igualdade]) cujo alvo é igualmente o enfraquecimento do regime central de Cartum.[123]

A atual guerra em Darfur foi desencadeada quando guerrilheiros do SLA tomaram o aeroporto de Al-Fashi, cuja consequência imediata foi uma reação maciça do governo central sudanês, que vem caracterizando o conflito desde o

---

[122] *Idem*, p. 72. (NA).

[123] Estas informações sobre o desenvolvimento do conflito seguem a descrição do *Wissenschaftliche Dienste des Deutschen Bundestages* [Serviço de Informações Científicas do Governo Federal Alemão], publicada em *Der Darfur Konflikte – Genese und Verlauf* [O conflito de Darfur – Origem e Percurso], outubro de 2006 (NA). A aliança SLA/JEM passou por sua vez a atacar alvos do governo desde sua formação e é responsabilizada pelo conflito pelos porta-vozes do governo do ditador Omar Hassan Al-Bashir, mas este foi processado pela Corte Penal Internacional de Haia em 14 de julho de 2008, que emitiu um mandado de prisão contra o general em março de 2009, sob a acusação de crimes de guerra e crimes contra a humanidade em Darfur. (NT).

A GUERRA DA ÁGUA

começo desta fase. Os ataques das tropas governamentais às aldeias de Darfur permitiram, por outro lado, que as tribos nomádicas árabes se apropriassem dessas terras para apascentar seus rebanhos, os quais elas vêm utilizando até o presente. "Como resultado da agravação das imposições mútuas, o governo central de Cartum destituiu os governadores dos distritos setentrional e ocidental de Darfur, que haviam entabulado discussões envidando uma solução pacífica do conflito."[124] O governo iniciou o bombardeio indiscriminado das aldeias, conforme foi descrito no início desta seção, lançando os *Djandjawids* no combate aos rebeldes. Desde então estas milícias apoiadas pelo governo praticaram um genocídio que somente foi interrompido em caráter temporário e em áreas restritas pelo esforço de intermediários e tentativas de armistícios. Mas a luta assumiu um caráter permanente. Nem os rebeldes, nem o governo estão dispostos a aceitar uma interrupção definitiva do conflito, o que significa que os possíveis contratantes não estão seriamente interessados em concluir a paz entre si. Enquanto isso, a violência contra a população civil não é mais exercida somente pelos *Djandjawids*, mas também pelo exército regular e ainda pelos rebeldes.[125]

A guerra brutal e mortífera de Darfur não demonstra somente as características de uma Guerra Climática, como representa também um novo tipo de *Guerra Permanente*, característica principalmente das sociedades africanas com governos frágeis ou já fragmentados. No capítulo Os Mortos de Amanhã: As Guerras Permanentes, a Limpeza Étnica, o Terrorismo e a Expansão das Fronteiras serão explanados que uma das principais diferenças entre as guerras civis do passado e as do futuro, do mesmo modo que as novas guerras de classe dentro de uma nação é a de os partidos envolvidos não terem qualquer interesse em terminar as referidas guerras, mas que, justamente ao contrário, tanto por motivos políticos de conquista do poder como por interesses financeiros, se esforçam para que se tornem permanentes.[126] São as marcas da violência e a economia da violência que aqui se apresentam; por detrás da maioria dos conflitos aparentemente étnicos que ocorrem nos países africanos se encontram organizações não-governamentais

---

[124] Veja *Der Darfur Konflikte – Genese und Verlauf* [O conflito de Darfur – Origem e Ocorrências], outubro de 2006, p. 15. (NA).

[125] Veja Wolfgang Schreiber: *Sudan/Darfur* em *Arbeitsgemeinschaft Kriegsursachenforschung Universität Hamburg* [Grupo de estudos para pesquisas sobre as causas originais da guerra realizadas na Universidade de Hamburgo], disponíveis no *site* www.sozialwiss.uni-hamburg.de/publish/Ipw/Akuf/Kriege/301ak_sudan_darfur.htm, citado no relatório do *Wissenschaftliche Dienste des Deutschen Bundestages* [Serviço de Informações Científicas do Governo Federal Alemão], conforme publicado em *Der Darfur Konflikte – Genese und Verlauf* [O conflito de Darfur – Origem e Percurso], outubro de 2006. (NA).

[126] Conforme Mary Kaldor, *Neue und alte Kriege. Organisiert Gewalt im Zeitalter der Globalisierung* [Guerras antigas e modernas. A violência organizada na época da globalização], Frankfurt am Main, 2000; veja também Herfried Münkler, *Die neuen Kriege* [As novas guerras], Reinbek, 2002. (NA).

que abriram espaços mediante violência aberta, dentro dos quais realizam seus negócios, obtendo lucros com a venda de armas, aquisição de matérias-primas, monopólio de fornecimento de ajuda internacional e até mesmo resgate de reféns. Disto decorre, naturalmente, que nenhum empresário da violência terá o menor interesse em abrir mão de seus negócios. De forma semelhante, qualquer tentativa de obtenção da paz é um estorvo e incômodo para tais atores.[127]

Um estudo do UNEP (*United Nations Environment Programme* [Programa Ambiental das Nações Unidas]), datado de junho de 2007, descreve a questão conjunta da seguinte maneira: em Darfur, os problemas relacionados ao meio ambiente permanecem ligados ao exorbitante crescimento demográfico e aos decorrentes parâmetros que condicionam os conflitos violentos travados ao longo das fronteiras étnicas – ou seja, entre os "africanos" e os "árabes". Em outras palavras, conflitos cujas causas originais são de caráter ecológico tornam-se percebidos como conflitos étnicos – de fato, é essa a maneira como são compreendidos pelos próprios participantes. O declínio das condições sociais é provocado por um colapso ecológico, mas não é isto que enxerga a maioria dos atores envolvidos. O que eles veem são ataques violentos, conquistas de territórios, violência homicida, portanto os resultados da inimizade do "Grupo Deles" manifestada contra o "Nosso Grupo".

Ademais, o relatório do UNEP constatou sobriamente que uma paz contínua no Sudão não poderá ser alcançada enquanto permanecerem as condições ambientais ameaçadoras da sobrevivência que predominam hoje. Porém, estas foram provocadas por encadeamentos de secas, da expansão dos desertos, de escassez pluviométrica e do desmatamento contínuo – em resumo: deficiências existenciais características da região que estão sendo progressivamente agravadas pelas variações climáticas. A vereda que conduz dos problemas ecológicos aos conflitos sociais não é uma rua de mão única.

A Ecologia da Guerra

Estranhamente, quer em guerras civis, quer em guerras entre países, as considerações dos partidos por sua responsabilidade para com o meio ambiente, mesmo no contexto de debates ecológicos, só muito raramente são mencionadas.

---

[127] Veja http://web.fu-berlin.de/ethnologie/publikationen/media/Georg_Elwert-Gewalt_und_Maerkte.pdf (sem paginação). (NA).

No Afeganistão foi apenas mencionado que, em consequência do estado de guerra permanente, existe o perigo de que "80% da terra possa vir a ser inutilizado pela erosão do solo; a fertilidade do solo vem diminuindo, a salinização crescendo, o espelho de água subterrânea vem descendo dramaticamente, a desertificação se expande sobre amplas superfícies e a erosão provocada pela água e pelo vento foi grandemente ampliada. De acordo com Abdul Rahman Hotaky, Presidente da AOHREP (*Afghan Organization for Human Rights and Environment Protection* [Organização Afegã para os Direitos Humanos e Proteção do Meio Ambiente]), além da guerra e da expulsão dos habitantes motivada por diversos períodos de seca, exercem um papel sobre o conjunto o abuso dos recursos naturais, a fraqueza do governo central e uma política ambiental deficiente."[128] Setenta por cento das florestas do Afeganistão já foram destruídas e 50% das planícies agrícolas pararam de ser cultivadas durante as duas últimas décadas.

Durante a Guerra do Vietnã, devido ao bombardeio com desfolhantes, três milhões e trezentos mil hectares de florestas e de planícies agricultáveis foram envenenados com produtos químicos. "O resultado foi uma depauperação imediata e permanente do solo, o desequilíbrio da produção de alimentos por causa dos prejuízos causados nos sistemas tradicionais de irrigação, afetando as plantas e os animais e realmente até o clima."[129] Mais de trinta anos após o final da guerra, as florestas ainda não se recuperaram. Em 1995, um relatório do Banco Mundial declarou, em resumo, que a biodiversidade do Vietnã foi modificada de forma permanente pela guerra.[130] De forma semelhante, a guerra provocou a redução da estabilidade do ecossistema e conduziu a um aumento da erosão do solo. Ao lado destas consequências diretas da destruição e da extração descontrolada de recursos naturais, a contaminação da água subterrânea por materiais de guerra ou derramamento de petróleo ou pela transformação de regiões inteiras em *No-Go-Areas* [zonas interditadas] pela colocação de minas terrestres são também consequências ecológicas secundárias da guerra que se manifestam de forma assustadora até o presente.

De forma semelhante, somente em Cartum, a capital do Sudão, que conserva agora em sua periferia assentamentos incontroláveis de refugiados, o

---

[128] Florian Rötzer, *Anhaltender Krieg in Afghanistan verursacht schwere Umweltschäden* [A guerra ininterrupta do Afeganistão motiva severos problemas ambientais], publicado na revista eletrônica *Telepolis*, a 23 de agosto de 2007, disponível na página eletrônica http://www.heise.de/tp/r4/artikel/26/26020/1.html. (NA).

[129] Vo Quy, *Ökozid in Vietnam. Erforschung und Wiederherstellung der Umwelt* [Ecocídio no Vietnã. Pesquisa e Restauração do Meio Ambiente], publicado em *Arbeitsgemeinschaft Friedensforschung der Universität Kassel* [Trabalhos coletivos de pesquisas sobre a paz realizadas na Universidade de Kassel], disponíveis no *site* http://www.uni-kassel.de/fb5/frieden/Vietnam/fabig-voquy.html. (NA).

[130] *Idem, ibidem.* (NA).

crescimento populacional foi de cerca de dois milhões de habitantes desde o início da guerra – moradores que vivem em favelas sem água tratada, esgotos ou qualquer outra infraestrutura. Em outras cidades do país, embora em grau menor, a situação não é diferente. As regiões onde foram estabelecidos os campos de refugiados oficiais se transformaram, por um raio de dez quilômetros ao redor dos campos, em zonas abandonadas, porque os refugiados derrubaram todas as árvores e arbustos para obter combustível para cozinhar ou para os fornos das olarias em que produzem seus tijolos de construção, tornando além disso impraticável o seu próprio abastecimento futuro, uma vez que a infraestrutura da sobrevivência depende de material combustível. Além disso, as milícias de *Djandjawids* não somente incendeiam as aldeias até os alicerces, mas, via de regra, também queimam as árvores ao redor ou as cortam, a fim de desencorajar o retorno dos refugiados sobreviventes.

As Sociedades Fracassadas[131]

Um dos motivos pelos quais o processo de desertificação galopante nos preocupa tanto é que para a maioria dos refugiados nunca mais será possível retornar a suas pátrias originais para o prosseguimento de suas vidas. Em muitas regiões, o solo nunca mais se tornará apropriado para a agricultura. Entre 1972 e 2001, dois terços das matas existentes no Sudão setentrional, oriental e central foram destruídos; na área de Darfur, a destruição tinha sido da ordem de um terço (até 1976) e no Sudão meridional já atingiu o nível de 40%. O Programa Ambiental das Nações Unidas prognostica para algumas regiões a perda total das matas durante a próxima década. A dramática diminuição das precipitações pluviométricas já percebida transformou em desertos cerca de um milhão de hectares das terras aráveis ou de pastagens do país. Uma nova elevação de apenas meio grau a um grau e meio centígrado na temperatura média, um fenômeno que é claramente possível, reduziria o índice de precipitações de mais 5% e as possibilidades da produção de cereais encolheriam ainda mais. Na região de El Obeid, por exemplo, a produção anterior de meia tonelada por hectare já se reduziu a cento e cinquenta quilos na mesma

---

[131] Uma parte desta seção é baseada na proposta do projeto *"Failing Societies"* [Sociedades Fracassadas], produzido conjuntamente pela equipe dirigida por Tobias Debiel. (NA).

superfície.[132] Em um piscar de olhos, cerca de 30% das superfícies aráveis do Sudão se transformaram em desertos e provavelmente mais 25% sofrerão o mesmo destino nos próximos anos.

Não estão sendo tecidas quaisquer fantasias, já que se prevê que este aumento da temperatura média significará igualmente a perda de um quarto das terras agricultáveis da Europa Central, ao se afirmar que os cálculos da constante diminuição da produção agrícola tendam a se estender por todo o Sudão e até mesmo possam ir além das possibilidades previstas, de tal modo que os prejuízos resultantes tenham de ser compensados por meio de estratégias de exploração intensiva, importações, introdução de culturas mais resistentes às variações climáticas etc. Em uma sociedade agrícola, cujas possibilidades de sobrevivência são, além disso, extremamente escassas, as variações das condições ambientais não podem ser encaradas simplesmente como restrições ou obstáculos à produção, porém como uma catástrofe que ameaça diretamente a vida dos agricultores individuais e de suas famílias. Não existe espaço de manobra quando a ração diária possível desce abaixo do nível necessário à sobrevivência de um organismo. Não é necessário conhecer nem psicologia, nem sociologia, para entender que a violência se apresenta como uma opção plausível dentro de tal situação – especialmente em uma sociedade na qual a violência já é uma ocorrência diária. Deste modo, cada quilômetro quadrado cedido à desertificação representa um *encolhimento do espaço de sobrevivência* dos seres humanos e se converte em fonte direta ou indireta da violência, quer as pessoas a entendam desta forma, quer não.

Nações como o Sudão, devido a suas desastrosas estruturas políticas e econômicas, não dispõem da menor capacidade para compensar as más colheitas ou os danos causados às terras, especialmente quando o envio de recursos e socorros do exterior é prejudicado pelos aspectos infelizes da corrupção e da economia de violência e compromete as condições dos campos de refugiados e de sua própria existência.

Nações frágeis, malogradas ou fragmentadas como o Sudão, também veem sua vulnerabilidade consideravelmente intensificada perante os riscos ambientais e, de maneira semelhante, condições de defesa contra as modificações climáticas claramente menores – deste modo uma catástrofe provocada por uma inundação, por exemplo, apresenta efeitos muito mais severos em países como o Sudão ou Bangladesh do que em regiões como a Alemanha Oriental ou o centro da Inglaterra. Do mesmo modo, tais países sofrem muito mais

---

[132] Todos estes dados foram retirados do relatório do UNEP (*United Nations Environment Programme* [Programa Ambiental das Nações Unidas]), publicado em 2007, p. 61. (NA).

com as consequências econômicas e sociais das variações climáticas do que, por exemplo, as terras mediterrâneas europeias, do mesmo modo que nelas o processo de desertificação, embora perceptível, tenha caráter ainda brando. Os números semelhantes calculados para as planícies dos Estados Unidos apenas afetarão regionalmente a agricultura, enquanto no Sudão o processo de desertificação atingirá diretamente a população, que não receberá qualquer compensação. Seus processos de reação às variações ambientais – as exigências excessivas e definitivas sobre as terras esgotadas, o corte das últimas árvores etc. – provocados pelas necessidades da pura sobrevivência, irão agravar o problema ecológico de forma duradoura. As estruturas políticas, embora não detenham realmente o monopólio da violência, também estão muito distantes do estado de direito e de bem-estar social, o que significa que agravam continuamente os problemas, ao invés de procurar suavizá-los, o que provoca efeitos de caráter persistente. Deste modo, como demonstra o exemplo de Darfur, embora as causas originalmente ecológicas tivessem desencadeado as áreas de conflito modernamente observadas, lançando os diversos grupos uns contra os outros, as disputas constantes atiçam as rivalidades etnicamente dependentes e, possivelmente, lhes atribuirão um caráter permanente.

No Sudão, a luta em amplas regiões do país e através de longos períodos da história pós-colonial tornou-se uma situação perfeitamente normal; calcula-se o número de mortes ao longo desse tempo em dois ou três milhões, sem contar os mortos de Darfur. A expectativa de vida no Sudão meridional se limita a quarenta e dois anos, o nível de alfabetização é de apenas 24%, enquanto a mortalidade infantil, na faixa etária de zero a cinco anos é calculada em 25%. Para uma nação dominada por guerras ininterruptas há mais de quarenta anos, estes números podem ser considerados como perfeitamente normais.

Infelizmente, o Sudão não é o único país cujo futuro se demonstrará cada vez mais sombrio por causa das variações climáticas, por mais que já o seja agora. O *"Failed State Index"* [Relação dos Estados Fracassados][133] enumerava em 2006 sessenta países ameaçados de desagregação, com o Sudão encabeçando a lista. A relação estabelece diferenças entre indicadores sociais (pressão demográfica crescente, alto número de refugiados, conflitos entre grupos, migrações crônicas), indicadores econômicos (desigualdades drásticas, problemas de desenvolvimento) e indicadores políticos (governos ilegítimos, condução ineficiente dos serviços públicos, infrações dos direitos humanos,

---

[133] Este foi o nome atribuído a um índice elaborado por meio de diversos indicadores, como desigualdade social, número de refugiados etc., para as nações que não alcançam o nível adequado de governabilidade. (NA).

aparatos de segurança de natureza criminosa, elites concorrentes, presença de atores políticos externos). As sociedades africanas ocupam realmente todos os primeiros lugares, mas também nelas se encontram incluídos paraísos de férias asiáticos, tais como Sri Lanka (número 25 da lista) ou centro-americanos, como a República Dominicana (número 48), ao lado de uma certa quantidade de países da América do Sul.[134]

Summa summarum [tudo considerado], atualmente dois bilhões de pessoas vivem em países considerados inseguros, fragmentados ou falidos – isto significa concretamente que suas vidas se acham cronicamente ameaçadas, do mesmo modo que a de pessoas em outras regiões do mundo. As sociedades listadas nesta relação são altamente prejudicadas por enfrentarem *outras* condições negativas das mudanças políticas ou de natureza econômica ou ecológica – entre outras, se encontram aquelas que, em função de encolhimento ulterior de suas possibilidades de desenvolvimento correm o risco de novas guerras e de conflitos armados ainda mais violentos.[135] Existe um relacionamento íntimo entre a pobreza e a violência. As estatísticas incluem a possibilidade de 15% para a ocorrência de uma guerra civil em um país com renda *per capita* de 250 dólares, enquanto os países com renda média de 5.000 dólares apresentam menos de 1% de potencialidade para envolvimento em qualquer tipo de guerra.[136]

Paradoxalmente, tais perspectivas infelizes se tornam ainda mais graves quando a nação possui grandes recursos naturais, como diamantes, petróleo ou madeira-de-lei. A "praga das matérias-primas" a torna particularmente atraente para o saque da parte dos intermediários da violência nacionais e internacionais. As guerras civis ou crises de violência semelhante à das guerras civis rapidamente começam a grassar, em particular quando existem nichos e pontos de apoio – espaços abertos para a violência – em que tanto o crime organizado ou o terrorismo internacional possam construir suas bases – como já é o caso da Somália. Deve-se, portanto identificar de antemão onde se encontram as fronteiras subjacentes mais críticas facilitadas pela fraqueza dos governos, que nessas terras com frequência já estão erguidas ou firmadas

---

[134] Tobias Debiel, Dirk Messner e Franz Nuscheler, *Globale Trends 2007. Frieden, Entwicklung, Umwelt* [Tendências Globais, 2007. Paz, desenvolvimento e meio ambiente], Frankfurt am Main, 2007, p. 90ss. (NA).

[135] Existe uma clara relação entre a pobreza e a violência bélica. Metade dos estados que sofrem de um desenvolvimento relativamente pequeno já atravessou, entre 1995 e 2004, uma ou mais guerras, enquanto estas ocorreram em somente 29% dos países apresentando desenvolvimento médio e apenas em 5,5% dos países mais adiantados. Conforme Tobias Debiel *et alii, op. cit.*, p. 95. (NA).

[136] *Idem, ibidem.* (NA).

subrepticiamente, nas quais não existem zonas de separação econômica, nem entrelaçamentos transnacionais que possam compensar o estabelecimento de situações de crise ou que as possam de outro modo interromper. De qualquer maneira, qualquer catástrofe ambiental, como uma seca, uma inundação, um furacão ou um terremoto, pode precipitar as crises e conduzir diretamente a catástrofes sociais.

Particularmente predispostas a consequências sociais são aquelas sociedades lesadas (muito especialmente nos países pós-coloniais ou em nações que sofrem os efeitos de uma guerra anterior e ainda não conseguiram reconstruir as estruturas estáveis de uma sociedade civil), na maioria dos casos suscetíveis a conflitos armados, em que as mudanças climáticas se acham subjacentes – especialmente porque, na maioria destes casos, o governo não mantém o monopólio da repressão, mas a violência é exercida em escala maior ou menor por organizações paramilitares ou oligopólios privados.[137] Particularmente falhas são também as condições de segurança, porque quanto maior for a pobreza, tanto menor será o custo da violência e tanto mais fácil o seu desencadeamento.[138]

As modificações climáticas agudizam ainda mais as condições presentes de desigualdade social, tanto no plano internacional como no interior das nações afetadas, tanto entre os centros e periferias urbanas, como entre as regiões desenvolvidas e as menos desenvolvidas. Novos movimentos de migrações internas ou fluxos de refugiados são suas consequências inevitáveis. As possibilidades de aplicação de violência *per se* crescem e realmente, em face das condições de exploração atuais, não podem senão evidenciar que as migrações em caráter mundial somente poderão ser encaradas como tendendo a aumentar as causas originais da violência *potencial*, na medida em que recursos como, por exemplo, água e terras de plantio se vão tornando cada vez mais escassos ou, falando em economês, a procura se torna maior do que a oferta. Claramente se estabelece uma concorrência progressiva entre aqueles que os

---

[137] Andreas Mehler, *Oligopolies of Violence in Africa South of Sahara* [Oligopólios da violência na África Subsaariana], *Institut für Afrika-Kunde, Discussion Paper* [Documento para discussão apresentado no Instituto de Notícias Africanas], Hamburgo, 2004; Tobias Debiel *et alii, Zwischen Ignorieren und Intervenieren Strategien und Dilemmata externer Akteure in fragilen Staaten* [Entre estratégias de Indiferença e Intervenção e os dilemas provocados em nações frágeis por atores externos], publicado em *Reihe Policy Paper der Stiftung Entwicklung und Frieden* [Artigo sobre as linhas da política da Fundação Desenvolvimento e Paz], nº. 23, Bonn, 2005. (NA).

[138] Jon Barnett, *Climate Change, Insecurity, and Justice* [Mudanças climáticas, insegurança e justiça], artigo apresentado no simpósio *Justice in Adaptation to Climate Change* [A adaptação da justiça às mudanças climáticas], realizado no *Zuckerman Institute for Connective Environment Research* [Instituto Zuckerman para Pesquisas Ambientais Interconectadas], Universidade de East Anglia, Norwich, 2003, p. 3. (NA).

procuram e, quando tais necessidades se referem a questões diretas de sobrevivência, a concorrência conduz sempre à violência. Em resumo, as consequências sociais e políticas das variações climáticas irão provocar um acúmulo de riscos e infrações dentro das sociedades mais frágeis, cuja situação por meio disso se tornará cada vez mais grave e ainda mais fragilizada.

No ponto médio das pesquisas sobre as consequências das modificações climáticas, identificam-se também os conflitos sobre a exploração de recursos que, desde a década de 1990 ocorrem tanto em nível internacional como em plano nacional.[139] Ao lado disso, existem pesquisas que tentam compreender as conexões entre as diferentes formas de decadência ecológica e suas consequências socioeconômicas.[140] De fato, as pesquisas há muito tempo não oferecem quaisquer informações homogêneas para a análise das consequências sociais e políticas das modificações ambientais e, desde então, não houve qualquer raciocínio capaz de produzir algum desenvolvimento significativo para a Teoria das Sociedades e seus desenvolvimentos. De fato, não existem quaisquer estudos localizados que possam ser empregados como exemplos da forma que as possibilidades de desenvolvimento possam ser parcial ou totalmente prejudicadas pela aplicação de violência repentina ou completamente imprevisível e que possam ter sido originalmente provocadas

---

[139] Veja Stephan Libiszewski, *International Conflicts over Freshwater Resources* [Conflitos internacionais por recursos de água potável], publicado por Mohamed Suliman, editor, em *Ecology, Politics, and Violent Conflict* [A ecologia, a política e os conflitos violentos], Londres/Nova York, 1999, pp. 115-138; Steven C. Lonergan, *Water and Conflict: Rhetoric and Reality* [Água e conflitos: Retórica e realidade], publicado por Nils P. Gleditsch e Paul Diehl, editores, em *Democracy, Conflict, and the Environment* [A democracia, os conflitos e o meio ambiente], Boulder, Colorado, 2001; Joachim Blatter e Helen Ingram, *New Approaches to Transboundary Conflicts and Cooperation* [Novas abordagens aos conflitos e cooperação através das fronteiras], Massachusetts, 2001; Aron T. Wolf, Yoffe B. Shira *et alii, Conflict and Cooperation over International Freshwater Resources: Indicators of Basins at Risk* [Conflito e Cooperação sobre Recursos Internacionais de Água Doce], publicado em *Journal of the American Water Resources Association* [Revista da Associação Americana de Recursos Hídricos], 39/5, 2003, pp. 1109-1126; Geoffrey Dabelko, Alexander Carius *et alii, Water, Conflict, and Cooperation* [Água, Conflitos e Cooperação], publicado em *Environmental Change and Security Project Report* [Relatório sobre o Projeto Ambiental para Mudança e Segurança], 10/2004, pp. 60-66; Larry Swatuk, *Environmental Security in Practice: Transboundary Natural Resource Management in Southern Africa.* [Segurança Ambiental na Prática: Administração de Recursos Naturais Transfronteiras na África Meridional], publicado em *Water Development and Cooperation: Lessons from Southern Africa and Euphrates-Tigris* [Administração e Cooperação Hídrica: Lições da África Meridional e do Eufrates-Tigre], Bonn, 2004; Lars Wirkus e Volker Böge, *Afrikas internationale Flüsse und Seen. Stand und Erfahrungen in grenzüberschreitenden Wassermanagement in Afrika an ausgewählten Beispielen* [Rios e lagos internacionais da África. Situação e experiências em administração hídrica através das fronteiras africanas conforme exemplos escolhidos], Artigo para discussão em simpósio, Bonn, 2005. (NA).

[140] WBGU (*Wissenschaftlicher Beirat der Bundesregierung Globale Unweltveränderungen* [Conselho Consultivo Científico do Governo Federal Alemão sobre as Mudanças Ambientais Globais]), *Welt im Wandel – Herausforderung für die deutsche Wissenchaft. Zusammenfassung für Entscheidungsträger* [O mundo em transformação – Um desafio para a ciência alemã. Síntese para os responsáveis pela tomada de decisões], Bremerhaven, 1996. (NA).

pelas variações ecológicas;[141] mesmo assim, já há bastante tempo todos estes fatores são tratados de forma unificada ou simplesmente teórica. O fato de que nossos conhecimentos a respeito são limitados é bastante lastimável, porque ocorrem efeitos dominó dentro destas sociedades, especialmente quando, em consequência de catástrofes sociais, realmente suas potencialidades de inovações na área desenvolvimentista são destruídas e, deste modo a capacidade de adaptações a longo prazo, do mesmo modo que as possibilidades de prevenção de novas consequências das variações climáticas são prejudicadas de forma mais ou menos definitiva.

Em suma, é previsível que o caminho estreito da interdependência dos processos de desenvolvimento das sociedades possa ser destruído pela aglomeração de riscos e consequente bloqueio de possibilidades de desenvolvimento. Cerca de trinta países estão ameaçados por uma derrocada a instalar-se dentro de um futuro próximo.[142] Até o presente as pesquisas conjuntas sobre ecologia, violência e desenvolvimento são convenientemente raras,[143] em vista do que tais panoramas parecem estranhos ou surpreendentes. Claramente é falsa a suposição de que os ritmos diferenciados de desenvolvimento das sociedades reflitam exclusivamente as posições dos processos de modernização do desenvolvimento. Pode ocorrer que o desenvolvimento social siga caminhos totalmente diversos dos deslocamentos clássicos do desenvolvimento inicial e tampouco se ache em conformidade com os movimentos de retrocesso tradicionais – pode ser que aqui ocorra *algo bem diferente* do que imaginam as teorias ocidentais sobre o desenvolvimento das sociedades. Nesses países isto pode significar que – como ocorre nos países islâmicos – determinados caminhos da modernização, tais como a secularização, sejam adiados indefinidamente ou totalmente bloqueados. Tornou-se bastante claro que o modelo adotado pelos países pertencentes à Organização para a Cooperação e Desenvolvimento Econômico não constitui mais a "planta baixa" para a construção de uma nação; os processos de civilização e de desagregação civil dentro de

---

[141] Günther Bächler: *Transformation of Resource Conflicts: Approaches and Instruments* [Transformações dos conflitos sobre recursos naturais. Abordagens e instrumentos], Bern [Berna], Suíça, 2002. (NA).

[142] Cord Jacobeit e Chris Methmann, *Klimaflüchtlinge. Eine Studie im Auftrag von Greenpeace* [Refugiados climáticos. Estudo realizado por incumbência da organização Greenpeace], Hamburgo, 2007. (NA).

[143] Ragnhild Nordas, *Climate Conflicts: Commonsense or Nonsense?* [Conflitos climáticos: Consenso ou Falta de senso?], artigo apresentado na 13*th*. *Annual National Political Science Conference* [Décima-terceira conferência nacional anual sobre ciência política], Hurdalsjøen, Noruega 2005: Jon Barnett, *Climate Change, Insecurity, and Justice* [Mudanças climáticas, insegurança e justiça], artigo apresentado no simpósio *Justice in Adaptation to Climate Change* [A adaptação da justiça às mudanças climáticas], realizado no *Zuckerman Institute for Connective Environment Research* [Instituto Zuckerman para Pesquisas Ambientais Interconectadas], Universidade de East Anglia, Norwich, Inglaterra, 2003, p. 3. (NA).

uma sociedade podem presumivelmente realizar-se de um modo bastante diferente daquele em que temos pensado até o presente.

Nações em Colapso

Uma soberania frágil significa ainda que as instituições e organizações estatais são baseadas em vontades políticas falhas, apoiam-se em uma fraca legitimidade governamental ou em meios financeiros defeituosos que nunca conseguem funcionar completamente. Em casos extremos, ocorre a total desagregação dos órgãos públicos, como o exército, a polícia e a defesa, o que conduz a uma situação de desaparecimento dos direitos civis e a circunstâncias completamente imprevisíveis na distribuição do poder.[144] E quando uma infraestrutura estatal implode, surge o perigo de que todas as demais estruturas sociais igualmente entrem em colapso dentro de um breve espaço de tempo.[145]

As sociedades frágeis são frequentemente caracterizadas por um baixo índice de integração nacional,[146] uma vez que são compostas por numerosos grupos étnicos, culturais, religiosos, regionais ou políticos, os quais concorrem uns com os outros pelo emprego dos recursos naturais, seja por meio de conflitos violentos, seja entrando em coligações pacíficas. Uma modernização que conduza a um estado nacional homogêneo não tem condições de se realizar. O estado só pode manter um monopólio estável da força e uma distribuição exclusiva da justiça por meio das instituições públicas de uma forma tênue e regularmente se envolve em conflitos; com frequência – como foi o caso de Darfur – ao invés de serem pacificados, estes se agravam na medida em que a polícia ou as milícias intervêm. De modo semelhante, uma sociedade frágil apresenta uma série de outros problemas: as taxas de crescimento urbano são as mais altas do mundo precisamente nas sociedades mais pobres; os movimentos de refugiados e as migrações internas conduzem à formação

---

[144] Tobias Debiel e Dieter Reinhardt, *Staatsverfall und Weltordnungspolitik. Analystische Zugänge und politische Strategien zu Beginn des 21. Jahrhunderts* [A queda das nações e a política de organização mundial. [Estudos analíticos e estratégias políticas para o começo do século 21], publicado em *Nord-Süd aktuell* [A atualidade Norte-Sul], 18 de março de 2004, pp. 525-538. (NA).

[145] I. William Zartman, *Introduction: Posing the Problem of State Collapse* [Introdução: Descrição do problema do colapso de uma nação], publicado por I. William Zartman, editor, em *Collapsed States: The Disintegration and Restoration of Legitimate Authority* [Nações em colapso. Desintegração e restauração de uma autoridade legítima], Boulder, Colorado, 1995, pp. 1-11. (NA).

[146] Jochen Hippler (editor): *Nation-building – A Key Concept for Peaceful Conflict Transformation?* [Construção de nações – Um conceito-chave para a transformação pacífica dos conflitos?], Londres, 2005. (NA).

HARALD WELZER

de gigantescas diásporas, que o mais das vezes convergem para a periferia das cidades.[147] Em megacidades, como Lagos, na Nigéria, vivem dezessete milhões de habitantes, dos quais três milhões literalmente no meio do lixo, sem fornecimento de água, sem canalização de esgotos, sem ruas, sem eletricidade, sem polícia e sem cuidados médicos.

Ao lado disso, não é nada simples o que possa ser realizado pelas pessoas dentro de uma tão grande heterogeneidade. A globalização dos meios de comunicação em massa apresenta fragmentos culturais e instantâneos da vida sob um ângulo que há poucos anos não era conhecido, mostrando claramente os benefícios gozados pelas sociedades industrializadas. As transformações culturais no estilo de vida e nas expectativas entram assim em choque com as normas e expectativas tradicionais, sem que sejam mostradas as formas de sua lenta adaptação. De forma semelhante, a modernização setorial conduz a uma certa melhora nos cuidados médicos, a padrões de educação crescentes e a formas de desenvolvimento diferenciadas, mas que atendem somente às necessidades, sem dúvida legítimas, das elites tradicionais e políticas. Por outro lado, justamente o melhoramento dos cuidados médicos provocou uma diminuição da mortalidade infantil e esta causou uma explosão demográfica que conduziu a uma proporção excessiva do número de jovens dentro da sociedade, um fenômeno que já demonstrou suas consequências na catástrofe social de Ruanda e que exerce atualmente um papel importante sobre a derrocada do Sudão.[148]

As sociedades fragilizadas também se encontram sob pressões originadas de muitos lados: as estruturas tradicionais sofrem rápida erosão, sem que estruturas modernas comecem a funcionar em seu lugar; não existe um monopólio da força, bem ao contrário, se apresentam muitos atores concorrentes na área da violência, frequentemente sob o comando de organizações privadas; os danos sociais, climáticos ou causados por outras transformações naturais são extremamente elevados, ao mesmo tempo em que as possibilidades de defesa individuais são tremendamente pequenas. Conforme vimos anteriormente, quando a situação chega a esse ponto, o Estado deixa de ser um ator social, bem ao contrário, fica submetido claramente à consecução dos interesses de uma elite política, militar e empresarial oportunística. Seja como for, até

---

[147] Ludger Pries, *Transnationalisierung der sozialen Welt?* [A transnacionalização do mundo social?], publicado em *Berliner Journal für Soziologie* [Revista Berlinesa de Sociologia], 12 de fevereiro de 2002, pp. 263-272. (NA).

[148] Jared Diamond, *Kollaps* [O Colapso], Frankfurt am Main, 2005, p. 398ss; Jack A. Goldstone: *Population and Security: How Demographic Change can Lead to Violent Conflict* [População e Segurança. Como as mudanças demográficas podem conduzir a conflitos violentos], publicado em *Journal of International Affairs* [Revista de Assuntos Internacionais], 56/1, 2002, pp. 3-22. (NA).

A GUERRA DA ÁGUA

mesmo esse Estado frágil constitui um quadro de referências paternalístico para o povo, que está perfeitamente disposto a ser mobilizado para a violência sob seu comando, como foi o caso de Ruanda.

A cessão de poderes a empresas particulares provoca um efeito dominó ulterior, em que, por exemplo, os conflitos são deslocados de suas causas originais e passam a ser encarados como de caráter étnico, por meio da ação clandestina de clãs ou de grupos tribais, conduzindo a um aumento crescente da violência interna entre os diversos grupos envolvidos no processo.[149] A desagregação do Estado e da sociedade abre espaços para a instalação brutal de interesses privados e para um espectro imprevisível de atos e formas de violência. Nos estados falidos os conflitos rapidamente modificam sua organização, seus rituais e suas formas sociais até que venham a ser claramente demarcadas as fronteiras da violência.[150] Estas fronteiras podem ser encontradas em todos os planos e acabam por conduzir a genocídios.

Aqui vemos novamente o caráter da violência sendo encarado segundo opções de tratamento claramente diferenciadas. Quanto mais os problemas forem expostos de maneira fragmentada e local, tanto mais a violência será fragmentária e localizada. Onde as instituições reguladoras falham (ou são totalmente destruídas), surge geralmente o crescimento desordenado das formas de conflito.[151] Não é nada atraente viver sob tais condições, razão por que muitos dos habitantes emigram para outros países na esperança de melhorar sua situação – mas suas perspectivas, via de regra, permanecem as mesmas, somente com uma mudança de lugar.

A teoria do estado, desde o tempo de Thomas Hobbes, declara que sem soberania estatal, a sociedade é dominada por um estado de guerra permanente – mas isto não corresponde à realidade em sociedades como a Somália e o Sudão. Estas são, ao contrário, caracterizadas por centelhas cada vez mais ampliadas de violência particular e localizada, dentro da qual os diversos grupos sociais individuais são afetados e ameaçados de formas completamente

---

[149] Heidrun Zinecker: *Gewalt im Frieden. Formen und Ursachen der Nachkriegsgewalt in Guatemala* [A Violência durante a Paz. Formas e causas iniciais da violência pós-guerra na Guatemala], *HSFK-Report* (Relatório do *Hessische Stiftung Frieden- und Konfliktforschung* [Fundação hessiana para pesquisas sobre a paz e os conflitos]), 8/2006 (NA). A Fundação Hessiana é associada ao mais conhecido PRIF (*Peace Research Institute Frankfurt* [Instituto de pesquisas sobre a paz de Frankfurt]). (NT).

[150] Consulte o *site* http://web.fu-berlin.de/ethnologie/publikationen/media/Georg_Elwert-Gewalt_und_Maerkte.pdf (sem paginação). (NA).

[151] Ken Menkhaus: *Governance without Government in Somalia. Spoiler, State Building, and the Politics of Coping* [Governança sem governo na Somália. Saques, construção de Estados e a política da adaptação], publicado em *International Security* [Segurança Internacional], 31/3, 2006, pp. 74-106. (NA).

diferenciadas. Mesmo que as guerras e as atitudes violentas que dominam esses países sejam a condição normal da sociedade, isto não significa porém que todos estejam sendo dominados pela violência. Há também constelações de uma frágil soberania e com alto nível de violência que conseguem manter imprevisivelmente longos níveis de permanência, por mais que isto venha a contrariar as previsões teóricas.

A Violência e as Variações Climáticas

Conforme foi visto nos exemplos anteriores, as consequências das variações climáticas são pouco ameaçadoras à segurança interna dos países em si e não tendem a provocar guerras internacionais, pelo menos por enquanto. Elas ameaçam muito mais as possibilidades de sobrevivência das pessoas individuais, pela falta de água potável, diminuição constante da produção de alimentos, aumento dos riscos à saúde e encolhimento do espaço vital, ocasionado pela degradação das terras de cultivo ou de pastagem e por sua exploração excessiva.[152] São destes fenômenos que resultam os conflitos internos violentos, as guerras civis, os genocídios e as migrações.

Algumas questões avulsas:

Problemas ecológicos, tais como a *Degradação do Solo e a Escassez de Recursos* já vêm sendo discutidos desde o surgimento das "Fronteiras do Desenvolvimento"[153] e do movimento ambiental da década de 1970, realmente tanto em plano nacional como no da política internacional. O fato de que as consequências sociais dos problemas ecológicos não tenham sido discutidas seriamente até hoje forma um intenso contraste com a duração dos debates ecológicos. Lamentavelmente, as discussões sobre as "guerras pela água", iniciadas de forma inflamada no início da década de 1990, as quais vêm lançando quantidades em crescimento constante de refugiados às costas de Tenerife (Canárias), Gibraltar, Andaluzia (Espanha) e Sicília, fizeram apenas referências suaves ao fato de as variações climáticas apresentarem consequências

---

[152] Nicholas Stern: *Stern Review on the Economics of Climate Change* [Relatório Stern sobre a Economia das Transformações Climáticas], Cambridge & outros, 2007 e também o Relatório do *Intergovernmental Panel on Climate Change* [Painel Intergovernamental sobre as Mudanças Climáticas] (IPCC). (NA).

[153] Donella Meadows, Dennis L. Meadows, Jørgen Randers *et alii*, *Die Grenzen des Wachstums. Berichte des Club of Rome zur Lage der Menschheit* [As fronteiras do desenvolvimento]. Relatórios do Clube de Roma sobre a situação da humanidade], München [Munique], 1972. (NA).

sociais e políticas, cujo relacionamento com as modificações meteorológicas e o derretimento das geleiras ainda não foi suficientemente compreendido.

Em primeiro lugar, apenas recentemente vêm sendo percebidos os entrelaçamentos dos conflitos entre nômades e sedentários que ocorrem na Nigéria, Etiópia e Quênia ou os genocídios de Ruanda e Darfur como fenômenos *ecossociais*. De fato, uma coisa deve ser claramente indicada, que um simples argumento permite entender de forma resumida: os conflitos violentos são sempre um subproduto de muitos outros desenvolvimentos paralelos, mas ocorrem em períodos diferentes.[154] Entretanto, as causas estruturais originais de conflitos como a desagregação nacional, a influência dos mercados da violência, o desaparecimento ou indefinição das fronteiras entre os diversos grupos populacionais, são fortalecidas e apressadas pelos problemas ecológicos e pela escassez progressiva de recursos como a água potável e o solo agricultável. Problemas adicionais são causados pela progressiva salinização do solo, que reduz ainda mais as terras aráveis ou cultiváveis e origina novos deslocamentos populacionais. Fatores desencadeantes diretos da violência são, por exemplo, a busca por novas pastagens ou terras de cultivo, quando as antigas já não produzem o suficiente para a alimentação. Isto conduz naturalmente a conflitos com outros grupos, sem que a degradação ecológica seja sua provocadora imediata.[155] O mesmo vale para a futura provocação cada mais frequente de conflitos fronteiriços originados pelo ressecamento progressivo dos cursos e reservatórios de água, que tendem a deslocar ou a tornar indefinidas as fronteiras naturais anteriores.[156] Também as migrações internas desencadeadas pelas modificações climáticas conduzem a conflitos crescentes, e a violência assim provocada pode ser considerada de qualquer maneira como consequência indireta das variações ambientais. Atualmente calcula-se a existência de cerca de 24 milhões de refugiados internos ao redor do globo.

---

[154] Günther Bächler: *Transformation of Resource Conflicts: Approaches and Instruments* [Transformações dos conflitos sobre recursos naturais. Abordagens e instrumentos], Bern [Berna], Suíça, 2002; veja também Thomas Homer-Dixon, *Environment, Scarcity, and Violence* [Ambiente, escassez e violência], Princeton, New Jersey, 1999; ou ainda Nils P. Gleditsch, *Environmental Change, Security, and Conflict* [Mudanças ambientais, segurança e conflitos], publicado por Chester A. Crocker, Fen O. Hampson e Pamela Aall (editores), *Turbulent Peace. The Challenges of Managing International Conflict* [A paz turbulenta. Os desafios da administração de conflitos internacionais], Washington, D.C., 2001, pp 53-68. (NA).

[155] Richard A. Matthew, Michael Baklacich *et alii, Global Environmental Change and Human Security Gaps in Research on Social Vulnerability and Conflict* [Mudanças ambientais de caráter global e as falhas na segurança dos seres humanos, conforme pesquisas sobre a vulnerabilidade e os conflitos sociais], Washington, D.C., 2003. Esta diferenciação pode parecer um tanto trivial, isto é, distinguir quando não são as variações ambientais em si, mas um determinado comportamento social que funciona como fator desencadeante dos conflitos, todavia o significado e as consequências finais são visíveis para todos. (NA).

[156] Fred Pearce: *Wenn die Flüsse versiegen* [Quando os rios secam], München, 2007, p. 129. (NA).

Um outro problema é a ameaçadora *Quebra Conjunta dos Sistemas de Segurança*. Ao lado do crescimento da frequência e da intensidade dos ciclones, inundações e secas, a ameaça principal é a elevação da superfície dos oceanos, que afeta diretamente muitas regiões do mundo, prejudicando o desenvolvimento e mesmo as possibilidades de sobrevivência dos moradores dessas áreas. Até 2100 calcula-se que a superfície oceânica subirá entre 15 e 59 centímetros ao redor do planeta, o que provocará o alagamento de grande parte das megacidades construídas à beira-mar, Lagos, por exemplo. Novamente aqui serão os habitantes mais pobres que sofrerão as piores consequências, mas a inundação de uma cidade que tem (hoje) mais de dezessete milhões de habitantes, previsivelmente produzirá efeitos capazes de desestabilizar a totalidade da África Ocidental, sem contar que o restante das costas ocidentais do continente também será assolado por novas inundações de caráter mais ou menos permanente. As costas oceânicas mais afetadas serão as de Moçambique, Angola e Tanzânia. E o encolhimento da África não será um problema desprezível. A catástrofe provocada pela inundação em Nova Orleans, ocorrida em 2005, provocou o deslocamento permanente de centenas de milhares de seus moradores e assinalou que as infraestruturas, mesmo nas sociedades mais estáveis, podem ser destruídas em um piscar de olhos e que as organizações de defesa contra as catástrofes naturais atualmente em existência precisam ser radicalmente reestruturadas. Outra coisa que esse exemplo nos demonstra é a rapidez com que a ordem social pode ser destruída durante a ocorrência de catástrofes.

O irrompimento crescente de fenômenos meteorológicos extremos atinge hoje em dia em grau muito mais elevado os grupos humanos que vivem em condições de pobreza e são, portanto, muito mais vulneráveis. Isto vale principalmente para os moradores de favelas, para quem os efeitos das catástrofes climáticas são os mais fortes e para os quais, de maneira semelhante, existem menores possibilidades de prevenção e de tomada de providências prévias. De qualquer modo, as catástrofes naturais destroem com frequência uma grande parte das infraestruturas existentes, de tal modo que novamente estamos diante de efeitos recursivos – os sistemas de previdência e saúde e as próprias vias de trânsito serão afetados de forma duradoura, provocando ainda maior desestabilização dos países atingidos.

Uma nova série de problemas será introduzida pelas *Doenças Infecciosas* e pela *Questão da Alimentação*. As pesquisas sobre o desenvolvimento e a instalação de conflitos, conforme dito acima, demonstram uma clara relação entre a pobreza e a predisposição para a violência.[157] Também o contágio por doenças infecciosas e o aumento da desnutrição são uma consequência das variações climáticas. O já esperado aquecimento da temperatura global, conforme foi divulgado pelos relatórios do IPCC provocará uma difusão mais rápida das doenças transmissíveis, como a malária e a febre amarela, a um nível maior em relação àquele que as regiões afetadas conheceram até o presente.[158] Somente na África meridional, o âmbito dos territórios abrangidos por essas doenças infecciosas, consoante os prognósticos mais recentes, irá dobrar até 2100, quando oito milhões de pessoas estarão infectadas. Hoje já existem cerca de cinco milhões de pessoas infectadas e aproximadamente 150.000 mortes provocadas anualmente pelas infecções oportunistas facilitadas pela malária, cuja área de ação foi expandida originalmente pelas variações climáticas.[159]

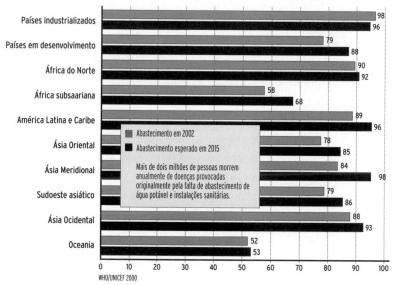

POPULAÇÕES COM ACESSO À ÁGUA POTÁVEL TRATADA (PORCENTAGENS) POR REGIÃO

---

[157] Paul Kollier *et alii, Breaking the Conflict Trap. Civil War and Development Policy* [Como sair da armadilha dos conflitos. As guerras civis e a política de desenvolvimento], Washington, D. C., 2003 (incluído em *A World Bank Policy Research Report 2003* [Relatório de Pesquisa para a política do Banco Mundial]), 15 de agosto 2005. Disponível em formato eletrônico em http://www.econ.worldbank.org/programs/conflict. (NA),

[158] Robert S. Watson *et alii* (editores), *The Regional Impacts of Climate Change: An Assessment of Vulnerability. A Special Report of IPCC Working Group II* [Impactos regionais das mudanças climáticas: Avaliação da vulnerabilidade. Um relatório especial do Grupo de Trabalho II do IPCC], Cambridge, Massachusetts, 1997. (NA).

[159] Tilman Santarius, *Klimawandel und globale Gerechtigkeit* [As variações climáticas e a justiça global], publicado em *Aus Politik und Zeitgeschichte* [Artigos sobre política e história contemporânea], 24/2007, p. 20. (NA).

HARALD WELZER

Todas estas condições sanitárias estão naturalmente relacionadas com a escassez de recursos hídricos.

As regiões da África subsaariana sofrem hoje com o pior abastecimento de água potável em todo o mundo,[160] e todas as tentativas de melhoramento são dificultadas pela crescente escassez de recursos hídricos.[161] As condições já ásperas das variações climáticas através da África são causadas principalmente pela diminuição das precipitações pluviométricas, especialmente na África Ocidental. Mas em futuro breve, também a África do Norte deve esperar uma diminuição extrema em seu regime de chuvas. Ao longo dos últimos trinta anos, as precipitações na área do Sahel, ao sul do Saara, por exemplo, diminuíram de 25%;[162] já mencionamos acima os fenômenos semelhantes ocorridos em outras regiões próximas, tais como o Sudão. A degradação do solo e fenômenos meteorológicos extremos, como secas e inundações, aliados à crescente escassez de água superficial, são particularmente prejudiciais nos territórios áridos e semiáridos, já atingindo hoje diretamente a produtividade; e estas tendências nitidamente se acentuarão em futuro próximo. Somente com a elevação prevista de dois graus centígrados na temperatura média até 2050, apenas na África, doze milhões de pessoas serão ameaçadas pela fome; caso o aquecimento global atinja três graus, este número se elevará para sessenta milhões.[163]

Uma causa ainda mais ampla dos conflitos futuros será ocasionada pela *Secagem dos Rios e Encolhimento dos Lagos*. Não há muitos anos ocorreu um conflito entre o Afeganistão e o Irã, provocado pela instalação de uma represa no Rio Hilmand pelo governo talibã, fazendo com que fosse reduzido drasticamente o suprimento de água do território iraniano irrigado pelos lagos da região de Hamoun. Em um período de seca ocorrido logo depois, os três lagos secaram; "a área dos alagadiços circunjacentes se transformou logo a seguir em uma região árida e arenosa, com grande erosão do solo e tempestades de areia. Uma centena

---

[160] UNICEF/WHO, *Meeting the MDG Drinking Water and Sanitation Target. A Mid-Term Assessment of Progress, 2005* [Satisfação dos padrões para abastecimento de água potável e esgotos do MDG. Avaliação do progresso na metade do período previsto para sua aplicação, 2005]. Veja http://www.unicef.org/wes/mdgreport/millenium.php. (NA). MDG é a sigla de *Millenium Development Goals* [Alvos para o desenvolvimento do milênio]. (NT).

[161] Maarten de Wit e Jaček Stankiewicz: *Changes in Surface Water Supply Across Africa with Predicted Climate Change* [Mudanças nos suprimentos de água superficial através da África causadas pelas mudanças climáticas previstas], publicado em *Science* [Revista da Ciência], 311/2006 (5769), p. 1917-1921. (NA).

[162] Joshua C. Nkomo, Anthony Nyong *et alii*, *The Impacts of Climate Change in Africa* [Impactos das mudanças climáticas através da África], publicado em *The Stern Review on the Economics of Climate Change* [Relatório Stern sobre a Economia das Transformações Climáticas], 2006, disponível em formato eletrônico em http://www.hmtreasury.gov.uk/independent_reviews/stern_review_economics_climate_change/stern_review_supporting_documents.cfm. (NA).

[163] *Idem, ibidem.* (NA).

de aldeias dos dois lados da fronteira foi abafada por dunas de areia em movimento e desertificada no verão seguinte pelas tempestades de areia. [...] Os velhos canais de irrigação que partiam dos lagos foram entupidos e desapareceram debaixo das dunas."[164] Situações semelhantes, em que os rios passaram a trazer muito menos água que de costume, porque não mais as recebem de suas fontes e afluentes, já se tornaram numerosas – um caso realmente clássico é o do Rio Jordão, que já parou de levar suas águas até o país que leva seu nome.[165]

Um fenômeno ainda mais espetacular é o encolhimento dos lagos, especialmente daqueles que formam fronteiras entre nações. O Lago Chade, por exemplo, já encolheu em quase 95% de sua extensão original, tanto como resultado da diminuição dos índices pluviométricos, como em consequência do aproveitamento das águas para projetos de irrigação. Originalmente, as fronteiras de quatro países eram formadas pelo Lago Chade, a saber, Níger, Nigéria, Chade e Camarões, mas hoje em dia, o Níger e a Nigéria perderam suas margens lacustres. Desde então, as pessoas que residiam junto ao lago foram deslocadas, o que resultou em conflitos armados, por exemplo, entre a Nigéria e o Camarões.[166] Uma situação semelhante pode ser vista no Mar de Aral, também em processo de encolhimento, que faz fronteira entre o Cazaquistão e o Uzbequistão.

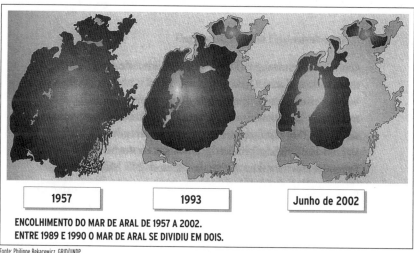

ENCOLHIMENTO DO MAR DE ARAL DE 1957 A 2002.
ENTRE 1989 E 1990 O MAR DE ARAL SE DIVIDIU EM DOIS.
Fonte: Philippe Rekacewicz, GRID/UNDP
GRID: Global Resource Information Database [Base de dados para Informações sobre Recursos Globais]. UNDP: United Nations Environment Programme [Programa Ambiental das Nações Unidas].

---

[164] Conforme Fred Pearce: *Wenn die Flüsse versiegen* [Quando os rios secam], München, 2007, p. 134. (NA).
[165] *Idem*, p. 224ss. Pearce assinala que a Guerra dos Seis Dias foi a primeira guerra pela água ocorrida em tempos recentes, porque, após a guerra, a bacia do Rio Jordão caiu quase inteiramente sob o controle israelense e Israel iniciou a partir de então uma política de "Apartheid hidrológico". (*Idem*, p. 217). (NA).
[166] *Idem, ibidem*, p. 129. (NA).

A partir das consequências sociais das variações climáticas observam-se os seguintes cenários:

- O número de conflitos violentos locais e regionais pelo aproveitamento do solo e pelo acesso à água potável irá aumentar;
- As migrações transnacionais irão crescer do mesmo modo que o número de refugiados internos, na mesma proporção em que for se ampliando a violência em nível local e regional;
- O encolhimento dos lagos, o ressecamento dos rios, o desmatamento das florestas e a destruição das reservas naturais conduzirão a novos conflitos sobre recursos naturais que ultrapassarão as fronteiras nacionais;
- As medidas de adaptação às variações climáticas (construção de represas, retirada de água dos rios para irrigação e captação de depósitos hídricos subterrâneos) em um país criarão problemas nos países à vazante dos cursos-d'água, que poderão mais uma vez originar conflitos entre as nações envolvidas.

Acrescente-se ainda que tenderão a surgir conflitos provocados pelo comércio internacional por causa de recursos econômicos ou fontes de energia natural, como diamantes, madeira, petróleo ou gás natural. Os conflitos violentos, como foi explicado anteriormente, apresentam a tendência a desdobrar e escalar sua dinâmica, o que novamente irá originar problemas dela decorrentes, os quais só parecerão possíveis de controlar mediante a aplicação redobrada de violência. A extensão dos fluxos de refugiados resultantes desses conflitos não pode ser prevista ainda com precisão – os prognósticos oscilam entre cinquenta e duzentos milhões dos assim chamados "refugiados climáticos" em torno de 2050, enquanto os cálculos aproximados da Cruz Vermelha afirmam já existirem atualmente cerca de vinte e cinco milhões.[167] De maneira semelhante, não é fácil calcular os processos sociais dentro de situações determinadas, porque não se conhecem nem o tipo de reações de defesa a serem tomados pelos países sob pressão de migrações internacionais, nem as dimensões dos desenvolvimentos subjacentes aos conflitos que poderão produzir ainda maiores fluxos de refugiados. Por exemplo, somente a Guerra do Iraque provocou a fuga de dois milhões de refugiados iraquianos para o estrangeiro (radicados hoje, em sua maioria, na Síria e na Jordânia), além de ter causado

---

[167] Rudi Anschober e Petra Ramsauer: *Die Klimarevolution. So retten wir die Welt* [A Revolução Climática: A maneira como salvamos o mundo], Wien (Viena), 2007, p. 119. (NA).

A GUERRA DA ÁGUA

o deslocamento de cerca de 1,8 milhão de refugiados internos.[168] Já em 1995 existia um número aproximado de vinte e cinco milhões de refugiados ao redor do mundo, um valor que superava de longe o assim chamado "número normal" de refugiados (vinte e dois milhões).[169]

Mesmo que as nações ocidentais possam esperar permanecer ainda por algumas décadas como ilhas de bem-estar dentro das condições climáticas previstas (portanto, também das condições políticas, econômicas e de segurança interna), que não as obrigarão a sofrer consequências semelhantes àqueles prevalecentes no restante do mundo, inevitavelmente acabarão por serem envolvidas nas guerras climáticas – ou dito de outra forma – conduzidas às guerras climáticas. Entretanto, talvez nem todas essas atividades bélicas venham se a apresentar com os aspectos costumeiramente associados às guerras clássicas.

A Injustiça e a Desigualdade Temporal

As consequências das variações climáticas são distribuídas de forma desigual, porque aqueles que foram os seus maiores provocadores originais, tanto quanto se pode calcular no presente, serão justamente os que sofrerão os menores prejuízos e terão as melhores oportunidades de lucrar com a situação. Há uma proporção inversa entre as regiões mundiais que até o presente menos contribuíram para o controle conjunto das emissões de gases poluentes, que são a causa original do aquecimento global, e aquelas que serão mais fortemente atingidas. Nos países industrializados, cada habitante é responsável pela emissão anual de 12,6 toneladas métricas de dióxido de carbono, enquanto que nas terras mais pobres a média é de somente 0,9 toneladas. Quase a metade de todas as emissões mundiais é causada pela poluição repetida e descontrolada dos países desenvolvidos em que se estabeleceu inicialmente a revolução industrial.[170] "As monções descontroladas atingirão em primeiro lugar os países do sudoeste asiático, e estes serão justamente os mais prejudicados. As inundações afetarão principalmente os habitantes dos grandes territórios

---

[168] Eva Berié e outros (redatores), *Der Fischer-Weltalmanach 2008* [Almanaque Mundial Fischer], Frankfurt am Main, 2007, p. 231. (NA).

[169] Conforme Cord Jacobeit e Chris Methmann, *Klimaflüchtlinge. Eine Studie im Auftrag von Greenpeace* [Refugiados climáticos. Estudo realizado por incumbência da organização Greenpeace], Hamburgo, 2007, p. 2. (NA).

[170] Tilman Santarius, *Klimawandel und globale Gerechtigkeit* [As variações climáticas e a justiça global], publicado em *Aus Politik und Zeitgeschichte* [Artigos sobre política e história contemporânea], 24/2007, p. 18. (NA).

HARALD WELZER

abrangidos pelos deltas fluviais ao redor da Terra, como já ocorreu nas catástrofes anteriores observadas em Bangladesh e na Índia. Mas a elevação das superfícies oceânicas irá afetar ainda em maior escala os pequenos países insulares, particularmente as incontáveis ilhas do Pacífico, ainda que vá assolar igualmente cidades ribeirinhas, como Mogadício, na Somália, Veneza ou Nova Orleans, cujas construções se encontram principalmente no nível atual dos oceanos. Países ricos como a Holanda sofrerão menores consequências, será simplesmente uma questão de erguer e reforçar as defesas de seus numerosos diques; um reflorestamento em larga escala protegerá territórios como o do Kansas contra o assalto dos furacões, do mesmo modo que os trabalhos já realizados no estado indiano de Kerala."[171]

Mas esta relativa injustiça se traduz em grau absoluto quando populações inteiras perdem seus alicerces vitais, como é o caso de Tuvalu e outros arquipélagos que serão inundados em consequência das variações climáticas ou quando desaparecerem as plataformas de gelo sobre as quais vivem os inuit ao norte do Canadá. O governo de Tuvalu já pediu asilo para seus cidadãos na Austrália e na Nova Zelândia; os inuit pretendem, com o apoio de organizações de direitos humanos, processar o governo dos Estados Unidos como o principal produtor dos gases causadores do efeito estufa.

Presentemente, não existem as menores perspectivas de que se possa combater eficazmente as disparidades internacionais; os direitos ambientais dos povos se encontram ainda em fase de formação e não possuem atualmente nem condição obrigatória, nem aplicação jurídica irrefutável. Cortes internacionais de justiça, mediante cujo auxílio as infrações contra princípios ecológicos possam ser corrigidas de forma duradoura ou por meio das quais os crimes ambientais venham a ser enquadrados em algum tipo de punição simplesmente ainda não existem. Medidas de aplicação obrigatória em caráter internacional contra uma elevação ulterior das emissões dos gases provocadores do efeito estufa dependem de negociações complicadas que conduzam a tratados e pactos internacionais e novamente encontramos aqui o maior problema, porque estes dependem em sua maioria de compromissos voluntários e contrários aos interesses imediatos dos países que os firmarem – e isso significa revertermos ao fato de que muito dificilmente ou talvez nunca eles venham a ser sancionados quando um dos estados envolvidos simplesmente não concordar ou não pretenda respeitar o que quer que tenha sido combinado. É

---

[171] *Idem*, p. 129. (NA).

A GUERRA DA ÁGUA

natural que as nações não se inclinem a aprovar certos compromissos definidos – como é o caso do adiamento da assinatura do Protocolo de Quioto por países como os Estados Unidos e a Austrália – quando percebem claramente que irão sofrer desvantagens econômicas em consequência desses tratados.

É tanto necessária quanto urgente, embora tudo leve a crer que esteja igualmente distante, a criação de uma organização ambiental internacional e, acima de tudo, de um tribunal de direitos ambientais[172] – mas antes que sequer seu esboço seja aceito, presumivelmente o globo terrestre já se achará em média uns dois graus mais quente.

A partilha desigual das consequências das variações climáticas e a disparidade internacional entre os que sofrerão seus efeitos, do mesmo modo que entre suas respectivas capacidades de defesa contra eles não significa simplesmente uma nova comprovação de que a vida é injusta – também acarreta um crescente potencial para conflitos, do mesmo modo que nos apresenta uma série de perguntas complexas sobre os direitos humanos, quando já é visível que os habitantes de nações insulares ou de ilhas individuais ou ainda das regiões árticas são os mais prejudicados, uma vez que seu espaço vital *já está encolhendo* por causa das primeiras inundações provocadas pelo aquecimento global. Todavia, a injustiça não resulta somente da divisão extremamente desigual das causas iniciais e de suas consequências no plano internacional, mas também pelas atitudes referentes às novas gerações as variações climáticas poderão provocar um perceptível potencial de conflitos, segundo muitos pontos de vista.

Durante os últimos cinquenta anos do século passado, a curva das emissões de gases poluentes originadas nos países industrializados cresceu constantemente – isso significa que a causa original de um problema que *já pode* ser percebido em suas dimensões deve ser localizada no mínimo cinquenta anos atrás. Mas as causas originais para as variações climáticas não se encontram somente algumas décadas atrás, mas ao longo das últimas décadas foram sendo progressivamente incrementadas pela globalização permanente dos processos de modernização das nações desenvolvidas. Deste modo, um retorno pelo caminho já tomado é dificilmente previsível e, de fato, até mesmo a tentativa de frear a produção das emissões poluentes para que sejam mantidas no nível atual não somente é contrária ao quadro presente como dá mais a impressão de ser uma sugestão utópica.

---

[172] Astrid Epiney, *"Gerechtigkeit" im Umweltvölkerrecht* ["Equidade" nos direitos ambientais dos povos], publicado em *Aus Politik und Zeitgeschichte* [Artigos sobre política e história contemporânea], 24/2007, p. 38. (NA).

MAPA-MÚNDI DOS EFEITOS DAS TRANSFORMAÇÕES CLIMÁTICAS

América do Norte		Europa	
355	455	119	28 115
94%	92%	94%	89%

América Latina		África		Ásia	
53	5	5	2	106	8
98%	100%	100%	100%	96%	100%

Austrália e Nova Zelândia	
6	0
100%	-

Regiões Polares	
120	24
91%	100%

EFEITOS DAS VARIAÇÕES CLIMÁTICAS: TRANSFORMAÇÕES OBSERVADAS NOS SISTEMAS FÍSICOS E BIOLÓGICOS.

Sistemas físicos: (Por exemplo, derretimento das geleiras, erguimento das superfícies oceânicas ou erosão das regiões costeiras).

Sistemas biológicos: (Existência de depósitos de água doce, ecossistemas terrestres, ecossistemas marinhos).

Número de transformações observadas entre 1970 e 2004.	Número de transformações observadas entre 1970 e 2004.
Consistência das transformações com o aquecimento global (%).	Consistência das transformações com o aquecimento global (%).

Variação da Temperatura em graus centígrados entre 1970 e 2004.

-1,0   -0,2   0,2   1,0   2,0   3,5

Fonte: IPCC [Painel Intergovernamental sobre as Modificações Climáticas]

Contudo, mesmo que isto fosse possível, já estamos confrontando agora os problemas iniciais que as variações climáticas nos trouxeram. Infelizmente, a geração presente e as futuras terão de enfrentar as consequências do que foi feito durante o último meio século, do qual derivam diretamente os efeitos climáticos do presente, mesmo que, a partir de hoje, nem um só automóvel andasse pelas estradas, nenhum veículo aéreo alçasse voo e todas as fábricas fossem fechadas. E isto é algo que realmente não poderá ser feito, porque seremos forçados a empreender grandes obras de desenvolvimento em função de nossa própria sobrevivência.

Além disso, as condições globais operam, do mesmo modo que se pode esperar de suas consequências futuras, segundo efeitos regionais altamente diferenciados das variações climáticas, o que pode conduzir a crescentes problemas de equidade no plano das relações entre os países.[173] Numerosos programas internacionais para o fortalecimento da capacidade de adaptação, por exemplo, dentro do âmbito de ação do IPCC ou através da GEF (*Global Environmental Facility* [Instalação Ambiental Global]) foram realmente criados, mas existem dúvidas bem fundamentadas sobre sua capacidade operacional. Sem dúvida, é frustrante perceber que a atual geração e as gerações futuras terão de se defender daquilo que foi causado por seus antepassados, especialmente quando as esperanças de melhoramento são claramente vagas, ao passo que as consequências já se acham amplamente perceptíveis.

Tudo leva a crer que as medidas atualmente em preparação ou que já estão sendo aplicadas não são apenas de eficácia altamente duvidosa, como seus resultados benéficos podem ser apenas previstos para um futuro ainda muito distante – ao mesmo tempo que, por detrás dos projetos de reconstrução ambiental as condições mundiais de suporte à vida continuam evidentemente a se desgastar. Aqui, a relação contemporânea entre os procedimentos e as consequências das ações se prolonga indefinidamente, abrangendo diversas gerações e permanece a questão principal, sobre se ainda existe um espaço de manobra permitido pelos efeitos previsíveis que dê realmente possibilidades às pessoas que vivem hoje em dia obterem resultados positivos por meio dos procedimentos planejados.

Existe algo ainda mais complicado de entender: realmente alguns dos desenvolvimentos individuais das variações climáticas já se mostraram imediatamente de forma perceptível, como as ondas de calor ou os fenômenos meteorológicos extremos, furacões ou chuvas torrenciais que podemos presenciar diretamente, porém no âmbito das declarações científicas eles já apresentam um novo significado. Ninguém mais fala: "O tempo está maluco!", ao contrário, as pessoas intrinsecamente percebem e exteriormente se referem a "Isto é o efeito das variações climáticas...". Mas aquilo que se sabe, somente é conhecido por meio das pesquisas e modelos científicos, enquanto aqueles que efetivamente perdem suas terras em consequência do derretimento do gelo ártico e que, deste modo, têm diante de seus olhos um espetáculo mais concreto demonstrado pelos acontecimentos de sua vida diária, não são muito numerosos e vivem em condições especiais, as quais não apresentam grandes semelhanças com o mundo habitado, por exem-

---

[173] Consulte Jon Barnett, *Climate Change, Insecurity, and Justice* [Mudanças climáticas, insegurança e justiça], artigo apresentado no simpósio *Justice in Adaptation to Climate Change* [A adaptação da justiça às mudanças climáticas], realizado no *Zuckerman Institute for Connective Environment Research* [Instituto Zuckerman para Pesquisas Ambientais Interconectadas], Universidade de East Anglia, Norwich (Inglaterra), 2003. (NA).

plo, pelos moradores da Europa Central. Suas experiências, ao menos por enquanto, são encaradas como exóticas.

Para o restante das pessoas, bem ao contrário das que são diretamente afetadas por elas, existe um significado considerável no fato de as catástrofes que nos ameaçam a todos se encontrarem principalmente no âmbito de modelos perceptíveis, mas psicologicamente transmitirem uma motivação ainda pequena para que se modifique o próprio comportamento ou se abandonem as prioridades anteriores motivadas por seus interesses e maneiras de viver. Esta atitude vale principalmente para as sociedades ocidentais, em que o bem-estar e o nível de vida atuais ainda permitirão durante um quarto de século uma visão luxuosa sobre o resultado dos problemas ambientais. Mas o desenvolvimento *desigual* das sociedades humanas e, acima de tudo, a prática de uma modernização econômica constante nas sociedades não-ocidentais, sabotam os desenvolvimentos urgentemente recomendados pela consciência dos problemas e pelas estratégias radicais que serão necessárias para a resolução dos referidos problemas.

Surgem daqui as discussões sobre a justiça, embasadas na tolerância e na aceitação dos argumentos que retomam uma atitude divergente: sabe-se perfeitamente, segundo esta linha de argumentação, que estas sociedades não podem assumir qualquer forma de modernização técnica e científica semelhante àquelas adotadas pelas nações ocidentais que primeiro se industrializaram, ou seja, os processos que as conduziram à sua posição presente e lhes proporcionarão ainda vantagens futuras. Desenvolve-se em torno destas afirmações um debate sobre se a justiça autorizaria a abertura das mesmas possibilidades a esses países, com base na abolição da sobrevivência a longo prazo da humanidade, mas a questão realmente não é esta. Muito mais importantes são as questões e discussões centralizadas na justiça, os debates em que as consequências das variações climáticas são consideradas as mais importantes e se tornarão ainda mais agudas no futuro – porque já é possível prever que justamente aqueles que têm maiores chances de lucrar com o acréscimo das emissões funestas e que foram os principais causadores dos desastres presentes e futuros serão os que determinarão o mapa da equidade e terão possibilidade de traduzir na realidade e sem impedimentos suas opiniões anacrônicas sobre a modernização, enquanto aqueles cujas possibilidades de sobrevivência estão sendo diretamente afetadas são os que mais precisariam reclamar pela justiça, que para eles significa que, ao menos, possam sobreviver, embora não saibam exatamente onde.

Em resumo: os processos de modernização contemporâneos, como aqueles empregados hoje em dia nos espaços asiáticos, realmente explodem e não podem mais – particularmente no caso da China – ser controlados democraticamente, não nos permitem compreender a longo prazo de que modo o bom senso orientado para a preservação dos recursos e da sobrevivência possa ser adotado dentro do atual quadro de modernização galopante ou de que maneira se poderão estabelecer as condições de justiça a ele interligadas. Os fenômenos da desigualdade e da inequidade têm, além do mais, um alcance e influência consideráveis sobre as teorias da sociedade e da democracia, ou seja: o que significa realmente, na área da injustiça entre as gerações, a possibilidade de que eles possam ser entendidos como questões políticas? Para o sentimento de que algo pode efetivamente ser realizado por meio de ações individuais? Para o alcance do conceito ou da ideia de que algo pode ser ainda modificado? O que significa, por outro lado, dentro de tais condições políticas, um esforço que quase leve à exaustão simplesmente para o atendimento das obrigações materiais?

A Violência e a Teoria

Quando uma sociedade provocou ou sofreu as consequências de uma violência extremada, as influências mais profundas destas experiências, como se sabe perfeitamente, podem abranger muitas gerações.[174] As catástrofes sociais também apresentam considerável duração na psicologia social, comprovadamente em sociedades como a alemã, a vietnamita ou a sérvia, todas sociedades posteriores à violência em grande escala, o que nos leva a apresentar a seguinte pergunta: como a experiência de violência extrema influencia realmente as possibilidades de desenvolvimento posterior das sociedades por ela atingidas? Um desafio mais amplo para a teoria das sociedades é apresentado pelas consequências que derivam intimamente de extremos processos de violência como a limpeza étnica, a instalação de campos de extermínio com base em critérios raciais e o genocídio neles realizado por

---

[174] Jürgen Muller-Hohagen: *Verleugnet, verdrängt, verschwiegen* [Reprimido, desmentido, calado], München, 2005; Klaus Naumann: *Nachkrieg in Deutschland* [O pós-guerra na Alemanha], Hamburgo, 2001; Harald Welzer, Sabine Möller e Karoline Tschuggnall: *"Opa war kein Nazi." Nazionalsozialismus und Holocaust im Familiengedächtnis* ["Vovô nunca foi nazista!"]: O Nacional-socialismo e o Holocausto na memória familiar], Frankfurt am Main, 2002; Hartmut Radebold (editor), *Kindheiten in Zweiten Weltkrieg und ihre Folgen* [A infância durante a Segunda Guerra Mundial e suas consequências], München (Munique), 2004. (NA).

meio de processos de eficiência modernizada – justamente porque hoje em dia os processos de violência e suas consequências duradouras são encarados segundo um estranho bloqueio intelectual como "exceções do procedimento normal" ou interpretados como "casos especiais" ou "regressões" e, deste modo, isolados das condições auspiciosas do bem-estar presente. Contudo, Auschwitz ou Hiroshima, My Lai ou Srebenica foram catástrofes sociais que, para começar, só se tornaram possíveis mediante estratégias de solução de problemas, sistemas de organização, burocracias e tecnologias modernos. Auschwitz era indubitavelmente uma instalação industrial para exploração, assassinato e utilização de seres humanos como matéria-prima e claramente não apresenta nenhuma característica arcaica ou retrógrada: muito pelo contrário, foi o resultado de processos que somente poderiam ter sido realizados dentro das condições de uma sociedade industrial, sem nenhuma das condições primitivas de uma sociedade tribal.

Caráter semelhante apresenta a concepção moderna, adotada com regularidade nos desenvolvimentos sociais e apresenta estruturas constantes e é completamente aceita sem a menor hesitação de que as necessidades comuns de sobrevivência devam ser confrontadas contingencialmente, caso a caso e mediante atitudes violentas. Deste modo, os terremotos, as erupções vulcânicas, as tempestades, as enchentes e todas as demais variações climáticas o mais das vezes afetam de forma inesperada as possibilidades de sobrevivência dos seres humanos e as modificam ou anulam de forma radical; as catástrofes sociais são resolvidas por meio de disputas de poder ou de conflitos por recursos naturais, os quais ocasionalmente, quer provocados por constelações de demonstração de força, quer pela iniciativa de pessoas individuais, se escalam e em seu transcurso seguem caminhos que de forma alguma haviam sido previstos legalmente. Quanto menor a distância entre acontecimentos e contingências e os processos sociais desencadeados, tanto menos a violência é "um acidente de percurso do sistema de relacionamentos sociais. [...] A violência é, de fato, 'parte integrante da história geral da economia mundial', uma opção constante dentro das formas humanas de procedimento, cuja possibilidade se acha presente em seus relacionamentos em caráter permanente".[175]

Os fenômenos sociais em sociedades altamente complexas podem efetivamente se desligar das condições comportamentais aprovadas e ser encarados

---

[175] Consulte Heinrich Popitz, *Phänomene der Macht* [Os fenômenos do Poder], Tübingen, 1986, p. 83. (NA).

por certas pessoas como conjuntos de oportunidades de lucro, um fato que, dentro de uma determinada constelação situacional pode ser examinado diretamente em função de suas possibilidades especiais de comprovação. Dentro deste quadro encontramos o caso bastante instrutivo do engenheiro Kurt Prüfer, que trabalhava para a firma Topf & Söhne, localizada em Erfurt, que planejou e superintendeu a construção de fornos para crematórios e que apresentou a singular ambição de ampliar as possibilidades de rendimento para a disposição dos cadáveres em Auschwitz. Os resultados do trabalho desse engenheiro originaram o desenvolvimento do assim chamado "forno de luva dupla", que tinha duas entradas e permitiu uma perceptível elevação do ritmo de assassinatos, conforme foi constatado pelos peritos em construção de fornos, o qual permitiu a eliminação de muito mais cadáveres do que anteriormente.[176] Os procedimentos de matanças em grande escala como o Holocausto apresentam numerosas particularidades como essa e acarretam com frequência contribuições complexas aparentemente imprevisíveis; eles não seguem um plano diretor, porém acompanham as dinâmicas do desenvolvimento social e nelas se baseiam, de tal modo que pessoas exercendo as mais diversas atividades e nos mais diversificados níveis dos processos de divisão do trabalho somente encontram incentivo para realizar as suas tarefas da melhor maneira possível e a completar sua parte do trabalho.

Isto significa também, de forma semelhante, que uma história não pode ser narrada sem alternativas, mas que *deve* apresentá-las, caso se deseje que ela seja narrada de acordo com os fatos que realmente transcorreram. Não constituiu nenhuma inevitabilidade histórica que o significado real da "solução final para a questão judaica" fosse soletrado claramente em todo seu radicalismo, ou seja, que seu resultado final seria a aniquilação de seres humanos – se Hitler tivesse morrido antes, se as urnas tivessem decidido de forma diferente, se em vez do que foi feito tivesse sido adotado o "Plano Madagascar"[177] ou se uma política exterior diferenciada tivesse sido adotada pelos britânicos e norte-americanos, claramente haveria possibilidades de

---

[176] Jean-Claude Pressac, *Die Krematorien von Auschwitz. Die Technik des Massenmordes* [Os crematórios de Auschwitz. A técnica do assassinato maciço], München, 1995; Harald Welzer, *Partikulare Vernunft. Über Soldaten, Ingenieure und andere Produzenten der Vernichtung* [Um tipo particular de consciência. A respeito dos soldados, engenheiros e outros produtores do extermínio], publicado por Aleida Assmann, Frank Hiddemann e Eckhard Schwarzenberger (editores), em *Firma Topf & Söhne – Hersteller der Öfen für Auschwitz* [A Empresa Topf e Filhos – Construtores dos fornos de Auschwitz], Frankfurt am Main, 2002, pp. 139-156. (NA).

[177] O "Plano Madagascar" significava uma proposta mais ponderada e que foi na época estudada seriamente de encontrar a "Solução Final da Questão Judaica" por meio de uma transferência dos judeus para a ilha de Madagascar, na costa oriental da África, o que também possibilitaria a desejada limpeza étnica. (NA).

que *outros* caminhos fossem abertos para a história. Ao contrário, isto significa que acontecimentos que parecem retroativamente causais, lógicos ou mesmo inevitáveis no ambiente social onde ocorreram, são cheios de meandros e amplificam a si próprios e até poderiam ter transcorrido de forma completamente diversa. Podemos portanto, com sólidas razões, concluir pelo raciocínio acima, que a causalidade não passa de uma categoria de comportamento social.

Nos processos sociais, B não sucede necessariamente a A. Quando as pessoas fazem qualquer coisa em conjunto ou umas contra as outras, significados, antecipações e suposições interferem nos objetivos e intenções com que cada uma empreende seus diversos papéis sociais – deste modo, em um presumível B quase sempre A se acha contido, mas no sentido de que cada ator faz parte da percepção de outro ator. Deste modo, um comportamento social não funciona como um encadeamento de comportamentos lógicos do tipo a – b – c – d – e etc., nem sequer como uma consequência lógica de ações e reações, consoante as reações das ciências físicas, mas como um fluxo de relações. Uma vez que estas relações não precisam apresentar qualquer imagem realística ou racional do outro, nem agir com relação a ele de acordo com um embasamento lógico, o resultado final é o de que, na realidade social, o racional e o lógico ocorrem muito raramente. Na verdade, estas percepções, estes significados e a administração diversificada de relações variam de uma forma totalmente imprevisível de ator para ator e de ocasião para ocasião, resultando em ações que podem tornar as diferenças ainda maiores.[178] Isto quer dizer que o comportamento social não

---

[178] Em cada ação social existe uma presumível expectativa do outro e de suas ações – do mesmo modo que existe entre os participantes de uma conversa ou de um negócio – ou ainda uma suposição de como agirá uma terceira parte – um certo cálculo, antes que o ato chegue a ser finalmente executado. Um princípio fundamental dos comportamentos sociais é a observação recíproca. Cada ator não é simplesmente o sujeito de seu próprio comportamento, mas igualmente o objeto da observação de todos os demais atores – este é o pressuposto da possibilidade da aceitação de uma perspectiva que, por sua vez, se torna o pressuposto dos comportamentos sociais consequentes. Mas a observação de todos os outros em uma conversa não é de forma alguma realizada apenas segundo as impressões provocadas pelas comunicações verbais, mas por todos os indícios e avisos do comportamento alheio dentro de determinada situação: pelos gestos, pela mímica, pela postura e reações corporais, como o rubor ou palidez, ou a contração ou dilatação das pupilas, demonstrações de nervosismo etc., com todas as revelações congêneres que, segundo Erving Goffman, constituem "comportamentos expressivos", os quais, dentro das ações alternadas das complexas interações sociais, entram permanentemente nas conclusões dos participantes. Novamente temos a observar que os comportamentos expressivos não dependem de um controle ou manipulação conscientes e podem servir à finalidade de esclarecer os comportamentos e intenções dos oponentes – justamente a operação realizada pelos jogadores de pôquer mais astutos, que se baseiam nas exceções dos comportamentos que seus adversários, em princípio, normalmente tendem a demonstrar e se aproveitam assim dos comportamentos expressivos que os oponentes inadvertidamente revelam. Deste modo, é do interesse do observado "orientar deliberadamente o seu comportamento em proveito

cont. na página seguinte >>

A GUERRA DA ÁGUA

é absolutamente causal, mas recursivo – e que, realmente, na maior parte das vezes, isto conduz a um resultado bastante diverso daquele que tinha sido originalmente planejado.

Se tomarmos estes argumentos em consideração, perceberemos que diversas categorias, como causas originais, comportamentos, condições, consequências, estruturas e funções perderão boa parte do prestígio que lhes é atribuído pelas teorias filosóficas e sociológicas, enquanto categorias em geral desprezadas, como as eventualidades e sentimentos, avançam para o primeiro plano. Eventos casuais, como por exemplo os que levaram à catástrofe de Tchernobyl, na Ucrânia, podem introduzir consequências mais profundas e de caráter permanente do que os comportamentos planejados, do mesmo modo que a realidade dos sentimentos pode ser mais importante para a tomada de decisões do que as realidades objetivas. Práticas sociais, como a imposição do poder ou o emprego da violência ou formas de comportamento, como as racionalizações, redução de dissonâncias e o desejo de superar os outros por meio do pensamento ou de realizações concretas, não são em absoluto condições marginais, porém intrinsecamente constitutivas do comportamento de uma sociedade.

---

próprio de forma tal a desorientar o observador, antes que este possa tirar proveito dele" – ou seja, executar uma "manipulação expressiva", conforme foi denominada também por Goffman, para de alguma forma comunicar ao adversário algo diferente da realidade. Este modelo também permite ainda elevar a relação a um nível mais complexo, a saber, mediante o problema da recursão, ou seja, a avaliação daquilo que se deseja descobrir no procedimento alheio, isto é, aquilo que o outro realmente pode estar demonstrando para a desorientação do primeiro, enquanto também calcula e busca demonstrar aquilo que avalia ser de seu melhor interesse. Aqui existe também uma espécie de cumplicidade, que serve como base para todas as transações sociais e torna imediatamente claro que, de fato, as categorias subjacentes aos comportamentos sociais não são as causalidades, mas sim os relacionamentos. (veja Erving Goffman: *Strategisch Interaktion* [A interação estratégica], München, 1981, p. 88. (NA).

OS MORTOS DE AMANHÃ:
AS GUERRAS PERMANENTES, A LIMPEZA ÉTNICA, O TERRORISMO E A EXPANSÃO DAS FRONTEIRAS

"Eu me recordo que, certa vez, encontramos um navio de guerra, que havia lançado âncora perto da costa. Não havia absolutamente nada que pudesse ser visto ali, nem sequer uma cabana, mas eles estavam bombardeando a mata assim mesmo. Aparentemente, os franceses estavam envolvidos em outra de suas frequentes guerras nessa região. A bandeira da belonave pendia frouxa do mastro, como um trapo; as bocas dos longos canhões de seis polegadas brotavam de todos os lados do casco, sob a amurada baixa; o movimento das águas lodosas e gosmentas erguia preguiçosamente o barco e depois deixava que descesse também vagarosamente, balançando-lhe os mastros finos. Na imensidade vazia da terra, céu e água, ali estava ele, incompreensível, disparando contra um continente. Blam! – trovejava um dos canhões de seis polegadas; uma pequena chama surgia como um raio e logo desaparecia; uma fumacinha branca se formava e logo sumia; um pequeno projétil assobiava de leve em seu trajeto – e não acontecia nada. Não havia nada que pudesse acontecer. Havia um toque de insanidade naquele procedimento, um senso de brincadeira lúgubre naquela visão; e não era dissipado por ninguém que estivesse a bordo e que me pudesse garantir seriamente que havia por ali um acampamento de nativos – alguém que ele pudesse chamar de inimigos! – escondido de tal modo no interior da mata que estivesse totalmente fora do alcance de nossas vistas."

A GUERRA DA ÁGUA

Esta narrativa, tomada do romance "O Coração das Trevas", de Joseph Conrad, pertence a uma das mais enérgicas e mais surreais descrições da violência autossustentável. Do mesmo modo que os habitantes da Ilha da Páscoa, em seu fantasmagórico isolamento do mundo, no completo silêncio de sua solidão, foram capazes de desencadear uma guerra absoluta contra si próprios, de maneira semelhante a canhoneira de uma aventura colonial alvejava um continente, sem qualquer alvo e sem a menor finalidade, em uma atitude total e inteiramente emancipada da realidade. Talvez a guarnição estivesse em busca de um inimigo que pudesse combater, porém nenhum observador externo poderia perceber contra quem eles estavam realmente disparando e por que o faziam. A violência guerreira conduz a *uma nova situação*, introduz no mundo comportamentos diferentes dos usuais, seja de imediato, seja de forma gradual. A descrição de Conrad não se baseia em sua capacidade de construção de uma narrativa literária, porém em suas próprias experiências. Quando ainda usava seu nome original polonês de Konrad Korzienowski ele fora empregado da *Société Anonyme pour le Commerce du Haut Congo* [Sociedade Anônima Comercial do Alto Congo] e viajava em um vapor pelo rio Congo acima até Stanley Falls até que recebeu ordens de sua companhia para assumir o comando do navio, uma posição para a qual não se encontrava em absoluto qualificado. Suas vivências africanas levaram Korzienowski a um desespero tal que ele trocou sua existência de comerciante africano pela carreira de um romancista. Em seu romance "O Coração das Trevas" descreveu a experiência da violência desmedida de uma forma tão radical que ainda hoje, oitenta anos depois, serviu de roteiro para um filme que, embora de uma forma bastante modernizada, nem por isso revelou de maneira menos desmoralizadora a aplicação da violência anônima – o filme de Francis Ford Coppola, *"Apocalypse Now"*.

Diferentemente dos demais objetos de estudo das ciências sociais – trabalho, meios de comunicação, demografia, arte – a violência pertence, se não exclusivamente, em um grau bastante elevado, ao mundo das experiências pessoais dos cientistas e das cientistas que com ela se ocupam. Isto ocorre, de um lado, porque este campo central dos procedimentos humanos ainda foi pouco estudado e, do outro, porque está sobrecarregado de moralismos e fantasias. Em sua condição de *um domínio de experiências peculiares,* a violência como objeto de pesquisa é pouco nítida e mesmo ameaçadora, motivo pelo qual, ao longo dos séculos passados, somente os historiadores e cronistas de ambos os sexos realmente se ocuparam deste tema – de fato, eles somente se ocupam com processos de violência *já encerrados,* portanto, bem menos ameaçadores que a violência presente ou futura. De qualquer modo, a história da violência humana, quando comparada com a de quaisquer outros acontecimentos culturais, é relativamente bem documentada, um fato que descreve muito bem o significado constitutivo que tem a violência dentro dos relacionamentos humanos.

As Guerras

"Por meio do caráter dominante de nossa cultura, de fato, conforme a totalidade dos limites de nossa cultura nos permite, somos levados a aceitar, sem sombra de dúvida, que a disposição para a violência e, de igual modo, os aspectos com que esta se manifesta não passam de manifestações de uma anomalia. Contudo, os relatos históricos recordados dos bancos escolares e aprendidos por meio de outras fontes nos ensinam que os países onde vivemos, suas instituições e sistemas jurídicos devem sua formação a conflitos que frequentemente foram sangrentos. Os jornais e revistas que lemos no conforto de nossos lares nos informam constantemente sobre derramamentos de sangue. Apesar disso, mesmo que muitas vezes a violência ocorra em nossa própria região, a bem dizer diante de nossa porta de entrada e pareça escarnecer de nossa imagem da normalidade cultural, prontamente a deslocamos para um mundo completamente diferente do nosso, de tal modo que a nossa impressão ordenada de que não pode ocorrer em nosso planeta amanhã ou depois de amanhã não fica de modo algum prejudicada. Dizemos a nós mesmos que nossas instituições e leis prenderam a disposição humana para a violência mediante fortes grilhões e cadeias, que são resistentes a um ponto em que os que praticam a violência serão simplesmente castigados como infratores e que a força exercida pelas instituições governamentais somente será praticada na forma de 'guerras civilizadas.'"[179]

John Keegan, um dos mais importantes historiadores britânicos da guerra da atualidade tem indubitavelmente razão, ao descrever a recusa característica da época presente em tomar conhecimento de que a guerra e a violência também se relacionam com as formas de procedimento modernos. Talvez a circunstância de 90% de todas as guerras travadas depois de 1945 ocorrerem fora dos territórios europeus e da América do Norte tenha levado

---

[179] John Keegan, *Die Kultur des Krieges* [A cultura da Guerra], Reinbek 1997, pp. 22ss. (NA).

a formar a opinião de que as guerras se tornaram principalmente um problema *das outras* sociedades, particularmente daquelas cujas formas de governabilidade *ainda não* atingiram o nível dos países pertencentes à Organização para a Cooperação e Desenvolvimento Econômico. Como consequência direta, pode ser considerado que a violência guerreira é agora uma anomalia, por mais que os conflitos mortíferos do século 20 tenham ocorrido há bem pouco tempo e que a guerra, sem sombra de dúvida, ainda tenha um grande futuro pela frente.

Seja como for, ela teve um grande passado desde 1945. Desde essa data, mais de duzentas guerras foram travadas ao redor do mundo,[180] com um aumento contínuo de sua frequência desde o começo da década de 1990, embora no momento presente exista uma tendência a diminuir. Na Ásia e na África, no Oriente Próximo e no Oriente Médio, já se travaram cerca de cinquenta guerras desde o final da Segunda Guerra Mundial, trinta na América do Sul e Central, quatorze na Europa. Apenas a América do Norte vive desde então sem guerras em seu próprio território. Além disso, a circunstância de que as guerras europeias correspondem realmente a apenas 7% do total dos eventos guerreiros ao redor do globo não nos informa de nada a respeito da frequência com que os países ocidentais tomaram parte em conflitos violentos de caráter internacional – de fato, a Grã-Bretanha já se envolveu em dezenove guerras durante esse período, os Estados Unidos em treze e a França em doze. Dentro deste contexto podemos ainda recordar que a Grã-Bretanha e a Argentina travaram uma guerra clássica entre países durante a disputa sobre o arquipélago das Falkland, em 1982, em que foram travadas as maiores batalhas navais desde a Segunda Guerra Mundial, com um total de mais de 900 mortos.

Além disso foi registrado, desde o começo da década de 1990, um grande aumento do número de guerras, verificando-se contudo, que o número de conflitos armados desde então recuou em cerca de 40%.[181] Mas por outro

---

[180] Todos os números e dados incluídos nesta seção foram fornecidos pelo *Arbeitsgemeinschaft Kriegsursachenforschung an der Universität Hamburg* (AKUF [Círculo de estudos para pesquisas sobre as causas originais das guerras da Universidade de Hamburgo]), em http://www.sozialwiss.uni-hamburg.de/publish/Ipw/Akuf/index.htm. O AKUF define a guerra como "um conflito maciço e violento que apresenta todas as seguintes características: (a) Combates travados por dois ou mais exércitos armados, com a existência, de cada lado, de pelo menos um exército regular (forças armadas, grupos paramilitares, unidades policiais) sob a direção de um governo; (b) A existência em ambos os lados de, no mínimo, uma organização central articulada para a direção da guerra e comando geral das batalhas [...]; (c) Operações armadas que se sucedem com uma certa continuidade e não apenas como conflitos espontâneos e localizados, ou seja, ambos os lados operam segundo uma estratégia planejada, independentemente dos combates serem travados no território de uma ou mais sociedades ou de sua duração no tempo". (NA).

[181] Tobias Debiel, Dirk Messner e Franz Nuscheler, *Globale Trends 2007. Frieden, Entwicklung, Umwelt* [Tendências Globais, 2007. Paz, desenvolvimento e meio ambiente], Frankfurt am Main, 2007, p. 82. (NA).

lado deve-se observar que, durante os últimos quinze anos houve mais intervenções em conflitos violentos, por exemplo em Kosovo ou no Congo, mediante determinação das Nações Unidas ou, pelo menos, com sua aprovação, as quais nem sempre foram coroadas de êxito a longo prazo.

O maior número das guerras travadas desde 1945 foi de guerras civis pós-coloniais ou de caráter revolucionário; apenas um quarto do total se enquadra no tipo clássico das guerras entre estados beligerantes.

GUERRAS E CONFLITOS ARMADOS

GUERRA	COMEÇO	GRAU DE VIOLÊNCIA EM 2005
ÁFRICA		
Angola (Cabinda [Congo Português])	2002	Conflito armado
Etiópia (Gambela)	2003	Conflito armado
Burundi	1993	Guerra
Costa do Marfim	2002	Guerra
Congo Kinshasa (Congo Oriental)	2005	Guerra
Nigéria (Delta do Níger)	2003	Conflito armado
Nigéria (Norte e Central [Biafra])	2004	Conflito armado
Senegal (Casamance)	1990	Conflito armado
Somália	1988	Guerra
Sudão (Darfur)	2003	Guerra
Chade	1966	Conflito armado
Uganda	1995	Guerra
ÁSIA		
Índia (Assam)	1990	Guerra
Índia (Bodos)	1997	Guerra
Índia (Caxemira)	1990	Guerra
Índia (Nagas)	1969	Conflito armado
Índia (Naxaliten)	1997	Guerra
Índia (Tripura)	1999	Guerra
Indonésia (Aceh)	1999	Guerra
Indonésia (Papua Ocidental)	1963	Conflito armado
Laos	2003	Guerra
Myanmar (Birmânia)	2003	Guerra
Nepal	1999	Guerra
Paquistão (conflito religioso)	2001	Conflito armado
Filipinas (Mindanau)	1970	Guerra
Filipinas (NPA – New People's Army [Novo Exército do Povo])	1970	Guerra
Sri Lanka (Tamil [Ceilão])	2005	Conflito armado
Tailândia (Tailândia Meridional)	2004	Guerra

A GUERRA DA ÁGUA

GUERRA	COMEÇO	GRAU DE VIOLÊNCIA EM 2005
ORIENTE PRÓXIMO E ORIENTE MÉDIO		
Afeganistão (Contra o Governo)	1978	Guerra
Afeganistão (Guerra "Antiterrorismo")	2001	Guerra
Argélia	1992	Guerra
Geórgia (Ossétia Meridional)	2004	Conflito Armado
Iraque	1998	Guerra
Israel (Palestina)	2000	Guerra
Iêmen	2004	Guerra
Líbano (Líbano Meridional)	1990	Conflito Armado
Rússia (Tchetchênia)	1999	Guerra
Arábia Saudita	2005	Conflito Armado
Turquia (Curdistão)	2004	Guerra
AMÉRICA LATINA		
Haiti	2004	Conflito Armado
Colômbia (ELN – Ejército de Liberación Nacional)	1964	Guerra
Colômbia (FARC – Fuerzas Armadas Revolucionarias de Colombia)	1965	Guerra

(Fonte: AKUF [Círculo de Estudos e Pesquisas sobre as Causas originais das Guerras da Universidade de Hamburgo], 2007

Somente em 2006 ocorreram 35 conflitos armados importantes, dos quais seis atingiram a categoria de guerras, quer fossem guerras civis entre diversos partidos conflitantes ou guerras tradicionais entre nações. Estes números dependem diretamente da definição adotada; o *Arbeitsgemeinschaft Kriegsursachenforschung an der Universität Hamburg* (AKUF [Círculo de Estudos e Pesquisas sobre as Causas Originais das Guerras da Universidade de Hamburgo]) enumera 76 conflitos armados severos em 2006 de forma diferente do *Heidelberger Institut für Internationale Konfliktforschung* [Instituto Heidelberg de Pesquisas sobre Conflitos Internacionais], sejam guerras civis com diversas facções em conflito, como ocorre na Somália, Darfur ou Sri Lanka, sejam – em quantidade bem menor – guerras tradicionais entre nações, como aconteceu no Afeganistão, na Tchetchênia, no Iraque ou em Caxemira.

As guerras clássicas entre Estados não apresentam atualmente nenhuma conjuntura importante, mas existem três tendências em desenvolvimento que despertam cuidados devido ao fato de apresentarem possibilidades definidas de que venham a fomentar guerras internacionais:

- O mercado internacional de matérias-primas e a preocupação em conservar infraestruturas – acima de tudo os gasodutos – constituem um campo de "insegurança globalizada"[182] altamente sensível. Uma das táticas comuns do terrorismo internacional, do mesmo modo que de grupos rebeldes locais é o ataque a oleodutos, refinarias, pontes etc. – o Iraque e a Nigéria são os exemplos mais expressivos deste tipo de violência. Cenários de agressão deste tipo são igualmente perceptíveis para a Europa Oriental, onde os gasodutos atravessam uma série de países independentes;

• Conflitos violentos sobre recursos básicos como a água surgirão no futuro em um número crescente de ocasiões – pelo ano de 2050, cerca de dois bilhões de pessoas sofrerão com a escassez de água; os prognósticos mais sinistros chegam a incluir sete bilhões de pessoas a partir dessa data.[183] Lado a lado com o problema da água marcham os novos tipos de conflito já iniciados pelo deslocamento de refugiados internos e de sua passagem por fronteiras internacionais, que subitamente deixarão de ser claras, sem que se consiga saber exatamente até que ponto chegam os territórios dos habitantes de fronteiras entre estados, anteriormente delimitadas por lagos ou bacias hidrográficas – como já é o caso das áreas que circundam o Lago Chade, na África ou o Mar de Aral, na Ásia Central;[184]

• Finalmente, o derretimento das calotas polares ártica e antártica constitui um terceiro cenário para a violência futura. Logo serão descobertos gigantescos depósitos de matérias-primas ou fontes de energia fóssil escondidos até o presente sob as camadas de gelo e já há bastante tempo se discute quem terá o direito de exploração desses recursos. No verão de 2007, a expedição ártica russa denominada "*Akademik Fjodorov*" já apresentou a reivindicação de um vasto território, demarcado por uma imensa bandeira plantada no fundo do Oceano Ártico, a 4.200 metros de profundidade. Essa expedição somente tinha um objetivo possível, ou seja, estabelecer com precisão a fronteira da plataforma continental russa no território situado entre a ilha de Novosibirsk e o Polo Norte.[185] Imediatamente se seguiram reações dos Estados Unidos, Canadá e Dinamarca, que contestaram a reivindicação russa. Enquanto isso, a Grã-Bretanha já reivindicou um território de um milhão de quilômetros quadrados na Antártica, o que conduziu a um conflito diplomático com a

---

[182] Tobias Debiel, Dirk Messner e Franz Nuscheler, *Globale Trends 2007. Frieden, Entwicklung, Umwelt* [Tendências Globais, 2007. Paz, desenvolvimento e meio ambiente], Frankfurt am Main, 2007, pp. 26ss. (NA).

[183] *Idem, ibidem*, pp. 26ss. (NA).

[184] Fred Pearce: *Wenn die Flüsse versiegen* [Quando os rios secam], München, 2007, pp. 128ss. (NA).

[185] Agência de Notícias e Informações Russa NOVOSTI, 1º. de agosto de 2007. (NA).

Argentina e o Chile.[186] O derretimento do gelo já abriu também novas rotas comerciais e, por meio delas, oportunidades consideráveis de desenvolvimento. Um novo caminho marítimo para a Ásia (a Passagem do Noroeste) foi aberto pela primeira vez no verão de 2007. O Canadá, da mesma forma que os Estados Unidos, já assinalou sua presença militar na região.

Motivos para novos conflitos armados de caráter interno ou para guerras internacionais não serão poucos no futuro próximo, portanto. As variações climáticas não somente produzem novas razões para conflitos, como possivelmente originarão novas formas de guerra, que nunca haviam sido previstas dentro dos arcabouços das teorias bélicas tradicionais.

GUERRAS, CONFLITOS, CRISES

[186] *Frankfurter Allgemeine Zeitung* [Jornal Internacional de Frankfurt], edição de 19 de outubro de 2007, p. 6. (NA).

REGIÕES JÁ ATINGIDAS PELA ESCASSEZ DE ÁGUA EM 1995 E PROGNÓSTICO PARA 2025

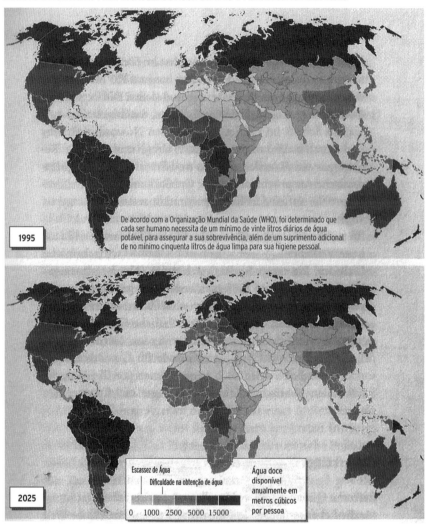

Fontes: Philippe Rekacewicz, conforme UNESCO (United Nations Education, Science, and Culture Organization) [Organização das Nações Unidas para a Educação, a Ciência e a Cultura] / GRID (Global Resource Information Database [Base de Dados para Informações sobre Recursos Globais]).

As Guerras Permanentes

A extrema violência estabelece espaços de comportamento e de experiência para os seres humanos que vivenciam essas experiências e para os quais o mundo longamente pacífico do hemisfério ocidental desde a Segunda Guerra Mundial não está preparado e nem sequer possui *modelos de referência*. Em outras palavras: quando submetidas à extrema violência, as atitudes mútuas das pessoas se modificam a um ponto totalmente *incompreensível* segundo o ponto de vista de uma perspectiva externa e esta recai sistematicamente na falha de tentar entender segundo suas próprias convenções desenvolvimentos sociais naturalmente ininteligíveis pela aplicação de teorias convencionais. Gerard Prunier, um dos maiores especialistas nas recentes guerras e genocídios africanos, salientou inicialmente, durante suas pesquisas sobre os assassinatos maciços em Darfur, que *nem todos* os elementos destes conflitos violentos faziam sentido – declarando expressamente que a construção de um significado posterior aos processos da inevitabilidade constitui um pecado original sociológico que se deve fazer o possível para evitar.[187]

Uma das características centrais dos processos de violência extrema é a de que eles podem estabelecer comportamentos sociais e espaços de experiência a que não corresponde qualquer necessidade de sentido, muito menos da transmissão de um significado para quem costuma aproximar-se deles com a intenção de estudá-los de maneira científica. Nossos instrumentos, métodos e teorias científicos são orientados para a pressuposição de que estamos lidando com processos sociais em que os acontecimentos decorrem mediante encadeamentos de causa e efeito, nos apresentam condições de administração e demonstram as consequências decorrentes desse manejo, de tal modo que podem ser explicados mediante os conceitos originados de nossas próprias condições de normalidade. Este é um grande engano, porque – consoante Joseph Conrad experimentou em sua própria carne – os comportamentos sociais podem transcorrer de formas tais cujos significados sejam totalmente suspensos para nossa compreensão rotineira, mas que, não obstante, são manipulados por pessoas e dentro dos quais existem relacionamentos sociais.

Prunier nos dá uma indicação ainda mais importante: os processos de extrema violência somente podem ser analisados a partir de uma perspectiva externa quando esta estiver ligada a eles por meio de interesses concretos. O engajamento dos políticos europeus com relação ao apaziguamento das guerras provocadas pela desintegração da Iugoslávia e as atitudes que assumiram (que somente serviram para tornar os conflitos ainda mais graves) não tinham, em última análise, qualquer justificativa, porque neste caso a sociedade desagregada havia afundado em uma situação de extrema violência que ninguém havia previsto, que ninguém esperava fosse uma consequência do final

---

[187] Gerard Prunier: *Darfur. Der uneindeutig Genozid* [Darfur: O Genocídio obscuro], Hamburgo, 2006, p. 12. (NA).

da Guerra Fria e para cuja administração as funções de tais dirigentes externos, em sua situação de participantes de uma federação ou como autoridades dos países-membros da União Europeia não os havia de modo algum preparado. Contudo, o desastre iugoslavo afetava diretamente os interesses dos estados da Europa Ocidental – e sua reação foi provocada de forma correspondente. Na África e em outras regiões do mundo tais interesses só foram perturbados de forma circunstancial – por exemplo, quando os hutus se lançaram ao massacre coletivo dos tútsis – motivo pelo qual nenhum interesse de tomar parte nesta guerra que já dura uma década foi despertado entre as autoridades ocidentais. Prunier escreveu de forma lapidar que "para o mundo desenvolvido não existia qualquer interesse político, econômico ou securitário de grande importância e o pouco que havia foi logo extinto. E nem sequer o elemento que poderia despertar um maior interesse sobre o problema apresentou qualquer importância: o atual medo do Islã radical. Eram muçulmanos africanos matando muçulmanos africanos – esta não era uma razão com peso suficiente para comover a sociedade ocidental".[188]

Esta "economia da atenção" (segundo a expressão de Georg Franck) é, além disso, uma questão inteiramente de escolha. Enquanto a sociedade ocidental não estiver realmente interessada e engajada, seja por se preocupar eficazmente com os laços restantes dos tempos coloniais, seja por interesses vitais em alianças, no comércio ou na aquisição de matérias-primas, os atores bélicos estabelecidos nos territórios avassalados por guerras permanentes originarão com frequência cada vez maior movimentos de refugiados ou provocarão aumento das condições de miserabilidade, ocasionando ações de socorro através do Ocidente que apenas servirão para injetar novos recursos na economia da violência. Este é outro exemplo de desenvolvimento social para o qual as nossas teorias sociais não dispõem ainda de qualquer modelo de análise eficiente.

A curta euforia em torno do final da confrontação dos blocos ocidental e oriental e da Guerra Fria, em 1989, juntamente com a esperança a ela associada do desaparecimento da violência entre estados, que até então causara tantas preocupações e que se vira acender e apagar lentamente tantas vezes ao longo de décadas, inflamando-se por algum tempo e novamente se extinguindo a intervalos, quando novamente se pensava em uma guerra causada pela sombra que o grande conflito entre sistemas ideológicos projetava, conduziu à

---

[188] *Ibidem*, p. 10. (NA).

expectativa de que somente ocorreriam doravante pequenos "conflitos de substituição", tais como os principais envolvidos, os Estados Unidos e a União Soviética os interpretavam. Mas quando, ao contrário, se percebeu que existiam países – por exemplo, o Afeganistão, o Tadjiquistão, a Colômbia ou a Serra Leoa – onde grassavam guerras havia décadas, tornou-se claro que talvez se estivesse pensando em demasia nos efeitos das guerras clássicas entre estados sempre que se considerava o desenvolvimento dos conflitos de substituição provocados pela violência da guerra localizada – imaginando-se que, de certo modo, também fossem guerras entre estados, nas quais partidos guerreiros controlavam territórios como se fossem verdadeiras nações, com exércitos regulares e que, no momento em que um desses partidos declarasse guerra a outro, passariam a lutar segundo as regras das guerras tradicionais e dentro do respeito aos direitos humanos.

Contudo, é inteiramente discutível se estes modelos de referência dominantes no Ocidente sobre a maneira como se travam as guerras tenham sido alguma vez um modelo padrão para qualquer tipo de guerra. No máximo, podemos imaginar que isto talvez seja válido com relação à Primeira Guerra Mundial que, entretanto, da maneira como foi travada e concluída se tornou a causa original de todas as catástrofes que ocorreram durante o século 20 – nem sequer seu começo regular por meio de uma declaração de guerra, nem o armistício que evidentemente lhe deu um fim impediram a continuação de suas consequências destrutivas, porque apenas duas décadas mais tarde provocaram o início de uma guerra ainda mais terrível. E esta Segunda Guerra Mundial foge à imagem das guerras clássicas em, pelo menos, dois aspectos importantes: a saber que a Alemanha, como um de seus atores principais, infringiu sistematicamente as regras da guerra e os direitos humanos, em consequência de seu alvo de colonizar novas terras por meio da aniquilação de diversos grupos humanos. Deste modo, dentro do conceito da guerra total, as clássicas diferenciações entre combatentes e população civil foram abandonadas e em consequência a sociedade inteira foi envolvida em suas malhas. Desta maneira, a violência desta guerra foi descontrolada de formas extremas, em que todos os limites foram desrespeitados; e o significado profundo destas atitudes de violência extremada não é expressado exclusivamente pelos mais de cinquenta milhões de mortos causados diretamente pela guerra, mas por uma geração dominada durante a metade de seu tempo de vida pela passagem pela violência, conduzindo a comportamentos semelhantes ao de uma guerra civil que não teve um alcance apenas nacional como internacional (por

HARALD WELZER

exemplo, pelo comportamento mutuamente agressivo das populações alemãs e polonesas ou entre civis russos e estonianos).

E nem tampouco as assim chamadas guerras de libertação que Mao Tsetung ou Pol Pot dirigiram contra seus próprios povos a fim de lhes impor o regime comunista se podem enquadrar na categoria das guerras clássicas ou das regras que as deveriam orientar. Do mesmo modo, a aniquilação total da população de cidades inteiras, como Hiroshima e Nagasaki, não pode ser enquadrada nesta classificação. A diferença entre as guerras "antigas" e "novas", definição que tem estado em voga nos últimos anos,[189] só pode ser encarada como problemática; em face dos cenários bélicos das guerras previstas pela Convenção de Genebra, pelas Leis da Guerra Terrestre promulgadas pelo Tribunal de Haia ou pela Teoria das Guerras de Clausewitz, as guerras que se submeteram a estas regras permanecem mais como exceções, na sua maioria ligadas aos processos específicos de construção dos estados europeus, portanto uma regra à qual, hoje em dia, o adjetivo "antigo" serve muito bem.

E não foi o mesmo com tantos outros conflitos violentos, muitas vezes com a duração de décadas, como entre os protestantes e católicos irlandeses, chineses e nepaleses, turcos e curdos, israelenses e palestinos e que continuam a ser travados até agora? Deste modo, as *"low-intensity wars"* [guerras de baixa intensidade] modernas, que se perpetuam por longo tempo, de forma alguma acrescentam uma nova dimensão aos conflitos violentos. Tudo isso revela a simultaneidade das formas heterogêneas do emprego da violência e se isso nos diz alguma coisa, é principalmente o seguinte: que a violência, como opção para o comportamento social, como uma possibilidade que se acha disponível a qualquer momento, permanece na condição de um elemento latente ou manifesto, porém sempre central nas relações humanas, mesmo quando os membros de uma sociedade que se arroga um monopólio estável da violência preferem fingir que não exista mais. Porém, isto ocorre exclusivamente porque em tais sociedades a violência é transportada para um outro contexto social de comportamentos relacionais, isto é, se torna *indireta* e somente será empregada diretamente em casos de comportamentos divergentes ou criminosos – mas isto não significa em absoluto que ela tenha desaparecido. Além disso, quando alguma forma de guerra submetida a regras permanentes chegou a

---

[189] Esta diferenciação se baseia essencialmente nos trabalhos louváveis de Mary Kaldor de um lado e de Herfried Münkler do outro. Veja Mary Kaldor, *Neue und alte Kriege. Organisiert Gewalt im Zeitalter der Globalisierung* [Guerras antigas e modernas. A violência organizada na época da globalização], Frankfurt am Main, 2000; veja também Herfried Münkler, *Die neuen Kriege* [As novas guerras], Reinbek, 2002. (NA).

A GUERRA DA ÁGUA

ocorrer dentro do longo espaço de tempo registrado historicamente, isto aconteceu, como observou John Keegan, durante os comportamentos bélicos dos assim chamados povos primitivos, cujas formas de violência haviam sido mutuamente estabelecidas por meio de procedimentos altamente ritualísticos, por meio dos quais eram minuciosamente controlados.[190] Tudo isto apenas comprova que nos acostumamos a considerar como guerras exclusivamente alguns tipos de confrontações de caráter violento que foram experimentados ao longo de nossa própria história e deste modo descuramos do fato de que, em outros lugares, outros comportamentos violentos de diferente intensidade e duração determinam as realidades sociais.

Mas independentemente do fato de que possam existir diferenças entre as guerras "antigas" e as "novas" guerras, devemos escutar a opinião de Mary Kaldor, a qual, durante os últimos trinta anos, desenvolveu uma tipologia da violência organizada, particularmente na África,[191] assinalando nessa pesquisa não existir nenhuma diferenciação nítida entre o que é permitido em condições de guerra e o que é executado nos períodos de paz e muito menos entre o que possa ser chamado de violência legítima ou de violência criminosa. Dentro da mesma linha desapareceu a possibilidade de diferenciação entre combatentes regulares e irregulares ou entre exércitos e milícias, uma vez que os combates são, no dizer de Herfried Münkler, assimétricos. Não são realizados entre adversários de posição ou importância semelhantes, mas entre praticantes de violência privados ou semiestatais agindo contra a população civil. Desse modo se organizam grupos locais contra as regiões vizinhas ou contra os homens comandados por chefes guerreiros individuais, os chamados *Warlords*, cuja violência é financiada por grupos mais poderosos, em geral do exterior, para que protejam sua exploração criminosa de matérias-primas, diamantes, madeira-de-lei, petróleo ou a produção e exportação de drogas, motivo por que estes "senhores da guerra" locais não estão interessados em concluir as guerras de que participam, nem propriamente em vencer tais conflitos, mas sim em prolongar o quanto possível suas atividades bélicas.[192]

Não se encontram mais aqui estados organizados e detentores do "monopólio das guerras", com seus especialistas treinados em tática ou estratégia,

---

[190] John Keegan, *Die Kultur des Krieges* [A cultura da Guerra], Reinbek 1997, pp. 149ss. (NA).

[191] Mary Kaldor, *Neue und alte Kriege. Organisiert Gewalt im Zeitalter der Globalisierung* [Guerras antigas e modernas. A violência organizada na época da globalização], Frankfurt am Main, 2000, pp. 15ss. (NA).

[192] Herfried Münkler, *Die neuen Kriege* [As novas guerras], Reinbek, 2002, p. 240. (NA).

mas atores semiestatais ou completamente independentes dos países em que realizam suas atividades, que seguem seus interesses particulares e cujos objetivos diretos são a aniquilação de uma parte da população e a conservação dos sobreviventes dentro de um regime de medo e de terror. Segundo Herfried Münkler, serão estas "guerras assimétricas" que irão caracterizar o século 21. Ele fala detalhadamente a respeito disso – como as variações climáticas apresentam a consequência direta de aprofundar a fragilidade ou o dilaceramento de estados, resultando em processos de desestatização e conduzindo à privatização da violência, que irá no futuro próximo dominar espaços bem maiores e se tornar cada vez mais frequente. Deste modo, as guerras climáticas, como a que está sendo travada agora em Darfur, no Sudão, são precursoras de um futuro que ninguém pode prever com precisão, sendo perfeitamente possível que nações da União Europeia, por exemplo, sejam alvo de processos de erosão política semelhantes. No sentido oposto, percebe-se que a variação de poder, bem-estar e segurança entre os países do Primeiro e do Terceiro Mundo, entre as nações desenvolvidas e as que não alcançaram essa condição irá se fortalecer e essas dissonâncias permanentes exigirão o estabelecimento de novas estruturas de justiça de caráter global.

Mary Kaldor distingue a seguir cinco grupos diferentes dentro destas guerras permanentes de acordo com os atores da violência: inicialmente, as *Forças Armadas Regulares* que, de fato, dentro desses estados fracos e fragilizados exercem uma função altamente problemática. Mal treinados, frequentemente mal pagos ou mesmo sem receberem soldos, insuficientemente armados e desmotivados pela própria corporação, esses soldados são mais candidatos prováveis ao recrutamento por grupos de violência privada do que leais defensores do país; os próprios exércitos sofrem com a falta de disciplina e aparência de decadência material. De forma semelhante, forças armadas são difíceis de controlar por governos centrais fracos, sobrecarregam sua manutenção por meio da venda das próprias armas, produzem elites militares arrogantes e se inclinam rapidamente ao emprego da violência desnecessária, conforme John Keegan os descreveu. Igualmente, "por ocasião dos procedimentos de descolonização os exércitos permanentes eram muito pequenos, na maioria formados por algumas centenas de militares efetivamente treinados. As assim chamadas 'transferências de tecnologia' dos países ocidentais eram apenas uma forma embelezada de se referir à venda de armas caras aos países pobres, que não sabiam como utilizá-las, o que não representava a transmissão de uma cultura, porque estas armas vendidas pelo Ocidente estavam ultrapassadas e muitas vezes já haviam perdido sua capacidade mortífera".[193] Não raramente partes destes exércitos regulares são subornáveis ou se deixam facilmente comandar por seus próprios oficiais de forma independente, quando estes decidem criar seus próprios empreendimentos de violência privada. Este fenômeno pode ser claramente observado durante os últimos anos da Iugoslávia, do mesmo modo que no Tadjiquistão ou no Zaire.

Estas facções do exército regular, deste modo, não se diferenciam em nada dos *Grupos Paramilitares*, os quais – como os *Djandjawids* de Darfur – são formados por soldados dispensados do exército ou desertores, bandos de jovens, criminosos e aventureiros e, não raramente, também por adolescentes e até crianças. Tais grupos paramilitares podem não se opor ao governo, nem serem rebeldes, mas empreenderem em geral ações violentas de que o governo atual se deseja distanciar e terem, em segundo lugar, a tarefa de defender o próprio governo contra grupos oposicionistas. Estas funções, naturalmente, podem variar ou se modificarem conforme o caso.

Os *Grupos de Autodefesa* constituem a terceira categoria dos atores da violência, que se organizam em reação aos ataques lançados não somente pelos grupos paramilitares, como pelo próprio governo, mas que, via de regra, não possuem um potencial de violência efetivo e não conseguem subsistir durante muito tempo.[194]

Ao contrário, bem mais poderosas são as unidades formadas pelos *Partidários de Chefes Militares Independentes* (*Private Military Commands* ou PMCs, na sigla inglesa) ou pelos *Mercenários Estrangeiros* – geralmente, veteranos de guerra dos exércitos ocidentais ou da Europa Oriental, Mudjaheddin do Afeganistão ou "com frequência, soldados reformados dos exércitos britânico e norte-americano, recrutados por firmas de segurança particulares, contratadas por sua vez para defender os governos legais ou os interesses de companhias multinacionais".[195] Estes profissionais da violência altamente especializados formam, além disso, divisões privadas quando tarefas de violência e de segurança (como tortura ou repressão) devem ser empreendidas, com as quais os governos correspondentes preferem não se comprometer diretamente, quer por não gostarem delas, quer por medo de revelações e possíveis escândalos; tais empreendimentos violentos exerceram funções importantes

---

[193] John Keegan, *Die Kultur des Krieges* [A cultura da Guerra], Reinbek 1997, p. 537. (NA).

[194] Mary Kaldor, *Neue und alte Kriege. Organisiert Gewalt im Zeitalter der Globalisierung* [Guerras antigas e modernas. A violência organizada na época da globalização], Frankfurt am Main, 2000, p. 158. (NA).

[195] *Ibidem*, p. 161. (NA).

HARALD WELZER

durante as guerras mais recentes do Iraque e do Afeganistão, algumas vezes disfarçadas ou acompanhando missões de vigilância, combate ao terrorismo, treinamento regular de forças policiais locais, instrução de milícias mantidas pelos governos etc. Somente em 2003, o governo dos Estados Unidos firmou 3.512 contratos com firmas de segurança particulares.[196] No Quênia, existem 40.000 policiais regulares em comparação com 300.000 membros das firmas de segurança privada contratadas.[197] Calcula-se atualmente a existência de cerca de 50.000 pessoas agindo como atores de violência não-oficiais na guerra do Iraque. "A maioria destes serviços terceirizados cumpre funções como logística, construção, serviços de comunicação, coleta e transmissão de informações secretas, abastecimento, lavagem de roupas e limpeza. [...] Todavia, do mesmo modo que revelou o escândalo das torturas em Abu Ghraib, evidencia-se que muitas das práticas discutíveis são confiadas à execução de empresas particulares."[198] De forma semelhante, as mortes de civis podem ser não raramente atribuídas aos membros destas empresas.[199]

Um quinto grupo de atores é formado por tropas regulares de *Forças Armadas Estrangeiras*, principalmente as Nações Unidas, a União Africana e a Organização do Tratado do Atlântico Norte (NATO), destinadas a interromper genocídios e limpezas étnicas, garantir a segurança de eleições ou vigiar o cumprimento de armistícios ou manter a paz, frequentemente em situações precárias, com autorização bastante limitada para a prática de violência, formados por contingentes fracos e pouco numerosos e que, além disso, não são bem aceitas pela população civil. É bastante comum que sejam submetidas a fortes provocações por parte dos demais atores da violência, provocando reações, inclusive ataques a civis, que todos os meios de comunicação mundiais imediatamente noticiam e utilizam como argumento contra a permanência das tropas de intervenção. Uma consequência extrema dos erros das tropas de intervenção foi a retirada dos soldados holandeses sob as ordens das Nações Unidas da região de Srebenica, na antiga Iugoslávia. A retirada das tropas da ONU foi o sinal

---

[196] Naomi Klein, *Die Schock-Strategie. Der Aufstieg des Katastrophen-Kapitalismus* [Estratégia de Choque: A ascensão do capitalismo das catástrofes], Frankfurt am Main, 2007, p. 26. O Ministério da Defesa dos Estados Unidos até 2006 já havia firmado 115.000 contratos deste tipo, incluindo a maior parte do controle do sistema prisional. (NA).

[197] Veja o *Frankfurter Allgemeine Zeitung* [Edição Internacional do Jornal de Frankfurt], edição de 24 de setembro de 2007, página 8. (NA).

[198] Mary Kaldor, *Neue und alte Kriege. Organisiert Gewalt im Zeitalter der Globalisierung* [Guerras antigas e modernas. A violência organizada na época da globalização], Frankfurt am Main, 2000, p. 251. (NA).

[199] Em setembro de 2007 revelou-se o assassinato de civis, realizado no Iraque por mercenários pertencentes à firma de segurança Blackwater, que fora contratada pelo governo iraquiano com o apoio de verbas fornecidas pelo Ministério do Exterior dos Estados Unidos. (NA).

para o imediato extermínio de civis por unidades paramilitares sérvias, durante o qual cerca de 8.000 homens e meninos foram massacrados.

Os Mercados da Violência

Em seu conjunto, encontramos nas guerras permanentes um entrelaçamento de grupos de atores da violência heterogêneos e divididos, os quais (com a exceção das Tropas de Intervenção) praticam a violência muito mais contra a população civil do que a exercem uns contra os outros. O espaço social em que isto ocorre pode ser denominado, segundo a expressão de Georg Elwert, como *Os Mercados da Violência*.[200] Este antropólogo social recentemente falecido foi o primeiro a se referir a tal fenômeno por esta denominação, observando como a privatização e a valorização econômica dos comportamentos de violência haviam se tornado um elemento central na manutenção das guerras permanentes. Sua concepção sobre esse tipo de comércio pode ser transcrita como "uma estratégia econômica dos mercadores da violência, em que, evidentemente, as energias de condução das guerras utilizadas pelos empresários da violência se tornaram eminentemente rentáveis. A convocação para a manutenção da cultura, tradições étnicas e ensinamentos religiosos constitui para eles apenas um recurso entre muitos outros" – um recurso para o usufruto e a manutenção dos conflitos por meio da conservação dos atos de violência. Conforme escreveu Elwert, emoções como o ódio e o medo exercem um papel inteiramente semelhante, sendo empregadas pelos empresários da violência de forma bastante eficiente, mesmo que não tenham constituído qualquer elemento estrutural na formação inicial do conflito. Tais emoções muitas vezes são criadas pelo próprio processo de violência, mas apresentam a tendência a se mostrarem inversamente como suas causas naturais e, portanto, a se tornarem uma nova fonte de violências.

Em consequência da deficiência ou fragilidade da soberania de um estado, logo surge a opinião de que o fracasso do governo de manter um monopólio estável da violência abre nichos e estruturas de oportunidades para o exercício da violência privada. Elwert denominou tais espaços sociais de "aberturas para a violência" e é na descoberta dos interesses comerciais interligados a estes espaços abertos para a violência que se estabelecem os mercados da violência.

---

[200] Veja http://web.fu-berlin.de/ethnologie/publikationen/media/Georg_Elwert-Gewalt_und_Maerkte.pdf. (NA).

De acordo com a definição de Elwert, um "mercado de violência" é um alvo para obtenção de lucros dentro de uma determinada área comercial em que se possam realizar não somente trocas de mercadorias, como também pilhagens e diversas combinações de ambos – como obtenção de resgates por indivíduos raptados, cobrança de pedágios ilegais, escolta de viajantes através de zonas controladas por grupos bélicos etc. Nestes casos, as mercadorias são armas, drogas, alimentos, matérias-primas locais, materiais preciosos ou reféns humanos. "Como formas intermediárias entre o comércio e o roubo desenvolvem-se atividades de proteção, também chamadas de pedágios e a captura de reféns. [...], contrabando de diamantes no Zaire (atualmente Congo), comércio de Qât[201]* na Somália, contrabando de esmeraldas na Colômbia e, não menos importante, a captura de comboios de alimentos e outros produtos de ajuda humanitária, como aconteceu em determinados períodos na Somália e na Bósnia, até que estes ramos econômicos se tornassem umas das mais importantes fontes de renda dos chefes guerrilheiros." Um outro setor rentável importante é a captura de reféns para resgate, como ocorre diariamente no Iraque ou no Afeganistão, muito raramente realizada por razões ou cálculos políticos, embora camuflada sob esta alegação, mas de fato fazendo parte de uma economia de violência estabelecida, que aproveita as ideias políticas, as crenças religiosas ou outras ideologias como instrumentos, mas que não adota realmente seus conteúdos idealistas internos.

Também a própria produção da violência segue pontos de vista econômicos. Enquanto os combatentes de um grupo se ocupam com saques e roubos, reduzem-se os custos de manutenção da tropa para o chefe guerrilheiro e se inserem igualmente na estratégia dos lucros da violência: como resultados dos furtos aumenta o terror, criam-se movimentos de refugiados e, através disso, crescem as possibilidades de recrutamento de novos lutadores ou de forças de trabalho escravo. Os meios para praticar a violência são caros, fuzis e outras armas de fogo portáteis, metralhadoras russas modelo Kalashnikov, lançadores de foguetes de construção simples e veículos leves de transporte são os mais procurados; por exemplo, em Darfur, logo se aprendeu a transformar botijões de gás em bombas incendiárias. Além disso, a maior parte dos meios de violência empregados segue padrões de baixa tecnologia, que apresentam

---

[201]* A *Qât* ou *Khat*, conhecida por diversos outros nomes (*Catha edulis*) é uma planta tropical de flores amarelas, que floresce na África Oriental e na península arábica, cujas folhas produzem o alcaloide *cathinona*, um estimulante anfetamínico causador de excitação, perda de apetite e euforia que a Organização Mundial da Saúde determinou causar dependência psicológica e que é proibido pela DEA nos Estados Unidos, sendo controlado ou ilegal em muitos outros países. (NT).

A GUERRA DA ÁGUA

diversas vantagens, entre elas as de custar menos e não necessitarem de um longo treinamento para serem manejados. Em consequência, a população civil é amedrontada a baixo custo, porém com eficiência.

Na realidade, existe a circunstância de a violência ser menos dirigida contra os demais partidos do que contra a população civil, o que constitui uma das características mais importantes das guerras permanentes. Este tipo de ação provoca movimentos constantes de refugiados, que se concentram em acampamentos assolados pela miséria, originando ações de socorro da sociedade internacional, cujos resultados imediatos são a injeção de poderosos recursos na economia de violência, consequentemente prolongando sua duração: estes são o alvo de uma estratégia que consiste especificamente em expulsar maciçamente a população civil para o exterior das fronteiras, a fim de capturar os comboios que venham em seu socorro e aproveitar as mercadorias para o equipamento e alimentação das próprias tropas. Ou então os guerrilheiros cobram pesadas taxas em resgate de comboios apresados ou como pedágio para que passem em direção aos campos de refugiados sem serem saqueados ou sendo, pelo menos, espoliados apenas levemente. Os próprios campos de refugiados são aproveitados como excelentes arenas para agitação política ou religiosa, além de servirem como áreas de recrutamento de novos combatentes ou convocação de força de trabalhos forçados. Estas são formas sutis ou bem menos sutis de explorar a boa-vontade internacional em ajudar os necessitados por ocasião de crises.

As guerras travadas em regiões opacas do Terceiro Mundo passam de certo modo despercebidas e sem chamar a atenção e até mesmo a guerra da Iugoslávia, geograficamente tão próxima dos países da Europa Ocidental, assumiu um caráter de exotismo, do mesmo modo que suas predecessoras em Ruanda ou Darfur etc. Nestes últimos eram consideradas como "guerras tribais", mas naquela se apelou para a cultura balcânica extremamente orientada para a violência como uma forma de explicar a avassaladoramente rápida escalada das ações bélicas.[202] Estas tentativas de explicação servem à

---

[202] Veja Wolfgang Höpken: *Gewalt auf dem Balkan. Erklärungsversuche zwischen "Struktur" und "Kultur"* [A violência nos Bálcãs: A busca de um esclarecimento das diferenças entre "Estrutura" e "Cultura"], publicado por Wolfgang Höpken e Michael Rieckenberg (editores), *Politische und ethnische Gewalt in Südosteuropa und Lateinamerika* [A violência política e étnica no sudeste da Europa e na América Latina], lançado em Köln (Colônia) e outras cidades em 2001, pp. 53-95; veja também Holm Sundhaussen: *Der "wilde Balkan". Imagination und Realität einer europäischen Konfliktregion Ost-West* [Os "Bálcãs Selvagens". Imaginação e realidade de uma região europeia conflituada entre o leste e o oeste], publicado na revista *Europäische Perspektiven* [Perspectivas Europeias] 1/1 2000, pp. 79-100; consulte ainda Marija Todorova: *Die Erfindung des Balkans. Europas bequem Vorurteil* [A descoberta dos Bálcãs. Os cômodos preconceitos europeus], Darmstadt, 1999. (NA).

redução da dissonância cognitiva provocada pela observação da escalada aberta da violência, causando violações dos direitos humanos e todo tipo de injustiça etc., afetando diretamente quem, por um lado, vive em um mundo melhor constituído e que, em segundo lugar, em função de uma série de razões políticas e culturais, acredita que os direitos humanos sejam respeitados através de todo o globo e que, na pior das hipóteses, podem ser restaurados mediante o envio de socorros materiais.

Em outras palavras: um genocídio perpetrado em Ruanda despertou uma dissonância moral na Alemanha e, a fim de reduzir tal dissonância, foram estudadas as possibilidades humanitárias de auxiliar as vítimas – pelo menos aquelas que conseguiram escapar com vida dos ataques. Foram reunidos hospitais de campanha, médicos e enfermeiros para os doentes, medicamentos, cobertores, tendas, alimentos não-perecíveis e outros elementos para atendimento das necessidades básicas, os quais, como já dissemos anteriormente, constituíram frequentemente uma espécie de cumplicidade, substituindo-se lugares e condições, porque custavam pouco dinheiro e tiveram efeito bastante limitado. Este modo ocidental de redução das dissonâncias é facilmente utilizado pelos atores da violência, chegando a tal ponto que os resultados deste alívio da dissonância moral do Ocidente se transformaram em lucros comerciais para as empresas que forneceram os recursos: de qualquer modo, a violência foi nutrida e os recursos foram aproveitados por ela.

Erving Goffman denominou esta construção de estruturas e hábitos institucionais, mesmo que dentro de outro contexto, de "adaptação secundária"[203] – e realmente este é o caso, porque os mercados da violência se transformaram em parasitas dos comportamentos econômicos de terceiros. Enquanto isso, o sistema da adaptação secundária é constituído de tal modo que logo se passou a incluir nos cálculos de custos das ações de socorro as despesas com resgates, pedágios e quotas de pilhagem gradual, de tal modo que as organizações de ajuda internacional acabaram por se adaptar às estratégias dos mercadores da violência como se fossem empresas terceirizadas. Também este entrelaçamento da violência com o auxílio internacional e das organizações de auxílio com a violência institucionalizada é um interessante exemplo da interdependência entre os comportamentos comerciais e suas consequências, que realmente se adaptam, por mais que estas últimas sejam inesperadas.

---

[203] Erving Goffman, *Asyle* [Asilo], Frankfurt am Main, 1973). (NA).

Naturalmente, esta não é a única fonte de recursos de que se aproveitam os mercadores da violência. Ao lado da espoliação direta do povo, situam-se o comércio ilegal de matérias-primas, a economia do contrabando, o tráfico de drogas e de armas, a captura de reféns e a execução de atos de violência encomendada mediante pagamento e os fundos de grupos em situação de diáspora que bombeiam recursos para o âmbito dos conflitos em escalada por meio de organizações externas a fim de apoiar a luta de seus próprios grupos étnicos contra seus adversários. No caso da guerra civil da Iugoslávia, esta era uma prática constante e que ocorria às claras.[204]

Os mercados da violência constituem uma forma radical da economia do mercado livre que adquire, emprega e revende mercadorias de acordo com as necessidades dos maiores potenciais de violência. A ampliação de tal economia da violência, via de regra, funciona em sentido oposto ao do funcionamento das áreas tradicionais da economia nas regiões afetadas – quando o comércio, a produção de cereais e a agricultura em geral se acham em crise, seja porque se encarrega do abastecimento de produtos importados, seja porque é a única que tem condições de colocar os produtos internos à venda no mercado externo. A partir deste cenário, não é de espantar que os mercadores da violência regularmente se apresentem sob outras formas de comércio, em vista da desestruturação do mercado, que lhes permite escolher entre várias áreas de ação; o mesmo vale para os praticantes da violência, que muitas vezes tinham sido antigamente agricultores e se ocupavam com o cultivo de cereais em pequenas propriedades.

Neste contexto novamente se tornam mais visíveis as consequências de tais formas de organização da violência para os processos e as dinâmicas do desenvolvimento. Em primeiro lugar, não existe a menor certeza, em qualquer época posterior ou mesmo no início das hostilidades, sobre quem realmente tomou a decisão inicial ou dentro de quais circunstâncias ela foi gerada e, em segundo lugar, como se estabeleceram as linhas de comportamento dos processos de desenvolvimento da violência, que anteriormente não se encontravam ali e pelos quais ninguém realmente esperava e que, possivelmente, não tinham sido pretendidos nem iniciados voluntariamente por ninguém – da mesma forma como revelam entrevistas feitas com os perpetradores dentro do âmbito da escalada maciça da violência, os quais demonstram sempre um certo grau de perplexidade sobre seus

---

[204] Herfried Münkler, *Die neuen Kriege* [As novas guerras], Reinbek, 2002. (NA).

atos, *sobre como realmente aconteceu* que eles tivessem cometido assassinatos, estupros e saques.[205]

A seguir, Elwert explica que os mercados da violência apresentam uma tendência definida para autoestabilização, a um ponto tal que as possibilidades de reprodução de outros comportamentos durante os períodos de violência ou de ameaça de violência permanente simplesmente são perdidas. "Os mercados da violência não existem nem permanecem dentro de um vácuo. Eles se desenvolvem dentro de sistemas sociais auto-organizados, que também se acham de algum modo entrelaçados em permutas externas com seu ambiente e que também estabelecem parcialmente estas permutas com formas de ambiente e de sociedade transformadas. O estabelecimento dos mercados da violência ocorre, como dito anteriormente, graças às falhas ou ao colapso das possibilidades de um governo central conservar seu monopólio da violência, cuja consequência novamente é um conflito mais amplo, que se desenvolve em terra e nas vias aquáticas, frequentemente aumentado pela falta ou pela escassez de recursos vitais, o qual se torna progressivamente independente da soberania nacional, mas se regulamenta por meio de seus próprios processos formativos, ou seja, como consequência direta da violência por ele mesmo executada."

Elwert caracterizou previamente estes desenvolvimentos autocatalisadores em um estudo mais antigo, em que procurava descrever os acontecimentos transcorridos na Somália: "O começo parecia uma coisa banal: uma sociedade tribal de agricultores sedentários, que residia em cabanas de palha começara alguns anos antes, em um território estudado pelo antropólogo Marcel Djama, a empregar armas de fogo para defender o direito de monopólio de utilização de determinadas fontes de água, independentemente da lei tribal, das leis nacionais ou de registros mantidos em cartórios ou tabelionatos. Tanto para o estado como para os interessados, esta parecia ser a alternativa mais barata. O estado tolerou estes acontecimentos, porque assim ficava livre de uma obrigação custosa. Dentro do sistema tribal de clãs nativos, descrito tantas vezes nas análises jornalísticas do conflito da Somália, estas atitudes só podiam ter efeitos negativos. O emprego de armas de fogo assinalava de fato o abandono do sistema de clãs e sua forma de aplicação da justiça mediante debates entre as partes interessadas. A aquisição de armas tolerada pelo estado

---

[205] Veja Scott Straus, *The Order of Genocide: Race, Power, and War in Rwanda* [A ordem do genocídio: Raça, poder e guerra em Ruanda], Nova York, 2006, (tradução Harald Welzer); e Harald Welzer: *Täter. Wie aus ganz normalen Menschen Massenmörder werden* [Criminosos: Como pessoas perfeitamente normais se transformam em assassinos de massas], Frankfurt am Main, 2005. (NA).

limitou-se inicialmente ao nível mais baixo. Mas a seguir as fronteiras com as nações vizinhas foram fechadas, sem que o estado defendesse os interesses dos criadores de gado nômades, surgindo em breve o problema do acesso às fontes e aos alimentos da vizinha Etiópia. (Isto aconteceu como consequência do auxílio internacional à Etiópia, pois alimentos desviados da distribuição entre a população tinham passado a ser vendidos a preços baixos nos mercados da Somália.) Neste processo não estavam interessados apenas os pastores de gado, mas também os comerciantes, que compravam as cabras e ovelhas dos nômades em grande quantidade para exportar os animais para o Iêmen e a Arábia Saudita com grandes lucros. Realmente, o Iêmen tornou-se quase inteiramente dependente desta importação de carne. O volume dos negócios dos mercadores desabou repentinamente. Eles decidiram então vender armas em grande quantidade aos nômades, para que eles pudessem garantir a reprodução de seus rebanhos pela força das armas. Foi assim que surgiu a chamada 'Milícia Gadabursi'. Logo essa milícia percebeu que, dispondo dessas armas, poderia também obter a alimentação dos rebanhos e a própria nutrição sem necessidade de pagar por elas, descobrindo a seguir que a captura de reféns, o 'imposto' sobre os transportes de alimentos e igualmente a escolta dos traficantes de drogas poderiam ser formas bastante lucrativas de obtenção de dinheiro."

Vemos aqui em funcionamento a dinâmica da violência como se estivesse sob as lentes de um microscópio, seus meandros, seu desenvolvimento e a formação de suas esferas de influência. Realmente, esta forma de movimento autocatalítico da violência dentro de sociedades sem soberania real ou com fraca capacidade de governança é bastante difícil de se observar ou entender do exterior.[206] Aqui se acasalam os interesses particulares com a insensatez coletiva. Sua prole é uma guerra permanente.

Um estudo da *Oxfam International* calculou que as guerras travadas na África entre 1990 e 2005 custaram em seu conjunto cerca de 211 bilhões de Euros – uma soma convenientemente similar à empregada no auxílio ao desenvolvimento que fluiu para os países africanos durante o mesmo período.[207]

---

[206] É bastante difícil compreender de um ponto de vista externo como surgem "movimentos" inteiramente novos dentro de conflitos dessa espécie, sobretudo de que maneira se manifestam as circunstâncias que provocam consequências consideráveis sobre a capacidade de expansão do conflito violento. É o que busca explicar, por exemplo, uma notícia impressa no *Frankfurter Allgemeinen Zeitung* de 25 de setembro de 2007 (página 6), sob o cabeçalho: "Escaramuças na Somália", a qual descreve comportamentos conflituosos, nos quais uma "União para a Nova Libertação da Somália", fundada duas semanas antes, pareceu ter exercido um papel central no curto período anterior em que tropas etíopes e diversos "Grupos Civis" partidos de Mogadício, a capital somali dominada pelo islamismo, haviam tomado parte. Os leitores tiveram pouco tempo para buscar entender quem eram os atores e quais tinham sido os resultados das referidas escaramuças. (NA).

[207] Veja www.spiegel.de/politik/ausland/0,1518,druck-510917,00.html. (NA).

As guerras permanentes são uma das formas de violência previstas para o futuro. As consequências das variações climáticas exacerbadas pelos conflitos ainda não podem ser perfeitamente calculadas. No caso de Darfur claramente já se observou que as consequências das variações climáticas, como a veloz ampliação da formação de desertos pode conduzir rapidamente ao desencadear da violência, que é canalizada de múltiplas formas pelos grupos interessados e por eles explorada. Podemos descrever a dinâmica autocatalisadora da permanência e expansão do espaço aberto à violência como provocada e mantida pela desestatização e fragilidade dos estados envolvidos e que, por sua tendência a enfraquecê-los irá ampliar ainda mais os espaços abertos à violência, enquanto, por sua vez, atores internacionais se lançam para o espaço bélico, de tal forma que os recursos fornecidos à violência aumentam ainda mais e assim por diante.

Adaptação

Tudo isto é o resultado da busca de adaptação das pessoas a suas situações ambientais modificadas, e algumas das características desta adaptação são a construção externa dos mercados da violência, o treinamento de especialistas em violência, os novos fluxos de refugiados, o estabelecimento dos campos e os morticínios. É importante formular para quem isto aproveita, a fim de chamar a atenção sobre o que significam as estratégias de adaptação ocidentais com referência às consequências prognosticadas para as variações climáticas, apregoando e mesmo forçando o estabelecimento de uma terceira revolução industrial. Nicholas Stern, conforme foi relatado, calculou de forma impressionante como esta estratégia dos países industrializados pode sair consideravelmente mais barata, pois se eles *não reagirem* às mudanças climáticas, tampouco precisarão se *adaptar a elas*. Na realidade, esta adaptação será bastante lucrativa para as economias nacionais do Ocidente. Um problema será a transformação dessas adaptações em vantagens posicionais, porque serão necessárias amplas construções, novas tecnologias e largas verbas para que essas transformações possam ser realizadas. Contudo, isto se acha realmente dentro de suas capacidades aquisitivas, mas no que se refere à legitimidade das estratégias, a situação é um pouco diferente, do mesmo modo que, se é perfeitamente natural para um chefe militar somali empregar a ocasião provocada por um conflito sobre recursos naturais para aproveitar a oportunidade de estabelecer o seu poder por meio da violência a fim de abrir para si próprio melhores possibilidades econômicas – isto também é *moralmente* questionável no mesmo nível em que o são as estratégias de adaptação econômica do Ocidente. Existem semelhanças estruturais entre as duas estratégias, pois é indubitável que em uma situação problemática ambas busquem obter lucros pelos novos meios disponíveis. Para uns, a estratégia de adaptação corresponde principalmente à *redução ou suspensão total das emissões de dióxido de carbono,* mas para o outro constitui a captação dos recursos destinados *a apoiar os combatentes pela liberdade.*

De resto, o que foi dito aqui a respeito das guerras permanentes é apenas a impressão do que se tornou visível, porque existe também uma parte difícil de observar nas configurações da violência constante. Uma vez que as organizações de auxílio internacional e as tropas de intervenção para manutenção da paz exercem papéis importantes dentro deste contexto, fica também evidente que esses atores externos fazem parte desta configuração. Contudo, as organizações de auxílio e os soldados das Nações Unidas são mais uma vez apenas os jogadores externos visíveis neste encadeamento social. A maior parte dos atores externos permanece perfeitamente invisível. E esses atores invisíveis somos todos nós.

Nesta situação falta apenas resumir que o fenômeno das guerras permanentes e dos mercados da violência ligados fundamentalmente a elas, com o aumento das consequências das variações climáticas, ou seja, a ampliação dos desertos, a salinização e a erosão das terras, o esgotamento das fontes de água etc., irá em futuro próximo expandir-se consideravelmente e apresentar resultados dramáticos. A pergunta que se apresenta então é quais sejam as possibilidades da ajuda internacional e das tropas de intervenção de um lado serem eficazes contra a violência genocida, a limpeza étnica etc., que se manifestam do outro lado, ao mesmo tempo em que os mercados da violência continuam a se ampliar. De saída se percebe que as tropas internacionais destacadas para essas regiões e mesmo as suas unidades especiais não têm uma liberdade ilimitada. A intervenção por meio do influxo de recursos também é uma mercadoria escassa que, se raciocinarmos com clareza, serve apenas aos interesses daqueles que participam de sua obtenção e distribuição. É fácil dizer: em um lugar desses, tais interesses não são tangíveis – a gente de lá está lutando *uns contra os outros* e nenhuma política de poder, estratégia internacional ou interesses movidos por recursos podem realizar nada em contrário – o melhor é abandonar esses países de uma vez para que resolvam sozinhos seus problemas.

Mas a dissonância moral que se acha talvez ligada a esta atitude pode ser reduzida de várias maneiras: pode-se argumentar que não se deve interferir nos assuntos internos de estados soberanos, que existem pontos de crise mais importantes que requerem nosso engajamento, que os riscos para os próprios soldados das tropas de manutenção da paz são muito elevados, que uma intervenção mais firme somente poderá conduzir a uma escalada mais ampla da violência, que os atores locais do conflito entendem melhor do que nós a maneira de resolver seus próprios problemas, que não se devem repetir os erros do passado dando apoio a falsos grupos de libertação nacional e assim por diante. Naturalmente será também válido o argumento de que os empresários da violência não devem mais ter a possibilidade de se aproveitarem dos recursos injetados localmente pelas ações de ajuda internacional a fim de poderem investir ainda mais na economia dos mercados da violência. Tudo isto seria então mais um degrau na escada adaptativa às consequências das variações climáticas.

Limpeza Étnica

"Enquanto formos senhores do campo, a expulsão deve ser observada pelos meios mais satisfatórios e permanentes. Não poderá haver qualquer mistura entre as populações, por meio das quais permaneçam desvantagens infindáveis, como, por exemplo, no caso da Alsácia-Lorena. Em uma mesa limpa se servem melhores refeições. Eu sou da opinião que uma separação das populações não será muito alarmante, especialmente se forem estabelecidos vastos assentamentos, que por outros meios de amparo possivelmente serão melhores que os anteriores."[208] Estas palavras sensatas foram proferidas por Sir Winston Churchill com referência à situação futura dos chamados "*Volksdeutschen*" estabelecidos na Polônia e na Tchecoslováquia. No momento em que o Primeiro--Ministro britânico, a 15 de dezembro de 1944, perante a Câmara dos Comuns, discursou sobre a expulsão, já era um assunto decidido pelos vencedores que, depois da guerra, não seriam permitidas mais *populações misturadas* nos territórios anteriormente colonizados pela Alemanha. O resultado prático desta intenção declarada pelos aliados de formar estados etnicamente homogêneos após a guerra foi a expulsão de cerca de quatorze milhões de "*Volksdeutschen*",

---

[208] Citado por Norman M. Naimark, *Flammender Hass. Ethnisch Säuberungen im 20. Jahrhundert* [Um ódio inflamado: Limpezas étnicas ao longo do Século Vinte], Munique, 2005, p. 141. (NA).

que se transformaram em refugiados e desterrados. Cerca de dois milhões de pessoas morreram durante o processo, enquanto mais de cem mil foram deportados para outros países e sujeitos a trabalhos forçados.[209]

Essa foi provavelmente a substituição de populações mais maciça de toda a história do século 20, mas não foi a única. Todos estes deslocamentos, fossem denominados expulsões, limpezas étnicas, deportações ou movimentos de relocação populacional administrativa, são o resultando da tendência moderna de construir estados nacionais etnicamente homogêneos – uma característica definida do processo de construção dos estados modernos. Populações heterogêneas, com suas "desvantagens infindáveis", segundo a expressão eufemística de Sir Winston Churchill, permanecem sempre como obstáculos potenciais ou reais às possibilidades de desenvolvimento de um estado nacional, e a previsão de Churchill de que o deslocamento populacional não seria muito alarmante, nem causaria problemas particulares baseava-se diretamente na experiência que resultou da Convenção de Lausanne, em 1923, após o final da última guerra greco-turca, que determinou o intercâmbio de grupos gigantescos de gregos da Anatólia por turcos da Grécia. A troca de populações de cerca de um milhão e meio de gregos por aproximadamente 350.000 turcos foi estabelecida por meio de um tratado internacional, realizada sob a vigilância de uma comissão internacional e não pareceu absolutamente desumana, mas foi considerada como uma estratégia racional de homogeneização dos estados nacionais que parecia a mais indicada para minimizar consideravelmente os riscos de futuros conflitos.

A época moderna assistiu a uma longa fila de limpezas étnicas. Algumas delas foram resolvidas por meio de genocídio, como foi o caso do massacre dos armênios pelos turcos ou das estratégias da nova ordem stalinista. Tais eventos de assassinatos em massa não foram somente o resultado de escaladas de violência, mas algumas vezes provocados por falta de planejamento e organização ou de indiferença pela vida humana quando – como no caso da deportação dos tchetchenos e inguchis, em que morreram dezenas de milhares durante o processo de transporte por milhares de quilômetros de estradas de ferro e em que os sobreviventes foram depositados em um descampado onde não existiam

---

[209] Veja Rainer Geissler: *Struktur und Entwicklung der Bevölkerung. Bundeszentrale für politische Bildung* [Estrutura e desenvolvimento da população. Escritório central federal para educação política], consultar o *site* eletrônico http://www.bpb.de/publikationen/7WF4KK.html. Existem suposições muito variadas sobre as pessoas que fugiram de suas terras, já que não dispomos de números confiáveis, mas somente cálculos realizados sobre bases de solidez apenas parcial. O número real de mortes talvez seja um pouco mais baixo (Ingo Haar, *Hochgerechnetes Unglück. Die Zahl der deutschen Opfer nach dem Zweiten Weltkriege wird übertrieben* [Uma desgraça supervalorizada. O número de vítimas alemãs após a Segunda Guerra Mundial foi exagerado], publicado no *Süddeutsche Zeitung* [Jornal da Alemanha Meridional], 14 de novembro de 2006. (NA).

HARALD WELZER

reservas de alimentos e nem sequer abrigos, porque ninguém achara importante providenciar estas coisas para os recém-chegados. Deste modo, mais de cem mil tchetchenos e inguchis morreram durante os três primeiros anos de sua deportação, além dos que haviam perecido durante a longa viagem.[210]

O resultado da guerra decorrente da dissolução da Iugoslávia foi a transformação da anterior república compartilhada por uma federação de estados em um grupo de estados nacionais etnicamente homogêneos; também aqui o meio para atingir este objetivo foi a limpeza étnica, como em Kosovo ou na Bósnia, onde este método foi praticado às claras e o conflito derivado por esses ajustes de contas se estendeu a tal ponto que somente a intervenção e o controle internacionais impediram de se tornar uma guerra aberta. Michael Mann, que escreveu uma história volumosa e abrangente sobre o alcance das limpezas étnicas ao longo do século 20, chegou à proveitosa conclusão de que estas não foram o resultado de *fracassos* nos processos de modernização, porém, justamente ao contrário, uma característica de seu sucesso. Todas as sociedades ocidentais, com a exceção da Suíça, Bélgica, Grã-Bretanha e Espanha,[211]* devem a sua situação atual de estados nacionais a uma política de homogeneização étnica, cujo reverso foi a limpeza étnica – este é o lado obscuro da democratização que, infelizmente, parece estar esquecido pelas pessoas que se horrorizam com a violência desencadeada na Bósnia.

A partir deste pano de fundo percebe-se, naturalmente, que o processo de globalização novamente se torna uma das causas da violência. Já as sociedades de muitas nações pós-coloniais, pós-socialistas ou pós-autocráticas vêm seguindo os passos dos países europeus da Organização para a Cooperação Econômica e o Desenvolvimento (OECD) em sua construção de estados nacionais, razão por que maiores potenciais para violência se desenvolvem no interior destas sociedades e, por idêntico motivo, se agravam as tendências para que esta violência se manifeste abertamente. O islamismo radical e sua inclinação para a prática de atos violentos se encaixa perfeitamente dentro deste processo

---

[210] Veja Norman M. Naimark, *Flammender Hass. Ethnisch Säuberungen im 20. Jahrhundert* [Um ódio inflamado: Limpezas étnicas ao longo do Século Vinte], Munique, 2005, pp. 125ss. (NA).

[211]* É preciso não esquecer que após a *Reconquista*, na qual milhares de muçulmanos (chamados "mouros") foram mortos e outros tantos expulsos, os Reis Católicos, Fernando e Isabel, decidiram homogeneizar a religião de seu país, determinando um prazo de três meses para a conversão ou exílio dos três milhões de judeus que habitavam seu território, grande número dos quais nas terras recentemente tomadas aos árabes, em que tinham sido geralmente bem tratados. Um terço deles aceitou a conversão, outro terço abandonou o país, mas cerca de um milhão de judeus que não concordou em abandonar sua religião foi massacrado por todo o país pela população católica insuflada pelos padres e com o apoio das tropas do governo. Mesmo os conversos, chamados "marranos" [porcos] foram objeto de perseguições políticas ou religiosas durante séculos, particularmente pela Santa Inquisição. (NT).

160

global, mas é apenas um de seus elementos, porque o impulso para a modernização dos países envolvidos é também percebido fortemente e rechaçado com violência.[212] Ainda com relação ao terrorismo, caberia mais uma observação. Antes de tudo deve ser observado que as guerras permanentes, as correntes de refugiados, a limpeza étnica etc., não representam a antítese da modernização, mas infelizmente, são uma parte de seu custo.

Quando a globalização, conforme escreveu Mary Kaldor, "favorece um crescimento que entrelaça e abrange o total do globo terrestre, em termos políticos, econômicos, militares e culturais", a consequência imediata é que vejamos o surgimento de formas de violência, como as guerras permanentes ou a limpeza racial igualmente entrelaçadas a essa globalização.[213] O potencial para violência provocado pelas mudanças climáticas se manifesta *internamente* às estruturas existentes e não no choque de princípios antagonistas dos atores envolvidos, como contrapõe a objeção corrente do fundamentalismo radical ou é igualmente sugerido pelos liberais do Ocidente. A tese do choque de culturas apresentada por Samuel Huntington basicamente não é falsa, porque estes conflitos culturais violentos realmente ocorrem, mas sua abrangência tem um horizonte limitado, uma vez que Huntington apenas observa o que *os outros* fazem e não o papel exercido por sua própria cultura sobre todos os entrelaçamentos comportamentais que as culturas constroem de forma interdependente e cujos conflitos são ajustados *conjuntamente*. Apresenta-se aqui uma interação, parcialmente responsável pela formação da violência, mas que realmente não se trata de nada tão metafísico ou sem motivo formal como um "choque de culturas". Esse tipo de abstração não ocorre no campo do social. Os conflitos sempre são interações concretas e embaraçam as percepções, significados e comportamentos mútuos dos envolvidos.

As variações climáticas transformam o entrelaçamento das culturas em aspectos vitais e concretos de pessoas bastante diversas, que executam funções bem diferentes e que a paisagem das informações globais vem modificando muito rapidamente. A comunicação apresentou a todas as populações

---

[212] Além disso e na mesma direção se manifesta também o retorno dos movimentos de religiosidade puritana contrários à modernização, os quais – conforme escreveu Claus Leggewie – operam simultaneamente de forma transnacional e individualística. (Claus Leggewie, *Glaubensgemeinschaften zwischen nationalen Staatskirchen und globalen Religionsmärkten* [A sociedade dos crentes dividida entre as igrejas nacionais estabelecidas e o Mercado religioso global], conferência pronunciada perante o *International Congress on Justice and Human Values in Europe* [Congresso Internacional sobre a Justiça e os Valores Humanos na Europa] a 10 de maio de 2007. (NA).

[213] Mary Kaldor, *Neue und alte Kriege. Organisiert Gewalt im Zeitalter der Globalisierung* [Guerras antigas e modernas. A violência organizada na época da globalização], Frankfurt am Main, 2000, p. 18. (NA).

do mundo as variações radicais existentes entre as diferenças culturais e apagou as distâncias entre as múltiplas regiões e conduziu estas culturas distantes e de costumes muitas vezes opostos a um contato informacional extremo que abrange o mundo inteiro, ao mesmo tempo que os ambientes vitais e as condições de vida permanecem extremamente diferentes uns dos outros. Deste modo, a globalização "conduz de forma semelhante à integração e à fragmentação, proporcionando tanto a homogeneidade como a heterogeneidade",[214] favorecendo tanto o universalismo como o nacionalismo. As consequências desta globalização são manifestadas diretamente dentro do âmbito e das práticas das guerras permanentes – cada informação sobre uma minúscula escaramuça local tem potencial para ser comunicada de imediato em nível internacional, sendo instrumentalizada e merecendo auscultar a opinião dos participantes locais de todas as categorias, tanto dos atores estatais, como dos transestatais e dos independentes de qualquer afiliação com um governo, o que significa no exterior, dependendo da perspectiva, um motivo para intervenção ou uma oportunidade de novos negócios lucrativos. Isto é modificado de acordo com as noções prévias de "predisposição para o entrelaçamento em assuntos políticos, econômicos, militares e culturais", só que no final destes entrelaçamentos encadeados se encontram seres humanos que são forçados a fugir ou são mortos ou oprimidos e finalmente as cortes internacionais de justiça, comprometidas com esta tarefa pouco invejável, são forçadas a desenredar as causas iniciais dos assassinatos e genocídios e sentenciar os responsáveis por elas.

E aqui surge mais uma das consequências mortíferas da globalização: "De um dos lados se encontram os membros de uma classe global que se comunica em inglês e tem acesso ao fax, *e-mail* e serviços de satélites, dispõe de dólares [...] ou de cartões de crédito e pode viajar para onde quiser. Do outro lado, encontramos aqueles cujo acesso é vedado aos processos globais; que vivem daquilo que podem vender ou trocar ou que dependem do auxílio humanitário; cuja possibilidade de ir e vir é limitada por falta de transporte, dificuldades na obtenção de vistos e pelos altos custos das viagens e ainda são ameaçados por ataques e assédios, fome e outros efeitos da miséria, minas terrestres nos campos e estradas e outros perigos semelhantes."[215]

No melhor dos casos, isso pode dar origem à dissonância cognitiva no exterior, quando chega ao conhecimento público o fato de estarem sendo expulsos

---

[214] *Ibidem*, p. 19. (NA).
[215] *Ibidem*, p. 20. (NA).

de seus territórios quando as guerras rebentam e se tornam constantes; na pior das hipóteses, mesmo que seja uma falsa percepção, todas as dificuldades e violência que enfrentam são encaradas como guerras tribais, étnicas ou primitivas etc. Esta até pode ser a sua manifestação, mas não é em absoluto sua causa original. Do mesmo modo que nos assinalou o século 20, existe uma relação íntima entre a modernização e a violência maciça, e as limpezas étnicas se ampliam, conforme escreveu Michael Mann, no mesmo ritmo e paralelamente ao processo de democratização e não em sentido inverso. "Conflitos provocados por motivos étnicos ocorrem no Hemisfério Sul desde que os processos de desenvolvimento se intensificaram nos anos sessenta e setenta do século passado, justamente dentro do espaço de sua suposta democratização. Até mesmo na esfera do Hemisfério Norte, em que dominam democracias firmemente institucionalizadas e uma política interessada por todas as classes sociais, permanecem ainda diferenças. Nos estados anteriormente comunistas, em que os regimes autoritários se baseavam em uma política de diferenciação entre as classes sociais, manifestou-se uma corrente de influência ideológica bastante forte desde a década de 1950. Esta corrente fluiu para o Oriente Próximo e para o Oriente Médio, depois para a África do Norte e atingiu a África Negra a partir dos anos sessenta, passando a influir enormemente sobre os processos iniciais de democratização desses estados, lançando-se depois sobre a Ásia e, após 1975, frequentemente sobre as Américas do Sul e Central. De fato, depois de 1975, todas as tendências políticas regionais do Hemisfério Sul foram crescentemente influenciadas por este influxo, até aproximadamente 1995. Com a divisão da União Soviética e o esfacelamento da Iugoslávia a curva se tornou mais íngreme. A partir de 1995 esta tendência começou a regredir – com exceção da África do Sul – ainda que a tendência conjunta até hoje não tenha retornado aos níveis anteriores a 1991."[216]

A partir do exposto, compreende-se que as origens dos conflitos percebidos como étnicos são altamente variadas; dentro do âmbito dos diferentes espaços de influência política, desde a quebra conjunta do sistema de governo nacional ou da implosão dos governos autoritários, as diversas causas iniciais interpretadas como categorias étnicas passaram a significar muito mais do que elas geralmente ou até mesmo compreensivelmente representam. Em seu conjunto, existe um campo de abrangência muito amplo de deslocamentos e interesses geopolíticos, competindo em busca de poder e pelo controle de recursos que

---

[216] Michael Mann: *Die dunkle Seite der Demokratie. Eine Theorie der ethnischen Säuberung* [O lado obscuro da Democracia: Teoria da Limpeza Étnica], Hamburgo, 2007, p. 744. (NA).

envolvem um crescente entrelaçamento de caráter global. O significado das transformações climáticas para este campo de abrangência não foi inteiramente observado nem apreendido até o presente – embora já se manifeste por meio de terremotos, inundações e incêndios florestais que não raramente resultam em saques, demonstrações violentas, distúrbios ou revoltas; nos últimos anos ocorreram os grandes incêndios florestais da Grécia,[217] os violentos terremotos do Peru,[218] enquanto estes sismos vêm ocorrendo regularmente no Paquistão[219]. Os recursos distribuídos pelas organizações de amparo a catástrofes são enviados, mas já se mostram insuficientes. O exemplo grego, do mesmo modo que o de Nova Orleans, assinalam que mesmo a ordem social de estados firmemente estabelecidos pode ser desfeita muito rapidamente.

Conflitos Ambientais

Quando encaramos até que ponto as consequências das variações ambientais já se manifestam na restrição das zonas habitáveis, sobre a modificação das regiões cultiváveis, através da extensão dos desertos e pela escassez de água potável de um lado e inundações incontroláveis do outro, a um ponto tal que o atual equilíbrio internacional do campo de abrangência geopolítico, da balança de poder e da luta por recursos já está sendo perturbado – constata-se que já não existe a menor dúvida de que o século 21, por efeito das variações climáticas, ainda apresentará um potencial de abrangência que irá provocar perigos crescentes e desencadear uma violência ainda maior. Michael Mann já localizou vários candidatos para os próximos conflitos, ao afirmar que "a Indonésia não será capaz de impedir os movimentos pela autonomia de Aceh e de Papua Ocidental; a Índia tampouco conseguirá assimilar ou subjugar os muçulmanos de Caxemira, do mesmo modo que algumas pequenas populações nas fronteiras do subcontinente; o Sri Lanka não terá condições de assimilar os tamis e nem poderá subjugá-los; muito menos a Macedônia conseguirá subjugar os albaneses, nem a Turquia, o Irã e o Iraque suas minorias curdas, nem a China os tibetanos ou os muçulmanos da Ásia Central, nem

---

[217] *Frankfurter Allgemeine Zeitung*, 30 de agosto de 2007. (NA).

[218] Programa *Tagesschau* [Espetáculo Diário], 20 de julho de 2007. (NA).

[219] *ORF [Österreichischer Rundfunk* [Rede Nacional de Difusão Televisiva Austríaca], no *site* http://news.orf. at/051010-92154/92155txt_story.html. (NA).

a Rússia os tchetchenos, nem o regime de Cartum poderá submeter os movimentos de independência dos sudaneses meridionais. E, naturalmente, Israel não conseguirá abafar as diversas facções palestinas, nem agora, nem a longo prazo".[220] Também no Báltico podemos esperar diversos conflitos, porque aqui, além dos extremos agravantes ambientais sobre as regiões industriais, vivem numerosos russos étnicos.[221]

Em alguns destes e de outros conflitos futuros, as variações climáticas exercerão uma crescente influência sobre o problema da sobrevivência humana, alimentando ainda mais as chamas da dinâmica da violência; em outros terão um papel apenas limitado; em um terceiro grupo, poderão até contribuir para o apaziguamento. Em todos os casos as atitudes demonstradas durante o século 20 na construção dos estados nacionais serão postas em prática ao longo do século 21 para a formação de uma população etnicamente homogênea e a violência será desencadeada ao longo de linhas étnicas, talvez em proporções ainda mais maciças que anteriormente. As variações climáticas acelerarão as transformações das fronteiras entre os estados, aumentarão seu alcance e provocarão pressões para a obtenção de soluções rápidas. Este não é um prognóstico pessimista, mas apenas a aplicação dos processos já atualmente em curso, conforme a visão geral dos conflitos ambientais que provocaram atos de violência durante os últimos anos é apresentada na seguinte tabela:

CONFLITOS AMBIENTAIS QUE PROVOCARAM VIOLÊNCIA			
REGIÃO	**PAÍS/PAÍSES [ÉPOCA]**	**ABRANGÊNCIA DO CONFLITO**	**RECURSOS AFETADOS**
América do Norte.	Canadá-Espanha (1995 até o presente).	Internacional.	Pesca.
América do Norte.	Estados Unidos (Havaí) (1941-1990).	Localizado.	Fontes e Solo.
América do Norte.	Estados Unidos-México (atual).	Internacional.	Água.
América Central e Caribe.	México (2005).	Localizado.	Terras e Solo.
América Central e Caribe.	El Salvador-Honduras (1969-1980).	Internacional.	Terras e Solo.
América Central e Caribe.	Belize (1993 até o presente).	Nacional.	Florestas, Madeira e Fontes de Água.

CONTINUA >>

---

[220] Michael Mann: *Die dunkle Seite der Demokratie. Eine Theorie der ethnischen Säuberung* [O lado obscuro da Democracia: Teoria da Limpeza Étnica], Hamburgo, 2007, p. 772. (NA).

[221] Alexander Carius, Dennis Tänzler e Judith Winterstein: *Weltkarte von Umweltkonflikten – Ansatz zu einer Typologisierung* [Cartografia mundial dos conflitos ambientais – Tentativa para a classificação de uma Tipologia], Potsdam, 2007, p. 10. (NA).

HARALD WELZER

REGIÃO	PAÍS/PAÍSES [ÉPOCA]	ABRANGÊNCIA DO CONFLITO	RECURSOS AFETADOS
América Central e Caribe.	México (1995 até o presente).	Localizado.	Terras e Florestas.
América Central e Caribe.	Guatemala (1954 até o presente).	Nacional.	Terras.
América Central e Caribe.	El Salvador (1970-1992).	Nacional.	Terras.
América Central e Caribe.	Haiti-Estados Unidos.	Internacional.	Terras.
América do Sul.	Brasil (2005).	Localizado.	Terras.
América do Sul.	Chile (2005).	Localizado.	Nascentes de Água.
América do Sul.	Equador-Peru (1995).	Internacional.	Terras.
América do Sul.	Peru (1996).	Nacional.	Terras.
América do Sul.	Brasil (1960 até o presente).	Localizado.	Terras.
América do Sul.	Chile (1960 até o presente).	Localizado.	Terras.
América do Sul.	Peru (2001).	Localizado.	Terras.
América do Sul.	Bolívia (2000).	Nacional.	Rios.
América do Sul.	Uruguai (2005).	Localizado.	Solo.
América do Sul.	Colômbia (1992 até o presente).	Localizado.	Solo, Terras, Biodiversidade.
Europa.	França (1995 até o presente).	Nacional.	Água e Solo.
Europa.	Grécia-Turquia (1987-1999).	Internacional.	Direitos de Pesca.
Europa.	Rússia-Noruega (1955-1990).	Internacional.	Água e Pesca.
Europa.	Hungria-Eslováquia (1989-1994).	Internacional.	Água, Pesca, Biodiversidade.
Europa.	Grã-Bretanha (1971 até o presente).	Localizado.	Terras, Biodiversidade e Direitos de Pesca.
África Oriental.	Etiópia (atual).	Localizado.	Terras, Madeira e Fontes de Água.
África Oriental.	Eritreia (1991 até o presente).	Localizado.	Terras, Madeira e Água.
Oriente Próximo.	Iraque (1991-2003).	Localizado.	Terras, Madeira e Água.
Oriente Próximo.	Israel-Líbano (1967 até o presente).	Internacional.	Água.
Oriente Próximo.	Israel-Palestinos (1967 até o presente).	Internacional.	Água.
Oriente Próximo.	Jordânia-Síria (1948-1999).	Internacional.	Água.
Oriente Próximo.	Jordânia-Arábia Saudita (1990 até o presente).	Internacional.	Água.
Oriente Próximo.	Turquia-Síria-Iraque (1990-1999).	Internacional.	Água.
África do Norte.	Marrocos-Espanha (1948-1999).	Internacional.	Direitos de Pesca.
África do Norte.	Somália-Etiópia (1986-1991).	Internacional.	Solo.
África do Norte.	Sudão-Egito (1992-1999).	Internacional.	Água.
África do Norte.	Sudão (1987 até o presente).	Nacional.	Terras.
África do Norte.	Mauritânia-Senegal (1989-2001).	Internacional.	Água.
África do Norte.	Mali (1970-1996).	Nacional.	Terras e Água.
África do Norte.	Níger (1970-1995).	Nacional.	Terras e Água.
África do Norte.	Etiópia (2000 até o presente).	Localizado.	Terras e Água.
África do Norte.	Etiópia (1990).	Localizado.	Água.
África do Norte.	Senegal-Mauritânia (1989-1993).	Internacional.	Terras e Água.
África do Norte.	Níger (1990-1991).	Localizado.	Água, Terras e Solo.

A GUERRA DA ÁGUA

REGIÃO	PAÍS/PAÍSES [ÉPOCA]	ABRANGÊNCIA DO CONFLITO	RECURSOS AFETADOS
África Subsaariana.	Quênia (2005).	Nacional.	Água e Terras.
África Subsaariana.	Chade (2005).	Localizado.	Água e Lenha.
África Subsaariana.	Lesoto-África do Sul (1955-1986).	Internacional.	Água.
África Subsaariana.	Ruanda (1990-1994).	Nacional.	Terras.
África Subsaariana.	Zimbábue (1990 até o presente).	Nacional.	Terras.
África Subsaariana.	Nigéria (1978-1980).	Localizado.	Terras e Água.
África Subsaariana.	África do Sul (1984 até o presente).	Nacional.	Terras e Água.
África Subsaariana.	Botsuana (1985-1991).	Localizado.	Terras e Água.
África Subsaariana.	Quênia (1991-1995).	Localizado.	Terras.
Ásia e Oceania.	China (2006).	Localizado.	Terras.
Ásia e Oceania.	China (2004 até o presente).	Localizado.	Terras.
Ásia e Oceania.	China-Vietnã (1973-1999).	Internacional.	Terras, Água e Espaço Aéreo.
Ásia e Oceania.	Indonésia (1996).	Localizado.	Terras.
Ásia e Oceania.	Paquistão (2006).	Localizado.	Água.
Ásia e Oceania.	Filipinas-EUA (1991 até o presente).	Internacional.	Água, Solo e Espaço Aéreo.
Ásia e Oceania.	Índia (1974 até o presente).	Localizado.	Água.
Ásia e Oceania.	Coreia do Norte (1994 até o presente).	Nacional	Solo e Terras.
Ásia e Oceania.	Uzbequistão-Casaquistão (1970-atual).	Internacional.	Água e Solo.
Ásia e Oceania.	Japão-URSS-Rússia (1945-1999).	Internacional.	Direitos de Pesca e Biodiversidade.
Ásia e Oceania.	Japão-Coreia (1997 até o presente).	Internacional.	Direitos de Pesca.
Ásia e Oceania.	Índia-Bangladesh (1951 até o presente).	Internacional.	Água.
Ásia e Oceania.	Filipinas (1971 até o presente)	Localizado.	Terras e Pesca.
Ásia e Oceania.	Índia (1985 até o presente).	Localizado.	Água, Terras, Biodiversidade, Direitos de Pesca.
Ásia e Oceania.	China (1980 até o presente).	Localizado.	Água e Terras.
Ásia e Oceania.	Tailândia (1985 até o presente).	Localizado.	Água e Terras.
Ásia e Oceania.	Paquistão (1995).	Nacional.	Água e Terras.
Ásia e Oceania.	Índia-Bangladesh (1980-1988).	Internacional.	Terras.
Ásia e Oceania.	Filipinas (1970-1986).	Nacional.	Terras.

O grupo de pesquisas que foi incumbido pelo *Wissenchaftliche Beirat der Bundesregierung Globale Umweltveränderungen* [Conselho Científico do Governo Federal Alemão para Consultas sobre as Modificações do Ambiente Global] (WBGU) para elaborar este panorama geral, com base em outros bancos de dados previamente existentes, definiu os conflitos ambientais como "disputas que foram provocadas ou agravadas pela destruição de recursos renováveis".[222] Naturalmente, não existe nenhum conflito "puramente" ambiental, mas sempre disputas influenciadas por uma série de fatores. O Grupo fez uma análise detalhada dos conflitos ambientais travados até então e os classificou em quatro grupos regionais: na América Central são principalmente conflitos pela utilização agropecuária das terras causados pela degradação do solo, enquanto na América do Sul são provocados quase exclusivamente pela degradação do solo como causa original. No Oriente Próximo, o papel principal é exercido por conflitos causados pela escassez de água, enquanto na África Subsaariana predominam tanto a degradação do solo como a escassez de água.[223] Nos dois primeiros casos não existe uma intenção de derrubar os governos, nem as dificuldades são agravadas por migrações, porém os conflitos são deflagrados pela pobreza, excesso de população e divisão desigual de poder. No caso dos conflitos por água do Oriente Próximo inserem-se pressões populacionais, migrações internas, pobreza e um cenário de abrangência étnica, enquanto no quarto caso as disputas são provocadas pela ingovernabilidade dos territórios: encontramos aqui a decadência de controle dos poderes centrais, o crescimento desordenado das populações, as migrações internas e externas e as características da rivalidade étnica que predominam sobre os choques mais violentos. Os conflitos travados na América Central e na América do Sul não são inofensivos. Ao lado da devastação florestal consequente encontram-se extensos movimentos de expulsão de camponeses: em El Salvador, 70.000 pessoas saíram pelas estradas para fugir aos conflitos, enquanto na Guatemala cerca de 200.000 pessoas perderam a vida.[224] Ao lado disso surgem poderosas catástrofes climáticas que aumentam o potencial dos conflitos: "Devido às inundações e secas, mais de 500 pessoas (um cálculo aproximado) faleceram nessa região, para a qual se preveem em breve outras formas de conflitos provocados pelas condições climáticas".[225] O agravamento dos problemas já existentes nas regiões mencionadas é considerável.

Não obstante, torna-se claro que dentre todas as transformações importantes das condições vigentes as únicas que se destacam no passado, no presente e no futuro por sua influência clara sobre os processos de violência são as variações climáticas. Até o presente, quando são realizadas análises sobre as causas originais da violência, o ponto de vista predominante das pesquisas enfoca principalmente

---

[222] *Ibidem*, p. 14. (NA).
[223] *Ibidem*, p. 46. (NA).
[224] *Ibidem*, p. 27. (NA).
[225] *Ibidem*, p. 47. (NA).

A GUERRA DA ÁGUA

fatores econômicos, ideológicos e étnicos – mas ao empregarmos uma nova ótica, destaca-se o papel saliente que exercem as disputas sobre recursos básicos, como água, solo e a poluição do ar sobre o desencadeamento da violência. Naturalmente, a origem da violência apenas raramente provém de uma única causa – realmente, os fenômenos da modernização gerados pelo processo de globalização ao redor do planeta se acham intimamente ligados, mas não são os fatores determinantes dos efeitos da violência internacional ou interna, embora reforcem as disparidades nas possibilidades de sobrevivência e prejudiquem os processos de desenvolvimento futuros. Todas as nações que se acham comprometidas no processo de globalização constroem conjuntamente uma configuração abrangente, mas as configurações já existentes não se limitam somente ao plano estatal, mas agem igualmente sobre indivíduos e grupos que são alternativamente favorecidos e prejudicados pelos processos desenvolvimentistas. Estas sensações não são provocadas somente pelas transformações em seu próprio comportamento vital, mas também podem ser percebidas por meio de representações secundárias.

O Terror

Desde que o governo norte-americano declarou uma "guerra contra o terror" de caráter mundial após os atentados de 11 de setembro de 2001, as diferenças clássicas entre a guerra de um lado e o terrorismo do outro se tornaram quebradiças. As fronteiras entre as duas formas de violência se fluidificaram. Desde o começo se torna bastante claro que uma tal declaração de guerra – diferentemente dos procedimentos diplomáticos clássicos que anunciavam uma guerra entre países – não possui um destinatário. O "Terror" não é um sujeito nacional, nem tampouco individual, porém um fenômeno social. Este desaparecimento dos limites entre o terrorismo e a guerra pode ser compreendido igualmente como um efeito da própria estratégia terrorista, porque conferiu aos grupos terroristas, como o próprio RAF (*Rote Armee Fraktion* [Fração do Exército Vermelho alemão]), uma posição de adversários bélicos segundo a definição de seus próprios antagonistas e – em caso de prisão – a condição de prisioneiros de guerra, e até mesmo, à luz de importantes considerações, lhes atribuiu a condição de uma espécie de estado, ainda que este deva ser suprimido por todos os meios que estejam ao alcance.

O terror constitui uma arma política contra um sistema ou um governo, e desde seu começo é *a forma assimétrica* de luta contra a polícia regular ou as forças armadas dos estados que combate. O lançamento de bombas, o assassinato de pessoas importantes ou um ataque aos símbolos do poder, como prédios governamentais, escritórios centrais de empresas, estabelecimentos comerciais etc. não constituem em absoluto uma preparação para as lutas diretas com as tropas regulares do adversário; a disparidade de suas forças conduz diretamente as ações terroristas a adotar a irregularidade dos meios como seu objetivo. Em retrospectiva logística é tão fácil lançar um ataque terrorista a fim de provocar uma insegurança permanente no seio da sociedade alvejada (como pode ter sido o caso da derrubada do avião presidencial em Ruanda) que a finalidade de tais ataques realmente não é o assassinato da pessoa referida, mas efetivamente a semeadura da insegurança. A incapacidade de defesa dos países mais organizados contra ataques *inesperados* (como aconteceu em Nova York, em 2001) assinala o princípio da vulnerabilidade atingida pelos meios mais simples, como foi aqui a transformação das aeronaves comerciais em armas explosivas. Quando a reação do país adversário, como no exemplo da "guerra contra o terror" é desproporcionada e de certo modo até contraproducente, os terroristas e seus simpatizantes podem considerá-la como uma confirmação da justiça de seus meios e uma afirmação de seu poderio contra os adversários. E podem igualmente calcular o abalo provocado do lado desses adversários e como produzi-lo mais uma vez.

Considerada a relação entre os custos e os resultados, o terrorismo é um conceito de violência altamente bem-sucedido sob todos os pontos de vista, e este sucesso foi ainda mais ampliado a partir do momento em que foi coadjuvado pelo conceito dos atentados suicidas. Enquanto os participantes estatais do combate com a Fração do Exército Vermelho, com o Exército Republicano Irlandês ou com as Brigadas Vermelhas italianas pudessem calcular os aspectos racionais de comportamento pessoal de seus adversários, conforme eles agiram geralmente durante a década de oitenta do século 20 e, portanto, contar com a possibilidade de capturar os praticantes diretos dos atos de terrorismo e sentenciá-los por meio de um julgamento, existia um comportamento esperado entre os atacados e os atacantes, mas a partir do início da prática dos atentados suicidas, esta espécie de acordo desapareceu, já que os criminosos, por meio de seu ato de violência, desintegram a si próprios. Juridicamente, os ataques deste tipo não têm perpetradores e, em última análise, não podem ser atingidos pelos procedimentos clássicos do sistema judiciário.

A este tipo de ação liga-se o conhecimento de outra circunstância, isto é, que os perpetradores, em um piscar de olhos após a realização de seus atentados, têm os seus atos transmitidos ao redor do mundo, e isto não constitui absolutamente um fator de tranquilização para os atingidos, bem ao contrário, uma imensa ampliação da insegurança, particularmente quando os ataques atingem os países ocidentais – todavia a tradição do pensamento racional dos países ocidentais não permite esclarecer porque os executantes de ataques suicidas demonstram a convicção de que vale a pena sacrificar a própria vida. A cultura dos atentados suicidas não se tornou deste modo apenas uma arma, embora esta não seja em absoluto inofensiva, como demonstram os perpetradores de ambos os sexos, porém, mais ainda, uma forte imagem da absoluta negação dos valores que são defendidos pelo Ocidente. Nichole Argo, pesquisadora norte-americana sobre o terrorismo, tem plena razão em preconizar que a denominação "atentados suicidas" seja abandonada e substituída pela expressão "bombas humanas"[226] – porque o suicídio, dentro da maneira de pensar cristã-ocidental, não consegue manipular de forma alguma as atitudes dos rapazes (mais recentemente, também de mulheres) que colocam cintos de explosivos sob camisetas com a propaganda dos tênis Nike e que não se lançam simplesmente em busca de lugares concorridos a fim de matar tantas pessoas quanto possível, mas experimentando o sentimento de que esta será uma experiência cheia de significado e uma tarefa racional, servindo como alvo social de uma missão tanto histórica como religiosa que, além disso, segundo ouviram dizer, está ligada à própria situação de comodidade futura.

A cultura das bombas humanas está embutida em um quadro de referências dentro do qual a situação da família do praticante do atentado é muito mais importante que seu próprio bem-estar material. Além disso, essa cultura da realização de atos de extrema violência altamente ameaçadora e correspondente a um comportamento divergente é considerada nessa região do mundo como socialmente desejável e ainda por cima como uma atitude favorável à sociedade. Nos territórios palestinos estabeleceram-se padrões referenciais normativos que diferem radicalmente dos predominantes no sistema de valores ocidental e que, deste modo, dão a impressão de exotismo. Contudo, aos olhos dos perpetradores e de suas famílias, esses valores são totalmente apreciados, e quando alguém decide transformar-se em uma bomba humana, recebe plena aprovação.

---

[226] Nichole Argo: *Human Bombs: Rethinking Religion and Terror* [Bombas humanas. Repensando a Religião e o Terror], *Working Paper* [artigo para discussão em seminário], *MIT Center for International Studies* [Centro de Estudos Internacionais do Instituto de Tecnologia de Massachusetts, 6 de julho de 2008, pp. 1-5. (NA).

HARALD WELZER

De qualquer modo, até 2006, mais de 350 ataques de bombas humanas foram realizados em 24 países[227] – desde essa data, somente no Iraque, foram realizados ataques diários que mais do que dobraram este número.[228] Ademais, aqui encontramos ao mesmo tempo a transição contínua entre o terror e a guerra novamente demonstrada até demais. "No começo dos tempos modernos, o terrorismo suicida, durante mais de duas décadas era um fenômeno limitado a dois países: o Kuait e o Iraque. A partir do final da década de oitenta, o terrorismo suicida começou a se espalhar por todo o Oriente Próximo e pelo Oriente Médio, até atingir o Sri Lanka e depois, no decorrer dos anos noventa, alcançou também a Índia, a Argentina, Israel, a Arábia Saudita, o Quênia e a Tanzânia. Além disso, a tática limitava-se inicialmente a poucos grupos terroristas: principalmente os xiitas iraquianos do grupo Al-Dawa e os xiitas libaneses do Hezbollah (a maior parte dos quais adotavam o nome comum de 'Jihad Islâmica'). Depois do atentado suicida praticado pelo Hezbollah contra os norte-americanos no Líbano, seus efeitos estrondosos deram lugar à adoção da tática por outros grupos, particularmente pelo movimento *Liberation Tigers of Tamil Eelam* [Tigres da Libertação do Tamil Ilam] (LTTE), constituído em Sri Lanka e pelos movimentos islâmicos palestinos, Hamás, Jihad Islâmica e Al-Qaeda. Alguns movimentos étnico-nacionalistas de alcance mundial que mais tarde adotaram as táticas dos ataques suicidas cultivaram uma consciência que refletia uma imagem de caráter religioso – foi o caso da Al-Fatah, que deu à sua facção organizada para ataques suicidas o apelativo de 'Brigada dos Mártires da al-Aqsa' (al-Aqsa é o nome da mesquita localizada em Jerusalém que, juntamente com a mesquita chamada de 'Domo da Rocha',[229*] construída ao lado, constitui o terceiro mais importante santuário do Islã, enquanto a denominação 'mártires' corresponde às mais fortes imagens de caráter religioso)."[230]

A expansão desta forma de terrorismo assinala uma dinâmica de escalação que é impulsionada por seus próprios efeitos e a conotação religiosa atribuída

---

[227] Bruce Hoffman, *Terrorismus. Der unerklärte Krieg* [Terrorismo. A guerra incompreensível], Frankfurt am Main, 1999, p. 211. (NA).

[228] O *Frankfurter Allgemeine Sonntagszeitung* [Edição dominical da edição internacional do jornal] noticiou que, apenas entre 1º. de janeiro e 23 de setembro de 2007, haviam sido praticados 1.533 atentados com bombas no Iraque, dos quais mais de um terço eram ataques suicidas. O número das pessoas assassinadas por meio deles subiu assim de 14.624 para 29.341. (Markus Wehner, *Werkzeug des Terrorismus* [Instrumentos do Terrorismo], *Frankfurter Allgemeine Sonntagszeitung*, 30 de setembro de 2007, p. 4. (NA).

[229*] Segundo é afirmado pelo islamismo, Maomé subiu ao Paraíso do alto dessa rocha. (NT).

[230] Bruce Hoffman, *Terrorismus. Der unerklärte Krieg* [Terrorismo. A guerra incompreensível], Frankfurt am Main, 1999, p. 211. (NA).

A GUERRA DA ÁGUA

por organizações políticas com a al-Fatah aos indivíduos que se transformam em bombas humanas (na qual acreditam os próprios protagonistas), claramente demonstram mais uma vez que o emprego da violência em tais casos não apenas expande seu campo referencial, mas pode modificar o sentido com que é percebida. O fato de que os motivos atuais, a interpretação de suas causas iniciais e seus padrões de referência possam ser completamente diferentes dentro dos processos da violência indica que a execução da violência é apresentada posteriormente – como no caso da homogeneização étnica – como justificativa para o próprio conflito.

Deste modo, em contraste com o terrorismo dominante na década de setenta do século 20, verificou-se uma modificação considerável em termos logísticos, porque os agentes do terror nessa época não tinham o menor interesse em se matarem ou serem presos, mas buscavam também uma estrutura e financiamento para os equipamentos requeridos para sua luta (por exemplo, adquirindo recursos monetários por meio de assaltos a bancos), a logística dos ataques por meio de bombas humanas é tão simples que literalmente *qualquer um* pode empregá-la. As bombas humanas podem provocar incidentes inesperados com a maior flexibilidade, escolher seus alvos com tranquilidade, mover-se subrepticiamente até atingi-los etc. Além disso, são extremamente lucrativas – os custos para a preparação de um ataque individual no modelo palestino ficam em torno de cento e cinquenta dólares;[231] o ataque ao *World Trade Center* não custou mais de 500.000 dólares, porém causou prejuízos materiais e sociais da ordem de muitos bilhões de dólares.[232]

A facilidade do planejamento e execução dos ataques de bombas humanas criou logo a possibilidade de organizar uma apavorante estrutura descentralizada para o terrorismo internacional, por meio da organização pura e simples de redes clandestinas de caráter eventual e tornando desnecessária a formação dispendiosa e arriscada dos grupos e células terroristas que funcionavam anteriormente. A razão é que qualquer um que acredite ter motivos suficientes e esteja disposto a se transformar em um terrorista suicida e sacrificar sua vida por uma causa percebida como significativa tem condições de semear o pânico generalizado nas sociedades que ameaça por seu comportamento radical – sobretudo quando os atentados não são mais dirigidos a instalações industriais

---

[231] *Ibidem*, p. 213. (NA).

[232] Osama bin Laden gabou-se dessa relação de custos em uma transmissão gravada em vídeo, declarando que, para cada dólar investido pela Al-Qaeda, "com o favor de Alá, foi destruído um milhão de dólares, além de um custo gigantesco em trabalhos de reconstrução". (citado por Bruce Hoffman, *ibidem*, p. 215.) (NA).

ou a outros alvos através do Oriente Próximo notório por sua violência, mas lançados contra estudantes de medicina em Londres ou Glasgow ou contra estudantes de engenharia em Hamburgo ou Harburg, na Alemanha. E existe ainda um capital ainda mais amplo nesta forma moderna de terrorismo: os adversários não chegam do exterior, mas já estão infiltrados dentro das sociedades ocidentais – uma perspectiva amedrontadora, que desperta igualmente o desejo urgente de assinalar quais sejam os adversários que *já se encontram entre nós* o mais cedo e claramente que seja possível.[233]

Desta maneira, o terrorismo moderno desenvolveu uma considerável erosão social e um grande potencial de insegurança, enquanto proporciona, por outro lado o aparecimento de uma gama inteira de elementos de atração psicológica e social. É surpreendente o seu magnetismo imediato, que domina os jovens (particularmente do sexo masculino) e introduz o seu desenvolvimento insuspeito em um mundo de significados cada vez mais radical e exclusivo. De acordo com Marc Sageman, que realizou o mais abrangente estudo publicado até agora sobre as causas e procedimento do terrorismo islâmico, 84% dos jovens recrutados nos últimos anos para combater pela *Jihad* não se encontravam dentro dos limites das terras islâmicas ao tomarem a decisão de se tornarem terroristas, mas viviam em um dos países ocidentais na condição de estudantes ou eram filhos de imigrantes ou até mesmo pertenciam à segunda geração dos descendentes de refugiados.[234] Deste modo, não estamos tratando com elementos ignorantes e exteriores à sociedade, mas lidando com jovens educados e aparentemente bem integrados que, em sua maioria, não foram criados por famílias particularmente religiosas. Eles não parecem apresentar características psíquicas especiais e uma surpreendente maioria não demonstra qualquer sentimento de desterro, opressão ou exclusão.[235]

É bastante interessante verificar que o sentimento de injustiça, invocado como o principal motivo para a realização de seus atos de violência, conforme seus depoimentos gravados em videoteipe e confissões escritas revelam, não são

---

[233] Aqui se encontra a mais alta forma de inquietação provocada pelo terrorismo, quando os terroristas potenciais não apresentam quaisquer características particulares – por exemplo, os adolescentes alemães convertidos ao islamismo Fritz G. e Daniel Martin S., que cometeram um atentado a bomba na Alemanha e foram presos em setembro de 2007, tornando pública a sua situação e despertando um grande alvoroço através da publicidade porque, como o caso foi considerado oficialmente, eles foram tratados como se fossem pessoas oriundas de países islâmicos. (NA).

[234] Marc Sageman: *Understanding Terror Networks* [Como entender as redes terroristas], Philadelphia, 2004. (NA).

[235] Nichole Argo: *Human Bombs: Rethinking Religion and Terror* [Bombas humanas. Repensando a Religião e o Terror], *Working Paper* [artigo para discussão], *MIT Center for International Studies* [Centro de Estudos Internacionais do Instituto de Tecnologia de Massachusetts, 6 de julho de 2008, Tradução de Harald Welzer. (NA).

A GUERRA DA ÁGUA

produto de sua *própria* experiência de pobreza ou de opressão, mas se desenvolveu a partir de uma perspectiva externa causada pela comparação de seu ambiente luxuoso, dentro do qual realmente não existe qualquer luta diária pela sobrevivência nem qualquer outro problema concretamente existencial, por meio de uma reação de substituição, com a opressão ou exclusão de outros, que acreditam pertencer a seu próprio grupo e com os quais se identificam. Em outras palavras: é justamente a experiência do bem-estar e dos padrões de vida do ocidente que fornece aos mais recentes perpetradores de violência os motivos cognitivos e emocionais para desejarem destruir o Ocidente.[236]

Até o ponto a que chegaram as pesquisas atuais, os aspectos ideológicos, como o fundamentalismo religioso ou as percepções políticas anteriores ao resultado do mergulho neste mundo de significados são suas causas originais – em primeiro lugar, conforme escreveu Nichole Argo, vem a aquisição de uma perspectiva ideológica da existência "de laços externos emocionais e sociais; em segundo lugar, a participação na *Jihad* não deve ser percebida explicitamente como decisiva, mas como um processo social e emocional de longa duração".[237] Mas desde seu início, este processo transforma em terroristas islâmicos jovens da segunda geração de imigrantes, criando, por exemplo, dentro do meio estudantil a experiência pessoal de que se vive em um mundo a que não se pertence e com o qual não é possível a identificação. Os responsáveis pelo atentado ocorrido em Londres em agosto de 2005 eram filhos de imigrantes paquistaneses que, em sua condição de pequenos comerciantes, vendedores ambulantes, empregados ou operários, haviam se adaptado às condições da sociedade que os acolhera até granjear um modesto nível de comodidade e bem-estar. Enquanto esta primeira geração de imigrantes era, em sua maioria, perfeitamente leal à sociedade acolhedora, porque dentro dela haviam ascendido socialmente e obtido a possibilidade de melhores padrões de vida, os membros da segunda geração já haviam recebido estes padrões desde o início sem precisar lutar para obtê-los e experimentavam um sentimento sutil de

---

[236] A partir daqui surge também uma argumentação da assim chamada "pregação do ódio". Mohammed Fazazi, por exemplo, que em sua condição de pregador do islamismo visitou em Hamburgo um dos praticantes dos atentados de 11 de setembro, apresentava argumentos destacando a forte oposição entre os valores ocidentais e islamitas, culpava a herança do colonialismo pela situação de exploração e opressão permanente e assim salientava a necessidade de uma retomada do poder islâmico através da violação das leis ocidentais e do terror. (Romuald Karmakar: *Hamburger Lektionen* [As lições de Hamburgo], *Dokumentarfilm* [Documentário para a televisão], 2007. (NA).

[237] Nichole Argo: *Human Bombs: Rethinking Religion and Terror* [Bombas humanas. Repensando a Religião e o Terror], *Working Paper* [artigo para discussão], *MIT Center for International Studies* [Centro de Estudos Internacionais do Instituto de Tecnologia de Massachusetts, 6 de julho de 2008, tradução de Harald Welzer. (NA).

expatriação e menos sutil de exclusão dentro da sociedade majoritária de forma progressivamente mais intensa. O racismo latente e algumas vezes manifesto pelas sociedades ocidentais contra os "paquis", "fidgis" e "canacas" provocava aos poucos uma sensação profunda de exclusão e não raramente de identificação com a cultura hereditária de seus ancestrais; preconceitos sociais manifestados um pouco pela limitação das possibilidades de educação superior e outros pela falta de oportunidades de relações sexuais alicerçaram o sentimento de exclusão por eles percebido.

Além disso, a maioria destes jovens adolescentes foi educada com uma imagem ilusória de um nível de vida bem superior ao de seus pais, que inicialmente fez com que percebessem suas lições sobre a vida como sendo mentirosas e, em segundo lugar, como lhes proibindo atingir esse nível, o que os fazia desenvolver um profundo ressentimento e não somente os transformava em desordeiros, drogados ou infratores de pequeno porte, mas lhes permitia estudar os comportamentos vigentes no submundo e a chegar a conclusões a partir daí. Este foi o modelo seguido em sua carreira, por exemplo, por Sidique Khan, uma das bombas humanas dos ataques realizados em Londres.

O mais moço dos quatro filhos do operário metalúrgico Tika Khan foi matriculado e frequentou o segundo grau, estava perfeitamente integrado a seu grupo social e os únicos problemas que criou para seus pais eram referentes a coisas religiosas, por ter assumido uma posição crescentemente radical. Khan realizou durante bastante tempo um trabalho de proteção à juventude, cuidando de filhos de imigrantes e de jovens drogados. Deste modo, ele construiu e estabeleceu seu círculo de amizades na forma de um grupo íntimo e hermeticamente fechado, dentro do qual recrutou mais tarde as bombas humanas para os atentados planejados. O espaço dentro do qual se moviam os membros desse grupo não apenas se tornou intelectualmente cada vez mais limitado, mas também no sentido geográfico. "Era composto pela mesquita em que rezava, pelos quarteirões em que habitavam os grupos de jovens paquistaneses, pela livraria onde se reuniam para conversar – nenhum lugar importante de sua vida se localizava a mais de quinhentos metros em linha reta do ponto central do bairro paquistanês."[238]

Uma tal concentração em um espaço com mínimas possibilidades de expansão sob qualquer ponto de vista é característico da maior parte dos

---

[238] Shiv Malik: *Der Bomber und sein Bruder* [O lançador de bombas e seus irmãos], ZEITmagazin Leben 28/2007, p. 21 em http://www.zeit.de/2007/28/Bomber-28. (NA).

terroristas e um traço marcante na vida dos praticantes de atentados. Dentro de tais espaços herméticos desaparece a maior parte das comunicações com o mundo exterior, de tal modo que os membros desses grupos se voltam para dentro de si mesmos e, seguindo uma espiral por eles mesmos escolhida e formada, assumem um caráter firmemente homogêneo. Este se manifesta em boa parte por meio de um pensamento redutor da complexidade social e das respostas contraditórias a ela interligadas, tal como oferece a vida no mundo moderno, com sua apresentação da heterogeneidade de maneiras de viver, suas mensagens noticiosas e comerciais e as exigências de flexibilidade que ela nos impõe. Sua concentração em um grupo muito íntimo de "Nós" constrói um mundo de significados peculiares que contrasta nitidamente com o mundo de sentidos difusos, impuros e contraditórios manifestado pelo mundo externo.

Desse modo, o desenvolvimento interno da cultura de um tal grupo não se manifesta pelo surgimento de uma separação espontânea ou de uma adesão imediata, mas se desenrola lentamente e pode ser motivado pela sensação de distanciamento, de unidade e de exclusão pela sociedade majoritária. Acima de todas as ideologias, um tal grupo origina uma pátria psicossocial para quem se sente apátrida e anseia por uma pátria. Setenta e cinco por cento dos terroristas mais recentes da *Jihad* tinham, além disso, algum laço social com alguém que já estava ligado a uma rede de terror; dentre estes se destacavam principalmente os 8% que eram agentes formados por escolas islâmicas por meio de doutrinação e treinamento explícitos.[239] Transformar-se em terrorista é um processo social e não uma separação cognitiva predeterminada.

Cada membro de um grupo que compartilha das convicções religiosas e percepções de significado dos outros membros representa uma confirmação viva da justiça destas convicções e endossa com maior segurança tais percepções – realmente, isto ocorre ainda mais quando estes radicais se afastam daquilo que o mundo exterior considera como normal. As opiniões manifestadas pela família são consideradas como uma adaptação a esse mundo e até mesmo como uma traição dos ensinamentos do Islã e, por conseguinte, dos princípios da *Jihad* – em seu videoteipe de despedida Sidique Khan falou com o

---

[239] Marc Sageman: *Understanding Terror Networks* [Como entender as redes terroristas], Philadelphia, 2004. Veja também Nichole Argo: *Human Bombs: Rethinking Religion and Terror* [Bombas humanas. Repensando a Religião e o Terror], *Working Paper* [artigo para discussão], *MIT Center for International Studies* [Centro de Estudos Internacionais do Instituto de Tecnologia de Massachusetts], 6 de julho de 2008, p. 3, Tradução de Harald Welzer. (NA).

maior desprezo daqueles que se satisfazem "com seus carros Toyota e com os aposentos de suas casas geminadas".[240]

Ainda é necessário mencionar um ponto importante dentro do processo segundo o qual uma pessoa comum se transforma em terrorista: ela adquire a consciência de pertencer a uma elite, cujos interesses, conjuntos de valores e acima de tudo, prontidão para a ação parecem estar muito afastados da vida diária habitual vivenciada pela gente profana. "A gente adquire este sentimento", conforme escreveu um antigo participante dos atentados islâmicos, "de ser o único a perceber que a sociedade está entrelaçada com atos criminosos, que as pessoas se agacham em um porão, vivem em um mundo crepuscular, enquanto acima delas o sol lentamente se põe. Nós sentíamos que Deus nos tinha escolhido para salvar esta sociedade. Nós pertencíamos a uma geração de salvadores. Nós pensávamos muitas vezes, não obstante, que esta sociedade realmente não tinha feito nada para merecer ser salva por nós."[241]

É esta consciência de pertencer a uma elite que permite tão facilmente cometer assassinatos por grupos terroristas, desde a Fração do Exército Vermelho alemão até a *Jihad* Islâmica, porque parece conferir a seus membros uma permissão para matar outras pessoas sem o menor remorso. A hipótese adotada por muito tempo de que as motivações para o terror estavam enraizadas em sentimentos de deficiência ou em experiências de exclusão é inteiramente falsa – bem ao contrário, os protagonistas dos atentados sentem-se os protagonistas de um sentimento de superioridade acima da pequenez e banalidade do pensamento e atitudes de seus pais, professores e antigos amigos. Também os participantes convictos dos atentados de esquerda da década de setenta do século 20 se percebiam como pertencentes a uma segunda geração (após o nazismo) e consideravam o restante da população da sociedade alemã do pós--guerra como antiquado e repressivo tanto moral como intelectualmente. A partir dessa percepção eles derivavam sua autolegitimação para combater o estado, já que sua própria formação, tanto em capacidade intelectual como em sentimentos elitistas, que particularmente lhes possibilitaria por meio desse

---

[240] Shiv Malik: *Der Bomber und sein Bruder* [O lançador de bombas e seus irmãos], ZEITmagazin Leben 28/2007, p. 20. As pessoas que se envolvem nestes esquemas também são convertidas, como os adolescentes alemães Fritz G. e Daniel Martin S., que não pertenciam a qualquer minoria antes de se converterem ao Islã. Além disso, quando se recorda a época em que funcionava o terrorismo da Fração do Exército Vermelho, percebe-se claramente que não existe nenhuma causa real, porém acima de tudo a percepção de uma injustiça ligada a um autoconceito de se pertencer a uma elite que leva as pessoas a se tornarem simpatizantes ou patrocinadoras de um grupo terrorista ou até mesmo a aderirem a ele. (NA).

[241] Citado por Wolf-Dieter Roth, em *Warum Terroristen töten?* [Por que os terroristas matam?], na página eletrônica http://www.heise.de/bin/tp/issue/r4/dl-artikel.cgi?artikilnr=221408&mode=print. (NA).

combate confirmar reciprocamente suas ideias por intermédio de seus grupos herméticos e impermeáveis a influências externas. Sob o ponto de vista atual, parece inteiramente bizarro que pelo fato de pertencerem à Fração do Exército Vermelho eles se autoafirmassem como "Pedagogos do Proletariado" e proclamassem lemas como "Castigue um e atinja centenas", prestassem homenagem e achassem consequente sua atitude para com as vítimas de seus sequestros, que não prendiam ou escondiam simplesmente, mas mantinham em cativeiro como "prisioneiros do povo" – quando, naturalmente, não atribuíam qualquer significado nacional ao termo "povo", mas que era uma terminologia representativa em seu imaginário da população espoliada e oprimida do Terceiro Mundo. "Nossa finalidade não é absolutamente o desejo de esclarecer o que é correto a essa gente falsa", afirmava um de seus textos programáticos. "A Ação de Libertação Baader não tem como alvo o esclarecimento desses intelectuais tagarelas que pensam saber mais do que todos, mas sim o dos elementos potencialmente revolucionários do povo."[242]

A retórica dos manifestos de propaganda da Fração do Exército Vermelho está, além disso, cheia desses imperativos sem um sujeito específico: "Nós não temos" de explicar isto ou aquilo, de justificar, proporcionar ou conciliar este ou aquele, repetem monotonamente, porque nossas ações e suas consequências pertencem a uma incumbência muito mais elevada (que neste caso se refere a uma missão secular e histórica e não indica de modo algum um aspecto religioso, como no caso do fundamentalismo islâmico, mas à qual, não obstante, os perpetradores de ações violentas se apegavam firmemente).

Realmente um dos mais importantes momentos do desenvolvimento do pensamento terrorista se encontra na lógica de seus escritos, nesta oclusão logística dentro da qual cada ponderação, por mais ambivalente ou contraditória que seja, conduz à seguinte em um encadeamento mortífero que leva diretamente ao final. Eles terminavam em argumentos totalmente circulares que, não obstante, pareciam perfeitamente significativos para seus autores e seguidores. No documento redigido pela Fração do Exército Vermelho e intitulado "O Conceito da Guerrilha Urbana", publicado em abril de 1971, por exemplo, argumenta-se que "A Fração do Exército Vermelho fala da primazia da prática. Se é justo organizar a resistência armada, consequentemente ela deve ser possível; se ela é possível, é apenas prático proporcioná-la".[243] O autor desconhecido destas linhas, graças à

---

[242] Agit 883, citado por Butz Peters, em *Tödlicher Irrtum. Die Geschichte der RAF* [Loucura criminosa. A história da Fração do Exército Vermelho], Frankfurt am Main, 2004, p. 194. (NA).

[243] *Ibidem*, p. 268. (NA).

HARALD WELZER

firmeza de resolução evidente na condução de seus pensamentos se tornaria igualmente feliz com a pregação de ódio islamita desenvolvida por meio de uma argumentação aparentemente lógica. Dentro desta linha, Mohammed Fazazi respondeu da seguinte maneira a Romuald Karmakar em seu filme *"Hamburger Lektionen"* [As Lições de Hamburgo] sobre qual era sua justificativa de exercer a violência contra a população ocidental: "O Deus da democracia é o povo. O povo é Deus, o povo é o SENHOR e decide o que é permitido e o que é proibido. O povo representa uma elite de escolhidos. Estes escolhidos são seus próprios deuses. A representação desta idolatria é o Parlamento. Deste modo, tudo quanto é inimigo do Islã e dos muçulmanos provém do Parlamento da Europa e deste modo também é obra do povo. Portanto, os povos participam das decisões, os povos participam da direção do governo, os povos participam da imprensa – e a imprensa é o quarto poder do Estado – em todos os estados. Assim são estes descrentes que conduzem a guerra! Uma vez que são eles que conduzem a guerra, deste modo seus bens, suas tradições e o valor de suas riquezas e suas almas e tudo quanto eles têm são violações dos muçulmanos".

A liberdade de contradições contida nesta maneira de encadear o pensamento é evidente por si mesma e corporifica em seu próprio raciocínio uma concepção da verdade exclusiva como um compromisso externamente dirigido. Deste modo existe claramente um entrelaçamento íntimo entre tal tipo de pensamento e os comportamentos a que ele incita – representa a legitimidade de matar outras pessoas, de fato chega a afirmar que essas mortes são *necessárias*, que é importante matar para alcançar o objetivo de uma nova ordem, seja ela religiosa ou histórica; a simples circunstância de que os que são designados para morrer não pertencem a seu próprio lado, já os torna *categoricamente* em Outros, que, por essa razão, devem ser mortos – como na afirmação legendária proferida por Ulrike Meinhof em junho de 1970: "Nós dizemos, naturalmente, que os gorilas são porcos, nós dizemos que esses tipos de uniforme são porcos e não são gente e é dessa maneira que temos de lidar com eles. Isto quer dizer que não temos nada a discutir com eles, que é particularmente falso conversar com eles e que, naturalmente, eles têm de ser fuzilados".[244]

Este é um exemplo ainda mais amplo de que a diferenciação categórica dos grupos humanos, via de regra, conduz ou facilita os assassinatos. Os pregadores islâmicos e os próprios suicidas em seus videoteipes de despedida não afirmam nada de diferente e seu conceito psicológico de êxito relaciona tais

---

[244]   *Ibidem*, p. 197. (NA).

diferenciações categóricas, que *devem* ser enfrentadas, quando se pertence a um grupo de elite, que conhece tudo o que é necessário saber. Ademais, permanece até hoje um enigma se a publicidade difundida entre os estudantes exerceu uma influência importante e se, por assim dizer, eles alguma vez levaram a sério a argumentação desordenada da Fração do Exército Vermelho e entenderam suas ações como de cunho político ou se ninguém percebeu a afinidade dos seus argumentos e ações com os defendidos pelo fascismo, que a Fração afirmava combater.[245] É visível aqui até que ponto a formatização das percepções da realidade pode avançar de maneira radical e espantosamente rápida – trataremos deste assunto detalhadamente mais adiante.

Em qualquer caso a incapacidade de resistência ideológica manifestada por quem já se encontra dentro do grupo é a melhor base para uma percepção enviesada da realidade externa. O ponto de partida e o meio para uma visão do mundo modificada desta maneira é o próprio grupo, que confere aos jovens adolescentes inseguros de sua própria condição uma consciência de pertencerem a uma elite, determinando seu comportamento e orientação futuras. Mais ainda, se um grupo funciona dentro da ilegalidade, constrói-se uma realidade mais estável e mais duradoura, uma realidade que se torna *exclusiva* para seus membros. Do mesmo modo que ocorre em cada conspiração, no caso dos seguidores de um alvo histórico ou religioso a que se atribui um sentido de missão, *eles são obrigados por si mesmos* a se portarem assim – isto significa uma totalidade de determinação na arrancada temporal para esse alvo, simultânea ao desenvolvimento de seu engajamento emocional. Este mecanismo psicológico altamente importante se desenvolve por meio de lições explícitas ("Você sozinho não é nada, o grupo é tudo.") e claramente formuladas, num abandono exclusivo dos sentimentos, medos e esperanças individuais em troca do mundo interior do grupo. Todos estes fenômenos foram estudados exaustivamente pela psicologia social da participação de um grupo exclusivo[246] e sua existência foi empiricamente comprovada não apenas nos grupos terroristas, mas em seitas religiosas ou em unidades militares e pode ser

---

[245] Também a partir deste cenário o terrorismo perpetrado por estes filhos de burgueses da "segunda geração" é fantasmagórico, porque apresenta todas as características da tradição de uma experiência histórica que, em uma estranha inversão, tornou eficazes os presságios políticos transgeracionais e encontrou sua manifestação através de uma violência de caráter totalitário. Além disso, isto também explica por que os protagonistas desta esquerda totalitária, desde Horst Mahler até Bernd Rabehl, sem o menor esforço, puderam considerar estas características da extrema direita como elementos pertencentes à extrema esquerda. Esse tipo de pensamento não permite qualquer possibilidade de resistência ideológica. (NA).

[246] O exemplo clássico deste procedimento é o livro de Henry Tajfel: *Human Groups and Social Categories* [Os grupos humanos e as categorias sociais], Cambridge, 1981; consulte também Muzafer Sherif: *The Psychology of Social Norms* [A psicologia das normas sociais], Nova York, 1936. (NA).

encontrada em todos os grupos em que o indivíduo é submetido a uma dominância ou disciplina total.[247]

E realmente a participação em uma missão executada exclusivamente por uma elite é uma compensação comprovada para o sentimento percebido de separação, que retorna radicalmente após a execução de um ataque mortífero – aqui o perpetrador é claramente o senhor da situação e ninguém mais do que ele. A adesão a grupos totais traz além disso como consequência um outro efeito psicológico, ainda mais amplo e com frequência despercebido, conforme Sebastian Haffner descreveu em seu exemplo sobre a condição de camaradas militares: "A condição de camaradagem [...] põe de lado inteiramente o sentimento de responsabilidade pessoal. A pessoa que vive dentro da situação de camaradagem militar é libertada de todas as preocupações existenciais e de todas as dificuldades da luta pela vida. [...] Fica livre do menor cuidado. Não está mais submetida à dura lei do 'Cada um por si', mas se acha inserida em um conjunto de abrangências muito mais generoso: 'Todos por um'. [...] Somente a melancolia de morrer sozinho permite e produz esta mesma extraordinária dispensação de toda a responsabilidade perante a vida".[248]

Não obstante, entregar-se a um grupo totalitário traz consigo não apenas todo o abandono da autonomia e da individualidade, como realmente acarreta um *alívio* de todas as pressões e exigências da individualização. A pessoa se vê livre da responsabilidade de defender a própria vida. Em outras palavras: qualquer um que se decidir a tornar-se terrorista, passa a fazer parte de um todo bem maior: o sentimento de pertencer a um grupo exclusivo e elitista, que segue uma construção conjunta de significados e sentidos, o labor incansável para a realização de uma tarefa considerada por todos como necessária e vivida em sua plena significação, juntamente com a desobrigação das expectativas da vida e de outros compromissos sociais do mundo habitado anteriormente, desde a própria segurança até a preocupação com o ganho de um salário. E é neste ponto que se percebe quão íntimo é o relacionamento entre a modernização e a violência no caso do terrorismo. De fato, não são exclusivamente a cultura e os meios de comunicação que permitem sobremaneira a possibilidade do terrorismo – é a *libertação das*

---

[247] Os grupos totais funcionam de tal modo que, em contradição ao conceito atribuído por Goffman às instituições totais, os espaços vitais de seus membros são construídos ao longo de grandes períodos de tempo, sem permitir um regime temporal individual e muito menos uma separação ou fuga. Estas características valem tanto para as tripulações dos antigos veleiros como para os batalhões de polícia militar ou para os grupos de extermínio destacados para missões de aniquilação. (NA).

[248] Sebastian Haffner: *Geschichte eines Deutschen* [História de um alemão], Stuttgart, 2002, pp. 279ss. (NA).

exigências que a modernização faz ao indivíduo e que gera as reações mais acerbas contra a modernidade.

Em sua pesquisa sobre os sistemas totalitários Hannah Arendt observou brilhantemente que as pessoas não se sentem realmente seguras isoladamente, que a maior parte das pessoas está pronta para "buscar a realização mais segura de todos os desejos de ascensão social dentro do período de vida mais curto possível" e que, de forma semelhante, não se compreende "como tantas pessoas que tomam conhecimento de sua crescente incapacidade de suportar o fardo da vida sob as exigências da modernidade conseguem resistir e se dispõem voluntariamente à submissão perante um sistema dentro do qual devem assumir a determinação e também a responsabilidade por suas próprias vidas".[249] Em sua pesquisa, ela se referia particularmente aos sistemas de poder político totalitários, mas é indubitável que os grupos totais realmente fornecem essas formas especiais de dispensação da responsabilidade pessoal. De qualquer modo, em sua condição de terrorista, uma pessoa adquire um meio de lutar por todas as liberdades, dentro de qual perspectiva o problema não é percebido somente com relação à ordenação do mundo, mas também se manifesta com referência a si mesmo.

Aqui vem à tona uma dialética fatal da modernização que, em seu conjunto, é bastante ameaçadora, quanto mais o mundo se tornar assimétrico e injusto. Quando as reações externas são interpretadas como inimigas e se começa a estabelecer uma correspondência mais exata entre a realidade e as próprias percepções do mundo – como no caso da guerra dos Estados Unidos contra o terrorismo transformada nas guerras contra o Iraque e o Afeganistão e a adoção de medidas ilegais que infringem os direitos humanos, como ocorre em Guantánamo – o mundo do terrorismo está se afirmando uma vez mais. Aqui se encontra novamente a própria expressão estrutural diante de ameaças espelhadas e um desejo subjacente de destruição, tal como se encontra por trás de outros processos de extrema violência.

O Terror como Meio de Transformação do Espaço Social

Mas o terror não é somente um meio de transformar os próprios sentimentos em uma robusta realidade, mas igualmente, talvez acima de tudo, um meio de

---

[249] Arendt, Hannah: *Elemente und Ursprünge totaler Herrschaft* [Elementos e causas iniciais da dominação total], München, 1996, pp. 675ss. (NT).

HARALD WELZER

comunicação. Neste sentido, as ações dos terroristas modernos conduzem a um duplo significado, em que o simbólico é tão importante quanto o mortífero, porque é importante para essas pessoas desistirem da vida em troca de um alvo meritório, porque o objetivo principal e compartilhado ao redor do mundo é o de apresentar questões radicais perante a sociedade e semear a insegurança no meio dela. Desta forma, o alvo da violência atual é diverso daquele das antigas formas de terrorismo, por ter se tornado despótico e arbitrário: enquanto o terrorismo dos anos setenta se voltava para a execução dos "representantes de um sistema de porcos", portanto assassinatos representativamente simbólicos, o terrorismo moderno não se caracteriza realmente pelo tipo de vítimas, cuja importância é meramente quantitativa – quantos mais forem mortos, melhor – e não mais qualitativa. É irrelevante se são compradores em uma feira, passageiros de um trem ou os convidados em uma festa de casamento – com a circunstância adicional de que não mais de 30% de todos os perpetradores de ataques terroristas tem conhecimento da causa real de suas próprias ações,[250] o que as torna ainda mais aterrorizantes para a maioria dos membros da referida sociedade. Aqui não se toma em consideração um fim utilitário, como poderia ter sido calculado por uma sociedade de cunho iluminista ou racional, para cuja forma de raciocínio é mais fácil entender a morte de um determinado alvo como a de um governante ou de um representante eleito pelo povo, de tal modo que este tipo de terror toma como alvo preferencial a necessidade peculiar à sociedade moderna de atribuir significados a todos os grandes acontecimentos e, sem grande esforço, consegue atingir seus efeitos psicológicos e produzir a maior reação possível com relação a seus motivos.

Foi deste modo que conseguiram, após atingir os Estados Unidos, obter uma desmesurada concentração dos meios de segurança totalmente contrária ao livre curso dos direitos humanos em uma sociedade libertária – incluindo a tortura de prisioneiros e a criação de campos extraterritoriais, como Guantánamo e a estratégica de uma *"extraordinary rendition"* [interpretação extraordinária] (expressão que indicava atitudes contrárias aos direitos dos prisioneiros), alcançando assim uma oscilação extrema no deslocamento provocado no equilíbrio entre a liberdade e a segurança.[251] Este deslocamento, contudo, não se limitou aos Estados Unidos – por exemplo, o Ministro do Interior da Alemanha, Wolfgang Schäuble, foi forçado a admitir, a 14 de dezembro de 2005, que um funcionário

---

[250] Bruce Hoffman, *Terrorismus. Der unerklärte Krieg* [Terrorismo. A guerra incompreensível], Frankfurt am Main, 1999, p. 411. (NA).

[251] Agradeço a Alfred Hirsch as informações a seguir. (NA).

A GUERRA DA ÁGUA

do Serviço Noticioso Federal da Alemanha, chamado Murat Kurnaz, havia sido interrogado em Guantánamo, juntamente com um outro prisioneiro capturado na Síria, que era membro do Departamento de Criminologia Federal. A confissão do Ministro do Interior da Alemanha era uma antecipação de que seriam negados quaisquer contatos com o prisioneiro Mohammed Haydar Zammar, que fora justamente detido na Síria. Também no caso de Kurnaz, o governo federal da Alemanha negou que houvesse contatos com Guantánamo. Ao mesmo tempo, foi organizada uma Comissão Parlamentar de Inquérito sobre esse caso, que realizou suas pesquisas entre 2006 e 2007 e concluiu que ambos os citados haviam sido "filtrados", dentro dos procedimentos da Guerra contra o Terror, para a obtenção de novas informações sobre outros funcionários do Serviço Noticioso Federal ou do Departamento de Criminologia Federal. Em ambos os casos, os departamentos federais alemães não excluíram a possibilidade de os prisioneiros terem sido maltratados ou mesmo torturados. Também no caso do cidadão alemão Khaled el Masri, a atuação do governo federal e dos serviços de segurança foi duvidosa. El Masri afirmou que, durante o tempo em que permaneceu prisioneiro no Afeganistão, teria sido interrogado por agentes de segurança alemães.[252]

Ainda que tanto o Ministro do Interior como Angela Merkel, a Chanceler Federal da Alemanha, tenham sublinhado que, dentro do âmbito da Guerra contra o Terror, tais informações fossem úteis e necessárias, admitiram a possibilidade de terem sido extraídas mediante tortura.[253] Encontramos aqui uma configuração de violência provocada por perigos reais ou imaginários e respondida por medidas semelhantes, confirmados por representações e asserções, que foram exercidas sob a legitimação do combate ao terrorismo – e que, por meio desse mesmo processo, efetivamente os transformaram em realidade *pelo emprego da violência.*

O terror abandona deste modo o caráter de uma ameaça individual e controlável para se transformar em um ataque permanente – mais ainda, uma situação que tem a faculdade de poder oscilar à vontade entre latente e manifesta,

---

[252] Sabine Leutheusser-Schnarrenberger: *Der Fall Khaled el-Masri. Regierung im Zwiespalt zwischen Terrorbekämpfung und Menschenrechten* [O Caso Kahled el-Masri. Decisão judicial sobre a discrepância entre o combate ao terrorismo e os direitos humanos], publicado por Till Muller-Heidelberg *et alii* (editores) em *Grundrechte-Report 2006. Zur Lage der Bürger- und Menschenrechte in Deutschland* [Relatório sobre os direitos básicos 2006. A situação dos direitos civis e direitos humanos na Alemanha], Frankfurt am Main 2006, pp. 24-28. (NA).

[253] Barbara Lochbihler: *Aufklärung und Prävention. Die offenen Aufgaben der Bundesregierung im Kampf gegen den Terrorismus mit Blick auf die Menschenrechte* [Esclarecimento e Prevenção. As tarefas oficiais do governo federal alemão na luta contra o terrorismo à luz dos direitos humanos], publicado por Till Muller-Heidelberg *et alii* (editores) em *Grundrechte-Report 2006. Zur Lage der Bürgerrechte und Menschenrechte in Deutschland* [Relatório sobre os direitos básicos 2006. A situação dos direitos civis e direitos humanos na Alemanha], Frankfurt am Main 2006, pp. 177-181. (NA).

como o Presidente Bush e outros a definiram. Nada pôde favorecer mais o terrorismo internacional do que a guerra deflagrada contra o Iraque, como um meio de aprofundar o domínio do próprio terror e afirmar sua posição perante a sociedade. Talvez esta posição se torne uma opção constante entre as formas de violência empregadas a partir do século 21.

A principal consequência com relação aos motivos e razões futuras e ao formato dos morticínios permanecerá a legitimação das próprias atitudes de violência, na medida em que os meios de comunicação tornarem o terrorismo cada vez mais significativo e com ele a espiral de ameaça de meios de extermínio a ele subjacentes, fornecendo combustível tanto para os futuros ataques terroristas e contra-ataques governamentais como para crimes dirigidos pelos governos contra frações de seu próprio povo, tal como ocorreu na Bósnia, em Ruanda e durante o regime nacional-socialista e ainda ocorre em outras partes do mundo.

Quanto à possibilidade de o terrorismo ainda se apresentar por um longo tempo, temos de conservar em mente a circunstância de ele ter sido gerado pelos processos de modernização. Quanto mais abrangentes forem os processos da globalização, quanto mais longa for a conjuntura desses processos, tanto mais podemos esperar novas formas de violência qualitativa e quantitativa, cuja tendência será a deflagração de guerras (as quais, como todas as demais formas modernas de violência, afetam principalmente as populações civis) e, pelo mesmo processo, podemos ter certeza de que a maioria de seus participantes e executores serão membros da segunda geração de imigrantes ou pessoas que estudaram ou trabalharam no Ocidente e não conseguiram se integrar no meio dessa sociedade que agora combatem. Os relacionamentos entre as consequências das modificações climáticas e o terrorismo antiocidental são compreensíveis apenas indiretamente e se manifestarão no futuro por meio do sentimento real ou imaginário da assimetria do mundo, que será ainda mais aprofundada pelas desigualdades provocadas pelo aquecimento da temperatura mundial. Deste modo, o terror já faz parte das estratégias de condução da guerra como uma alternativa autofortalecedora que pode substituir as demais dentro do contexto dos mortos de amanhã e que apresentará a tendência de se ampliar cada vez mais.

Significados Bloqueados

Com o crescimento das migrações globais floresce o terrorismo; por meio da modernização sociedades cada vez mais amplas conceberão exigências de liberdade

A GUERRA DA ÁGUA

e problemas de significado para mais pessoas – particularmente quando a modernização é percebida como uma repartição desigual do mundo entre vencedores e excluídos. Deste modo, sociedades como as da China e da Índia, que se acham em fases de modernização radical, devem estar preparadas para enfrentar dentro de poucos anos um intenso problema de terrorismo. E o crescimento desses países não causará o menor problema à expansão do terrorismo, porque quanto menor se tornar o mundo por efeito das comunicações, tanto maiores serão as discrepâncias percebidas por toda parte entre o bem-estar e o nível de vida das populações. Neste caso, as variações climáticas não constituem qualquer causa inicial, mas darão igualmente motivo a manifestações de violência – nas quais as indagações e exigências de justiça exercerão um papel cada vez mais importante e, de fato, tanto com relação às discrepâncias entre as nações como em referência aos direitos das novas gerações.

Neste ponto, as consequências das variações climáticas podem desencadear indiretamente uma força explosiva contra os países ocidentais. Uma antecipação deste fenômeno foram os distúrbios transcorridos na França durante o outono de 2005, predominantes em zonas problemáticas das maiores cidades e que, via de regra, foram desencadeados por jovens descendentes de imigrantes.[254] Desde que, na noite de 27 de outubro de 2005, em Clichy-sur-Bois dois jovens que fugiam da polícia, um de ascendência africana e o outro norte-africana, se afogaram após mergulharem em um rio, rapidamente se desenvolveram os distúrbios: carros particulares foram incendiados e as viaturas da polícia e dos bombeiros atacadas. Na semana seguinte, a revolta se espalhou inicialmente por outras cidades da região de Île-de-France, ao redor de Paris e rapidamente explodiu pelos demais grandes espaços urbanos e até mesmo pelas pequenas cidades das províncias. Na noite de 6 para 7 de novembro, 243 comunidades em 64 departamentos (municípios) franceses já tinham sido afetadas; a 8 de novembro, foi convocada a guarda nacional para combater as arruaças, encobrir os danos causados e impedir todas as reuniões públicas. No total, entre 27 de outubro e 18 de novembro de 2005, cerca de 10.000 automóveis e viaturas foram queimados; cerca de 300 prédios foram danificados ou mesmo destruídos. Foram presos 2.900 dos arruaceiros, um terço dos quais menores de idade. De

---

[254] As seguintes informações, particularmente as que se referem à dinâmica temporal e à expansão espacial, foram principalmente recolhidas do relatório geral do *Centre d'Analyse Stratégique* [Centro de Análise Estratégica], que está subordinado ao gabinete e depende diretamente do Primeiro-Ministro francês, conforme disponível na página eletrônica http://www.strategie.gouv.fr/rubrique.php3?id_rubrique=21. Veja igualmente Paul Silverstein e Chantal Tetreault: *Postcolonial Urban Apartheid* [Separação urbana pós-colonial], publicado em *Items and Issues* [Assuntos e problemas], 5 de abril de 2006. Agradeço estas referências a Jacques Chlopzyk. (NA).

187

acordo com a avaliação dos serviços de segurança, os prejuízos provocados pelos distúrbios alcançaram cerca de 200 milhões de euros. Esta explosão de violência que, conforme uma declaração do então Ministro do Interior e hoje Presidente da França, Nicolas Sarkozy, poderia ter sido ainda mais grave, não foi uma erupção individual; desde então, com frequência cada vez maior através das principais cidades da França, automóveis são postos em chamas. Isto é o resultado de um sentimento de exclusão social e falta de esperança de progresso futuro, que se articula espontaneamente. Norbert Elias manifestou-se a respeito no sentido de que os conflitos entre as gerações são a maior força motriz da dinâmica social que se acha em efervescência,[255] por meio dos quais o bloqueio do sentimento de participação social e das ambições exercerá um papel futuro ainda mais importante ao ser percebido como o estreitamento das possibilidades de ascensão em uma carreira e, naturalmente, como minimização das possibilidades de sobrevivência. Isto representa um tema futuro ainda mais amplo dentro da política de segurança interna e externa dos países ocidentais – combustível para um conflito entre as gerações provocado por uma justiça distorcida que se encontra em relação íntima com as consequências das variações climáticas. Uma faceta ainda mais agressiva da problemática da injustiça, que fortalece as reações dos indivíduos pertencentes à segunda ou terceira gerações de imigrantes e refugiados é a importante assimetria percebida como um bloqueio de seu futuro.

Eneias, Hera, as Amazonas e a FRONTEX: Guerras Indiretas[256]

Um número crescente de pessoas busca, mediante manobras de contorno das possibilidades de imigração ou de viagens legais, ingressar na Europa Ocidental ou na América do Norte. A maior parte dos refugiados que desejam se radicar na Europa vem atualmente da África e a atingem por meio das fronteiras marítimas meridionais de Portugal, Espanha ou Itália. Um outro importante caminho dos imigrantes ilegais são as fronteiras terrestres orientais da Europa, a partir das quais atingem o interior da União Europeia por meio de voos internacionais. Todavia a corrente de refugiados é mais importante nas costas sul-europeias e não é surpreendente que na atualidade aqui se concentrem predominantemente

---

[255] Norbert Elias: *Studien über die Deutschen* [Estudos sobre os alemães], Frankfurt am Main, 1989, p. 315. (NA).

[256] Esta seção está baseada em pesquisas realizadas por Sebastian Wessels. (NA).

as forças de segurança das fronteiras externas da União Europeia a fim de impedir a passagem indevida por estes espaços. Os procedimentos que podem ser empregados pela União Europeia no tratamento dos refugiados são caracterizados pelos seguintes pontos-chave:

- Proibição da entrada – as fronteiras serão protegidas por todos os meios técnicos, políticos e militares;
- Deslocamento da defesa, pela transferência e conservação dos refugiados em acampamentos em seus países de origem ou territórios de trânsito. No passado recente, este tem sido o procedimento normal da União Europeia, ou seja, impedir que os refugiados que pretendem chegar à Europa cheguem a partir de seus países de origem;
- Participação dos países de origem ou de trânsito na defesa da Europa contra os fluxos de refugiados: já foram firmados pactos com a maioria dos países africanos para que auxiliem na defesa das fronteiras europeias, seja ativamente, seja autorizando forças militares da União Europeia a operar dentro de suas águas. Do mesmo modo será aplicada uma pressão crescente sobre os países de trânsito, para que fortaleçam suas próprias defesas contra a passagem dos imigrantes ilegais;
- Instalação de acampamentos para refugiados. Tanto no território da União Europeia como externamente, nos países de trânsito, serão montados acampamentos de entrada e saída para os refugiados;
- Deportação: os imigrantes ilegais a quem não foi concedido asilo na Europa serão recambiados para seus países de origem.[257]

A Rota Marrocos-Espanha

Em 2002, o governo espanhol, com o apoio da União Europeia, instalou o sistema conhecido como *Sistema Integral de Vigilância Exterior* ou SIVE, centralizado em dois pontos de defesa principal, nas Ilhas Canárias e nos acessos marítimos da área do Estreito de Gibraltar,[258] locais em que refugiados provenientes do

---

[257] Há muito tempo que esta separação não ocorre sempre dentro destes formatos legais: é frequente que os refugiados sejam enviados para territórios diferentes de seus países de origem. No Marrocos, por exemplo, repetidas vezes os bandos de refugiados foram simplesmente empurrados de volta para o deserto. (NA).

[258] Dahms, Martin: *Der weite Weg in die erste Welt* [A Estrada larga do Primeiro Mundo], publicado na revista eletrônica *Das Parlament* [O Parlamento], 28/2006, conforme o *site* http://www.bundestag.de/dasparlament/2006/28-29/Europa/007.html. (NA).

HARALD WELZER

Marrocos desembarcavam com frequência ou para os quais o mar trazia muitos cadáveres de outros que não haviam conseguido sobreviver à travessia. Em 2005, os funcionários ou equipamentos do SIVE já cobriam totalmente as margens oceânicas meridionais, o que levou os refugiados a buscar rotas alternativas a partir de então.[259] O sistema conta com mais de duzentas torres, a partir das quais o mar é vigiado por câmaras de luz infravermelha e aparelhos de radar. Os sistemas de radar computadorizado podem localizar um bote de refugiados de dois metros por seis a uma distância de vinte quilômetros; com a ajuda das câmaras de infravermelho, corpos humanos vivos podem ser percebidos a uma distância de até sete quilômetros e meio. Além disso, as costas espanholas são patrulhadas por barcos e helicópteros da guarda costeira.[260] A seguir, as defesas eletrônicas do programa SIVE demonstraram-se um grande sucesso – o número de refugiados que conseguiam atingir o continente caiu extraordinariamente, na mesma proporção que o número de cadáveres de afogados que chegavam às praias flutuando sobre o mar. Deste modo, um sistema semelhante foi instalado em 2004 nas ilhas gregas.[261] A partir de então, o fluxo de refugiados mudou drasticamente de rumo, tomando como seu novo alvo, que atingiam por diversas rotas, as Ilhas Canárias, particularmente Fuerteventura, Tenerife e a Grande Canária, em que, somente em 2006, desembarcou um total de 31.000 africanos. Pararam igualmente de tomar o caminho através do Marrocos, onde a vigilância das costas tinha sido grandemente reforçada, mas se dirigiram para o oceano através do Saara Ocidental, particularmente através da Mauritânia ou, a partir de 2006, por diversas trilhas que percorrem o Senegal, percorrendo a seguir mais de mil quilômetros de águas oceânicas, via de regra, arriscando-se em barcos de pesca ou jangadas que não têm a menor condição de enfrentar o Atlântico.[262]

Na primavera desse mesmo ano, o governo espanhol decidiu também empregar satélites de comunicações na vigilância das costas marítimas; em maio, a empresa francesa Spot Image já havia desenvolvido, em cooperação com a

---

[259] Streck, Ralf: *"Massensterben"vor der Kanarischen Inseln* ["Mortes em massa" diante das Ilhas Canárias], *telepolis*, 24 de março de 2006, disponível na página eletrônica http://www.heise.de/tp/r4/artikel/22/22317/1.html. (NA).

[260] Harald Neuber: *Festung Europa: Beispiel Spanien* [A fortaleza europeia. Exemplo da Espanha], telepolis, 22 de outubro de 2004. (NA).

[261] Helmut Dietrich: *Die Front in der Wüste* [Frente de Batalha no Deserto], Konkret 12/2004, p. 5, na página eletrônica http://nolager.de/blog/files/nolager/lampedusa.pdf. (NA).

[262] Martin Dahms: *Der weite Weg in die erste Welt* [O longo caminho até o Primeiro Mundo], publicado na revista eletrônica *Das Parlament* [O Parlamento], 28/2006, conforme o *site* http://www.bundestag.de/dasparlament/2006/28-29/Europa/007.html. (NA).

Universidade de Las Palmas, um conceito para um projeto-piloto com o emprego de satélites para esse objetivo.[263] Em junho, independentemente dos planos traçados pela comissão formada pela União Europeia, o governo britânico decidiu realizar a observação do Mediterrâneo por uma unidade de aviões-robôs não-tripulados.[264] Um consórcio de firmas reunido sob a razão social de BSUAV (*Border Surveillance by Unmanned Aerial Vehicles* [Vigilância das Fronteiras por meio de Veículos Aéreos não-tripulados]) desenvolveu, sob orientação da empresa francesa de aeronáutica Dassault Aviation, um conceito atualizado para essa iniciativa.[265] A Itália colocou em serviço, ainda em 2004, cinco aviões não-tripulados "Predator", adquiridos nos Estados Unidos, a fim de conseguir localizar não somente possíveis terroristas, como os imigrantes irregulares, conforme Leonardo Tricario, anteriormente comandante da Aeronáutica desse país, informou em outubro desse mesmo ano.[266]

Depois que o caminho marítimo através do Estreito de Gibraltar foi cortado pelo SIVE, surgiu novamente, em setembro e outubro de 2005 o problema dos refugiados nas costas europeias ao sul do Mediterrâneo, tendo sido novamente chamada a atenção oficial pelo acúmulo crescente de centenas de refugiados ao norte de Marrocos, os quais usavam escadas fabricadas por eles mesmos para tentar pular por cima das cercas construídas ao redor dos enclaves espanhóis de Ceuta e Melilla.[267] Estas são revestidas com arame farpado e patrulhadas continuamente por veículos em movimento, cujos ocupantes estão equipados com óculos para visão noturna e microfones de alto alcance, além das defesas proporcionadas por numerosas torres de atalaia.[268] Em determinados trechos, tidos como os mais vulneráveis, foram construídas três cercas paralelas umas às outras; no verão de 2005 as cercas

---

[263] Ralf Streck: *Sechs Satelliten sollen Flüchtlinge aufspüren* [Seis satélites destinados a localizar refugiados], *telepolis*, 30 de maio de 2006, disponível na página eletrônica http://www.heise.de/tp/r4/artikel/22/22780/1.html. (NT).

[264] Severin Carrell: *Revealed: Robot Spyplanes to Guard Europe's Borders* [Revelação: Aviões-robôs Espiões para guardar as fronteiras da Europa], *The Independent* [jornal "O Independente"], edição de 4 de junho de 2006. Consulte o *site* em http://news.independent.co.uk/europe/article624667.ece. (NA).

[265] Directorate General Enterprises and Industry – Security Research [Empresas e Indústria Diretório Geral – Pesquisas de Segurança]: Preparatory Action for Security Research – Border Surveillance UAV [Ação Preparatória para Pesquisas de Segurança – Vigilância das Fronteiras por veículos aéreos não tripulados – conhecidos pela sigla UAV], 2005, conforme página eletrônica http://ec.europa.eu/enterprise/security/doc/project_flyers/766-06_bsuav.pdf. (NA).

[266] Helmut Dietrich: *Die Front in der Wüste* [Frente de Batalha no Deserto], Konkret 12/2004, p. 6, na página na eletrônica http://nolager.de/blog/files/nolager/lampedusa.pdf. (NA).

[267] Alfred Hackensberger, *Anschlag auf die Grenze* [Ataque às fronteiras], publicado em *telepolis*, 3 de outubro de 2005, disponível na página eletrônica http://www.heise.de/tp/r4/artikel/21/21064/1.html. (NA).

[268] Rötzer, Florian: *Ansturm auf die neue Mauer* [Assalto ao novo muro], telepolis, 6 de outubro de 2005, em http://www.heise.de/tp/r4/artikel/21/21086/1.html. (NA).

HARALD WELZER

de Melilla foram aumentadas de 3,5m para seis metros de altura.[269] Durante a construção, os funcionários das administrações de fronteiras espanhola e marroquina conjuntamente se defenderam contra a multidão de invasores que tentavam impedi-la, lançando pedras e atacando os trabalhadores com porretes, empregando contra eles cassetetes, gás lacrimogêneo e balas de borracha.[270] Como resultado desses embates, morreram quatorze dos atacantes.[271] Conforme as observações de representantes da organização "Médicos sem Fronteiras", após o encerramento das hostilidades, a polícia marroquina reuniu cerca de quinhentos prisioneiros e os largou na fronteira com a Argélia, em pleno deserto.[272] Após o incidente, Marrocos recebeu uma subvenção de mais de quarenta milhões de euros da União Europeia, destinada oficialmente ao reforço das fronteiras.[273]

Os "Médicos sem Fronteiras" se queixaram, em um comunicado distribuído em setembro de 2005 da "extrema violência dos meios de defesa" empregados pela polícia marroquina de defesa das fronteiras e também dos meios de exclusão empregados pela União Europeia. O comunicado afirma ter calculado que 6.300 cadáveres de afogados flutuaram até as praias ao longo dos últimos dez anos; os números oficiais chegavam a 1.400,[274] mas neste total não estavam incluídos presumivelmente os milhares que se afogaram entre 2005 e 2006 (em março de 2006, o próprio governo espanhol admitiu a ocorrência de "uma mortandade maciça" diante das Ilhas Canárias).[275] Os já severos problemas dos refugiados são agravados por torturas e tratamento degradante. Os médicos da organização denunciaram que, entre março de 2003 e maio de

---

[269] n-tv: *Noch ein Zaun für Melilla* [Mais uma cerca para Melilla], 4 de outubro de 2005, publicado em http://www.n-tv.de/586970.html. (NA).

[270] Alfred Hackensberger, *Anschlag auf die Grenze* [Ataque às fronteiras], publicado em *telepolis*, 3 de outubro de 2005, disponível na página eletrônica http://www.heise.de/tp/r4/artikel/21/21064/1.html. (NA).

[271] Stern/dpa: *Spanien beginnt mit Abschiebungen* [A Espanha começou a Separação], publicado a 7 de outubro de 2005, disponível na página eletrônica http://www.stern.de/politik/ausland/:Fl%Fcschtlingsdrama-Spanien-Abschiebungen/547229.html. (NA).

[272] Alfred Hackensberger, *Man muss die Flüchtlinge mit allem Respekt als menschlich Wesen behandeln* [Devemos tratar os refugiados com todo o respeito e de maneira humana] (Discurso conjunto com Frederico Barroela, Médicos sem Fronteiras, Tanger), telepolis, 16 de outubro de 2005, publicado na página eletrônica http://www.heise.de/tp/r4/artikel/21/21153/1.html. (NA).

[273] Schwelien, Michael: *Die Einfalltore* [A loucura causadora da queda], publicado em Die ZEIT, edição de 13 de outubro de 2005, nº. 42, na página eletrônica http://images.zeit.de/text/2005/42/Ceuta. (NA).

[274] *Médécins sans Frontières* [Médicos sem Fronteiras]: *Violence and Immigration. Report on Illegal Sub-Saharan Immigrants (ISS) in Morocco* [A violência e a imigração. Relatório sobre a situação dos imigrantes subsaarianos ilegais em Marrocos], 2005, p. 6, conforme publicado na página eletrônica http://www.aerzte-ohne-grenzen.de/obj/_scripts/msf_download_pdf.php?id=2389 &filename=09-05-Bericht-Marokko-Imigranten.pdf. (NA).

[275] Ralf Streck: *"Massensterben"vor der Kanarischen Inseln* ["Mortes em massa" diante das Ilhas Canárias], *telepolis*, 24 de março de 2006, disponível na página eletrônica http://www.heise.de/tp/r4/artikel/22/22317/1.html. (NA).

2005, haviam tratado de um total de 9.350 imigrantes dos países subsaarianos em muitos pontos do Marrocos, dos quais 2.193 (23,5%) apresentavam traços evidentes da violência sofrida.[276]

Campos de Refugiados

Outra estratégia de defesa contra a invasão dos refugiados é a construção de acampamentos de chegada e de saída tanto no interior como no exterior dos próprios territórios. O governo britânico, quando chefiado por Tony Blair, publicou um documento em 2003, intitulado *"A new Vision for Refugees"* [Uma nova visão sobre os refugiados], em que era apresentado um plano para a construção de "uma rede de portos seguros ao redor do mundo", que mais tarde passaram a ser chamados de *"Regional Protection Areas"* (RPAs) [Áreas de Proteção Regional] – "Zonas de Proteção", localizadas nas proximidades dos países de que as pessoas haviam fugido. Em março desse mesmo ano foi anunciada a construção dos assim chamados *"Transit Processing Centres"* (TPCs) [Centros de Processamento em Trânsito], fora das fronteiras da União Europeia, nos quais seriam reunidos os refugiados enquanto suas solicitações de asilo eram processadas, ou seja, para que pudessem ser mais facilmente recambiados a seus países de origem quando seus pedidos de asilo fossem negados. Estes planos foram apoiados pelos governos da Holanda, Áustria e Dinamarca, embora surgissem protestos públicos através da Europa. Pouco depois, o UNHCR (*United Nations High Commissioner for Refugees* [Alto Comissariado das Nações Unidas para a Administração dos Refugiados]), da UNRA (*United Nations Refugee Agency* [Agência de Refugiados das Nações Unidas]), representante da organização para o tratamento do problema dos refugiados, apresentou uma variação deste modelo.

Em uma conferência de cúpula da União Europeia, realizada na Grécia em meados de junho de 2003, o relatório da Comissão propôs "meios e formas para demonstrar como a capacidade de defesa das regiões de origem pode ser reforçada. [...] O Conselho Europeu afirma com firmeza que uma série de

---

[276] *Médécins sans Frontières* [Médicos sem Fronteiras]: *Violence and Immigration. Report on Illegal Sub-Saharan Immigrants (ISS) in Morocco* [A violência e a imigração. Relatório sobre a presença e o tratamento de imigrantes subsaarianos ilegais em Marrocos], 2005, p. 6, conforme publicado na página eletrônica http://www.aerzte-ohne-grenzen. de/obj/_scripts/msf_download_pdf.php?id=2389 &filename=09-05-Bericht-Marokko-Imigranten.pdf. (NA).

HARALD WELZER

países de trânsito que participam deste processo se comprometeu a estudar com o UNHCR todas as possibilidades para reforçar a proteção dos refugiados em suas regiões de origem".[277] Ao longo de 2004, os planos foram retomados por Otto Schilly, Ministro do Interior da Alemanha, e por seu colega italiano Giuseppe Pisanu, determinando-se acima de tudo a necessidade de estabelecer esses acampamentos no norte da África. Em outubro de 2004, os ministros da Justiça e do Interior da União Europeia, durante um encontro informal realizado em Scheveningen, na Holanda, deram a conhecer seus planos, que determinavam a construção de "Centros de Acolhimento para Solicitantes de Asilo" nos territórios da Argélia, Tunísia, Marrocos, Mauritânia e Líbia, que deveriam ser administrados pelos governos dos respectivos países.[278]

Centros de concentração de refugiados já existem em Ceuta e Melilla,[279] os enclaves espanhóis na costa do Marrocos; na ilha siciliana de Lampedusa,[280] onde, somente em 2004, desembarcaram quase dois mil refugiados, do mesmo modo que na parte continental da Itália Meridional e nas ilhas gregas mais orientais.[281] Devido ao imenso influxo de refugiados nas Ilhas Canárias, uma delegação espanhola foi à Mauritânia e firmou um pacto para esse governo realizar a construção de um campo de refugiados em Nuadibú,[282] mediante seu financiamento e orientação técnica, o que foi realizado por um destacamento de 35 engenheiros espanhóis que chegaram a seguir. A Itália estabeleceu acampamentos extraterritoriais na Tunísia e na Líbia; já duas vezes, em outubro de 2004 e março de 2005, as autoridades italianas enviaram para esses locais muitas centenas de refugiados africanos que haviam desembarcado em

---

[277] Rat der Europäischen Union [Conselho da União Europeia]: *Tagung des Europäischen Rates in Thessaloniki vom 19./20.6.2003, Schlussfolgerungen des Vorsitzes* [Congresso do Conselho Europeu em Tessalônica, entre 19 e 20 de junho de 2003, Conclusões do Discurso de Encerramento da Presidência]. Bruxelas, 1º. de outubro de 2003, Ziffer 26, disponível na página eletrônica http://www.consilium.europa.eu/ueDocs/cms_Data/docs/pressdata/de/ec/76285.pdf. (NA).

[278] Cornelia Gunßer: Der europäische Krieg gegen Flüchtlinge [A Guerra europeia contra os Refugiados], publicado na revista *Ak – Analyse und Kritik* [Análise e Crítica], 19 de novembro de 2004, na página eletrônica http://www.nolager.de/blog/node/142. (NA).

[279] Leo Wieland: *Erste afrikanische Flüchtlinge nach Marokko abgeschoben* [Os primeiros refugiados africanos expulsos de Marrocos], *Frankfurter Allgemeine Zeitung* [Jornal de Frankfurt, edição internacional], 7 de outubro de 2005, p. 1.: *Erste afrikanische Flüchtlinge nach Marokko abgeschoben* [Os primeiros refugiados africanos expulsos de Marrocos], *Frankfurter Allgemeine Zeitung* [Jornal de Frankfurt, edição internacional], 7 de outubro de 2005, p. 1. (NA).

[280] Karl Hoffmann: *Lampedusa: Die Ankunft in Europa* [Lampedusa: Desembarque na Europa], *Deutschlandfunk* [Serviço de Radiodifusão da Alemanha], 30 de abril de 2006, disponível na página eletrônica http://www.dradio.de/dif/sendungen/transit/494082/. (NA).

[281] Helmut Dietrich: *Die Front in der Wüste* [Frente de Batalha no Deserto], Konkret 12/2004, p. 3, na página eletrônica http://nolager.de/blog/files/nolager/lampedusa.pdf. (NA).

[282] Ralf Streck: *"Massensterben" vor der Kanarischen Inseln* ["Mortes em massa" diante das Ilhas Canárias], *telepolis*, 24 de março de 2006, disponível na página eletrônica http://www.heise.de/tp/r4/artikel/22/22317/1.html. (NA).

Lampedusa.[283] Na Líbia existem atualmente entre meio milhão e um milhão de pessoas sem documentos válidos, aguardando uma oportunidade de atravessar o mar para a Itália ou para Malta. Durante 2006, cerca de 64.000 imigrantes ilegais foram impedidos de entrar na Líbia ou transportados até as fronteiras em vagões de carga; uma boa parte deles foi simplesmente solta no deserto, do outro lado das divisas fronteiriças.[284]

Com o financiamento dos acampamentos extraterritoriais e com o fortalecimento da defesa das fronteiras nos países correspondentes por meio do apoio financeiro e da pressão política das nações pertencentes à União Europeia, aqueles países se tornaram muito mais ativos no combate contra o ingresso de refugiados.[285] Apenas durante o período de 2004 a 2006, cento e vinte milhões de euros foram postos à disposição da Comissão encarregada do programa AENEAS sob a rubrica de "apoio financeiro e técnico a países do Terceiro Mundo para fins de imigração e asilo". Deste modo, tais projetos tomaram a seu cargo "não somente a defesa local dos fluxos de migrantes, como o retorno e reintegração dos migrantes em seu ou em seus países de origem, o estudo dos pedidos de asilo, a defesa das fronteiras e a proteção dos refugiados internos".[286]

Em uma tentativa de deixar a África e atingir algum dos territórios da Europa, muita gente procura atravessar o mar ou o oceano em pequenos barcos. Acreditam que seja mais fácil assim, porque as viagens a pé são dispendiosas e árduas. Questionado sobre como devem ser tratados os numerosos barcos improvisados pelos refugiados que são lançados ao mar sem as menores condições de navegação, o Ministro do Interior da Alemanha, Wolfgang Schäuble declarou sem meias-palavras, em uma entrevista concedida ao *Frankfurter Allgemeine Zeitung*, a 29 de março de 2007, que "a Organização das Jangadas deveria ser destruída". Será a única forma "de evitarmos este dilema".[287]

---

[283] Anke Schwarzer: *Das Lagersystem für Flüchtlinge* [O sistema dos campos de refugiados], publicado em *telepolis*, 21 de agosto de 2005, na página eletrônica http://www.heise.de/tp/r4/artikel/20/20764/1.html. (NA).

[284] Hans-Christian Rössler: *In Libyens Hölle* [No inferno da Líbia], publicado no *Frankfurter Allgemeine Sonntagszeitung* [Jornal dominical internacional de Frankfurt], 22 de julho de 2007, p. 8. (NA).

[285] Mike Davis: *Die große Mauer des Kapitals* [A Grande Muralha do Capital], publicado em *Die ZEIT* [O Tempo], 12 de outubro de 2006, n°. 42/2006, na página eletrônica http://www.zeit.de/2006/42/Mauern?page=2.html. (NA),

[286] *Regulation* (EC) N°. 491/2004 *of the European Parliament and of the Council of 10 March 2004 – establishing a programme for financial and technical assistance to third countries in the areas of migration and asylum* [Regulamentação do Parlamento Europeu e do Conselho de 10 de março de 2004, estabelecendo um programa para assistência técnica e financeira a países do Terceiro Mundo nas áreas de migração e de asilo] (AENEAS), *Article 1,3* [Artigo 1°., parágrafo 3°.], disponível na página http://.ec.europa.eu/europea-id/projects/eidhr/pdf/themes-migration-reglement_em.pdf. (NA).

[287] Franco Frattini & Wolfgang Schäuble (entrevista): *Mit Hubschraubern gegen illegale Einwanderung* [Helicópteros contra a Imigração ilegal], publicado no *Frankfurter Allgemeine Zeitung* [Edição internacional do Jornal de Frankfurt], 29 de março de 2007, página 3. (NA).

HARALD WELZER

Novamente a FRONTEX

Conforme vimos anteriormente, a União Europeia reagiu nos últimos anos ao espantoso influxo de imigrantes ilegais mediante a instalação de uma organização conjunta para defesa das fronteiras europeias. Sua direção e defesa pertencem à agência FRONTEX.[288] Mediante o decreto 2007/2004 da EG (*Europäische Gemeinschaft* [União Europeia]), emitido pelo Conselho da União Europeia a 24 de outubro de 2004, foi determinada a constituição de uma "Agência Europeia para Administração do Trabalho de Cooperação Operacional nas Fronteiras Externas dos Estados-membros da União Europeia", cuja organização foi imediatamente iniciada.

De acordo com sua própria descrição para o público a agência coordena "o trabalho operativo conjunto dos estados-membros no domínio da defesa de suas fronteiras externas, apoiado pelos referidos estados-membros mediante a criação de departamentos nacionais de defesa das fronteiras e nomeação de seus funcionários e regido firmemente por outras regras conjuntas de funcionamento, fornece análises de riscos, coordena a implantação de pesquisas relevantes para o controle e supervisão das fronteiras externas, apoia os estados-membros em situações nas quais seja requerido um reforço operativo e técnico mais enérgico nas suas fronteiras exteriores e conduz o apoio técnico indispensável para a organização das ações de retomada de iniciativa conjunta dos países-membros".[289] Em outubro de 2005, as autoridades competentes designaram um orçamento de 6,2 milhões de euros para a execução de suas tarefas durante o primeiro ano. No segundo ano, teve alocada uma verba de 19,2 milhões e, para 2007, a FRONTEX recebeu oficialmente uma verba de trinta e cinco milhões,[290] que foi ampliada para quarenta e dois milhões de euros, segundo informação do Ministério do Interior alemão.[291] Este orçamento cobre, no entanto, apenas as despesas correntes que as autoridades

---

[288] *FRONTEX Annual Report* [Relatório Anual da FRONTEX], 2006, p. 2, disponível na página eletrônica http://www.frontex.europa.eu/annual_report. (NA).

[289] *Einrichtung der Europäischen Union* [Organização da União Europeia]: *Agentur für die operative Zusammenarbeit an den Außengrenzen (FRONTEX)* [Agência Europeia para trabalho operacional conjunto nas fronteiras exteriores] (FRONTEX), junho de 2007, conforme http://europa.eu/agencies/community_agencies/frontex/index_de.htm. (NA).

[290] Veja *FRONTEX Finance* em http://www.frontex.europa.eu/finance.XX. (NA).

[291] *Bundesministerium des Innern* [Ministério do Interior] (Editor), *Aufgaben und Tätigkeit der Europäischen Grenzschutsagentur* [Tarefas e Ações da Agência Europeia de Controle das Fronteiras], FRONTEX, sem data, no *site* http://www.eu2007.bmi.bund.de/nn_1034414/EU2007/DE/InnenpolitischeZiele/Themen/Frontex/Frontex_node.html_nnn=true.XX. (NA).

da União Europeia reunidas em Varsóvia determinaram; as despesas diretas com os funcionários estacionados para a defesa das fronteiras e com seus equipamentos correm por conta dos países correspondentes, que os põem à disposição da administração da FRONTEX.[292] Presentemente, esta conta com mais de 105 funcionários próprios, responsáveis apenas pelos serviços administrativos da organização.[293]

A 26 de abril de 2007, o Parlamento Europeu aprovou um decreto "sobre a constituição de equipes de intervenção imediata para a defesa da segurança das fronteiras" (conhecidas como *"Rapid Border Intervention Teams"* [Equipes de Intervenção Rápida nas Fronteiras ou RABITs)], que se originaram de uma iniciativa conjunta do Comissário Europeu para Justiça, Liberdade e Segurança, Franco Frattini e do Ministro do Interior da Alemanha, Wolfgang Schäuble. As equipes RABITs devem ser acionadas oficialmente mediante resolução do Parlamento Europeu formado pelos estados-membros "em situações de exceção ou de extrema necessidade" e "por um período de tempo limitado", especificamente quando um "estado-membro se encontrar sob a pressão maciça de um fluxo de indivíduos naturais de países do Terceiro Mundo que tente ingressar ilegalmente ou invadir pela força um território sob a jurisdição do referido país".[294] Inicialmente, esta "equipe de intervenção temporária" segundo as informações fornecidas pelo Ministério do Interior da União Federal Alemã, foi composta por 500 a 600 funcionários de defesa das fronteiras.[295] Além desta, durante o decorrer de 2007, foi organizada uma equipe conjunta de intendência, também referida como *"Toolbox"* [caixa de ferramentas] para providenciar os equipamentos necessários – os estados-membros estão encarregados de equipar e armar conjuntamente a FRONTEX com todos os

---

[292] Christoph Marischka, *Frontex als Schrittmacher der EU-Innenpolitik* [A FRONTEX como precursora da política interna europeia], *telepolis*, 25 de maio de 2007 na página http://www.heise.de/tp/r4/artikel/25/25359/1.html. (NA).

[293] *Bundesministerium des Innern* [República Federal Alemã, Ministério do Interior] (Editores variados), *Aufgaben und Tätigkeit der Europäischen Grenzschutsagentur* [Tarefas e Ações da Agência Europeia de Controle das Fronteiras], FRONTEX, sem data, de acordo com as informações apresentadas na página eletrônica http://www.eu2007.bmi.bund.de/nn_1034414/EU2007/DE/InnenpolitischeZiele/Themen/Frontex/Frontex_node.html_nnn=true.XX. (NA).

[294] Christoph Marischka, *Frontex als Schrittmacher der EU-Innenpolitik* [A FRONTEX como precursora da política interna europeia], *telepolis*, 25 de maio de 2007 na página http://www.heise.de/tp/r4/artikel/25/25359/1.html. (NA).

[295] *Bundesministerium des Innern* [Ministério do Interior da República Federal Alemã] (Editor responsavel), *Aufgaben und Tätigkeit der Europäischen Grenzschutsagentur* [Tarefas e Ações designadas para a Agência Europeia de Controle das Fronteiras], FRONTEX, sem data, disponível na página eletrônica http://www.eu2007.bmi.bund.de/nn_1034414/EU2007/DE/InnenpolitischeZiele/Themen/Frontex/Frontex_node.html_nnn=true.XX. (NA).

HARALD WELZER

instrumentos necessários para seu funcionamento. Segundo informações oficiais do Ministério do Interior da República Federal Alemã, esta "Caixa de Ferramentas" tem à sua disposição "mais de vinte aeronaves, quase trinta helicópteros e bem mais de cem embarcações com os equipamentos tecnológicos mais avançados".[296]

Passo a passo com a FRONTEX será criada uma autoridade supranacional autônoma e de grande alcance. E dentro do alcance limitado de uma consulta simples[297] feita por alguns delegados do FDP (*Freie Demokratisch Partei* [Partido Democrata Independente]) sobre quais compromissos de prestação de contas tinham sido assumidos pela FRONTEX, o governo federal da República Alemã informou, a 13 de abril de 2007, que "o Diretor-Executivo da FRONTEX (desde a criação da autoridade o general-de-brigada finlandês Ilkka Laitinen) é responsável pela prestação de informações ao Conselho de Administração da FRONTEX. O Parlamento Europeu ou o Conselho pode convocar o Diretor-Executivo da FRONTEX para que apresente relatórios sobre o cumprimento de suas tarefas. A FRONTEX não é responsável pela prestação de informações aos estados-membros".[298] A própria FRONTEX deixou bem claro que suas atividades são *"intelligence driven"* [voltadas para a obtenção de informações secretas][299] – isto significa que a agência coopera com os serviços secretos dos estados-membros e partilha informações com eles. Uma das primeiras atividades empreendidas pela FRONTEX em 2006 consistiu em uma colaboração com a EUROPOL, a polícia internacional europeia.[300]

No relatório oficial de 2006, a autoridade registrou a realização de quinze "operações". Por exemplo, durante os meses de junho e julho de 2006 tinha sido reforçado o controle da fronteira greco-turca e do mesmo modo instalado um sistema ao longo das costas gregas, nos quais tinham tomado parte funcionários de nacionalidade austríaca, italiana, polonesa e britânica. Por intermédio destas atividades tinham sido capturados 422 imigrantes ilegais. Os

---

[296] *Bundesministerium des Innern* [Ministério do Interior da República Federal Alemã] (Responsável pela liberação das informações, editores diversos): *Aufgaben und Tätigkeit der Europäischen Grenzschutsagentur* [Tarefas e Ações da Agência Europeia de Controle das Fronteiras], FRONTEX, sem data, disponível na página eletrônica http://www.eu2007.bmi.bund.de/nn_1034414/EU2007/DE/InnenpolitischeZiele/Themen/Frontex/Frontex_node.html_nnn=true.XX. (NA).

[297] *Bundestagsdrucksache* [Imprensa oficial do Parlamento] 16/4902, edição de 28 de março de 2007. (NA).

[298] *Bundestagsdrucksache* [Imprensa oficial do Parlamento] 16/5019, edição de 4 de abril de 2007, p. 3, em http://dip.bundestag.de/btd/16/050/1605019.pdf. (NA).

[299] Relatório Anual da FRONTEX 2006, p. 5. (NA).

[300] Relatório Anual da FRONTEX 2006, p. 15. Consulte também *Endstation Grenze* [Limites da Estação Final], publicado na revista *Öffentliche Sicherheit* [Segurança Nacional], volume 5-6/2007, p. 25, disponível na página eletrônica http://www.bmi.gv.at/oeffentlicherheit/2007/05_06/Frontex.pdf. (NA).

detalhes referentes ao exercício de seu trabalho no local de ação tinham sido omitidos pela FRONTEX. Entre as quinze operações mencionadas se achavam também os programas "Hera I" e "Hera II", executados diante das Ilhas Canárias, que desde o estabelecimento de um firme controle nas costas meridionais da Espanha e nos enclaves espanhóis de Marrocos haviam se tornado os pontos focais de acesso dos imigrantes ilegais africanos. Dentro das atividades do programa Hera I, as autoridades canarinas haviam empregado especialistas internacionais que essencialmente deveriam ajudar na verificação das responsabilidades do governo provincial perante os refugiados capturados.

Dentro das atividades do programa Hera II a FRONTEX assumiu o controle direto da vigilância sobre as águas oceânicas e da defesa das fronteiras a partir de 11 de agosto de 2006. Juntamente com os barcos da guarda-costeira espanhola, de acordo com as informações do relatório, se achavam um barco de bandeira portuguesa e outro italiano, além de dois aeroplanos, um italiano e um finlandês. Inicialmente uma operação semelhante já fora realizada no alto-mar diante das costas senegalesas e mauritanas, em cooperação com as autoridades locais. Durante as atividades com a duração de nove semanas foram capturados 3.887 refugiados ilegais navegando em 57 barcos de pesca; outros 5.000 foram impedidos de deixar as costas africanas. Foi anunciado que um total de sete países signatários do Acordo de Schengen haviam tomado parte conjunta na operação.[301]

Em fevereiro de 2007, a FRONTEX deu início à operação Hera III: um interrogatório geral dos refugiados internados nas Ilhas Canárias sobre as rotas que haviam tomado e a tentativa subsequente de cortar estas rotas, possivelmente já diante das costas oceânicas africanas.[302]

Dentro do âmbito das operações "Amazon I" e "Amazon II", realizadas entre 2006 e 2007, a FRONTEX realizou experiências operacionais dentro do território continental da União Europeia, durante as quais foram revistados aeroplanos e investigados aeroportos internacionais. Durante a Amazon II a FRONTEX revistou os aeroportos internacionais de Frankfurt, Amsterdã, Barcelona, Lisboa, Milão, Paris, Madri e Roma, em busca de imigrantes ilegais

---

[301] A notícia deixou algumas questões em aberto – não somente quais eram os sete países [foram mencionados cinco], mas também com base em que autorizações oficiais seriam realizadas as operações em águas senegalesas e mauritanas e como estavam passando os quase quatro mil refugiados capturados em alto-mar. (NA).

[302] *FRONTEX News Release* [Boletim Noticioso da FRONTEX]: *A Sequel of Operation Hera Just Starting* [Acaba de começar uma nova fase da Operação Hera], 15 de fevereiro de 2007, *FRONTEX News Releases*, incluída na página eletrônica http://www.frontex.europa.eu/newsroom/news_releases/art13.html. (NA).

da América do Sul. Duas mil, cento e sessenta e uma pessoas foram capturadas em 29 postos de controle alfandegário de sete países-membros da União Europeia durante a operação intensiva que teve a duração de dezessete dias.[303] Desde maio de 2007 uma rede de patrulhas conjuntas das autoridades de polícia das fronteiras é controlada no Mediterrâneo pela FRONTEX.[304]

Estrangeiros Ilegais

A fronteira entre os Estados Unidos e o Canadá tem uma extensão de 8.891 quilômetros, enquanto a que separa os Estados Unidos do México mede 3.360 quilômetros. Se os Estados Unidos e o Canadá cooperarem no objetivo de defesa das fronteiras e controle dos imigrantes, a divisa norte dos Estados Unidos não apresentará grande problema, porque o Canadá, tendo em vista sua própria localização geográfica, é difícil de ser atingido por refugiados ilegais. Isso não impede que se calcule a presença de 200.000 moradores ilegais no Canadá.[305] Já as fronteiras entre os Estados Unidos e o México, mesmo depois de decorridos quinze anos do estabelecimento do *North American Free Trade Agreement* [Tratado de Livre Comércio da América do Norte] (NAFTA), tiveram de ser progressivamente reforçadas. As patrulhas de fronteira foram duplicadas ao longo desses quinze anos. De forma semelhante, as linhas divisórias foram demarcadas com cercas e reforçadas com muros, especialmente junto às estradas de maior movimento e nas proximidades das cidades, onde as pessoas que pretendem atravessar ilegalmente a fronteira podem se esconder facilmente

---

[303] Relatório Anual da FRONTEX 2006, p. 11; veja também Christoph Marischka, *Frontex geht in die Offensive* [A FRONTEX assume a ofensiva], *Informationsstelle Militarisierung* [Local de Informações sobre a Militarização] (IMI), IMI-Analyse 15/2007, publicado na página http://www.imi-on-line.de/2007.php3?id=a530. (NA).

[304] *Bundesministerium des Innern* [Ministério do Interior] (BMI), *Aufgaben und Tätigkeit der Europäischen Grenzschutzagentur* [Tarefas e Ações da Agência Europeia de Controle das Fronteiras], FRONTEX, sem data, no *site* http://www.eu2007.bmi.bund.de/nn_1034414/EU2007/DE/InnenpolitischeZiele/Themen/Frontex/Frontex_node.html_nnn=true. Um comunicado recebido por um jornal a 24 de agosto noticiava que a FRONTEX havia suspendido temporariamente suas atividades no Mediterrâneo, porque lhe faltavam "os meios financeiros para manter barcos, helicópteros e pessoal nas águas ao sul da Europa durante o verão inteiro". (*Frankfurter Allgemeine Zeitung*, edição de 24 de agosto de 2007, p. 3). Este comunicado, que abertamente causou espanto entre os responsáveis pela União Europeia, foi interpretado como sendo uma possível tentativa de obter mais recursos. (NA).

[305] A maior parte destes entrou legalmente como turistas, estudantes ou trabalhadores temporários, permanecendo ilegalmente após seus vistos expirarem. Consulte Jennifer Elrick, *Länderprofil Kanada* [Perfil das terras do Canadá], publicado em *Focus Migration* [Enfoque sobre a Imigração], 8/2007, conforme a página eletrônica http://www.focus-migration.de/Kanada.1275.0.html, pp. 7ss. (NA).

A GUERRA DA ÁGUA

entre as multidões. No final do verão de 2006, por exemplo, uma parede tripla de aço, com quatro metros e meio de altura foi construída através da rodovia que liga San Diego, na Califórnia, à cidade mexicana de Tijuana, com portões de passagem firmemente policiados. Instalações semelhantes foram construídas nas fronteiras do Arizona e do Texas.[306] Todos os anos, mais de cem pessoas morrem durante as tentativas de entrar ilegalmente nos Estados Unidos[307] transpondo sua fronteira com o México, uma passagem perigosa, que é tornada cada vez mais difícil na medida em que são reforçados os meios de proteção da fronteira e as viagens têm de ser tentadas por acessos progressivamente mais inóspitos.[308] Entre as principais causas das mortes estão picadas de cobras, picadas de insetos venenosos, afogamentos, ferimentos provocados por espinhos de cactos, quedas e pela escassez de água potável.[309]

Como reação aos ataques terroristas de 11 de setembro de 2001, foi criado um novo ministério nos Estados Unidos, o *Department of Homeland Security* [Ministério de Segurança Interna] (DHS), que entrou em funcionamento em novembro de 2002 e a partir de então é o responsável pela segurança das fronteiras nacionais. Seu precursor foi um *Office of Homeland Security* [Escritório de Segurança Interna], montado na Casa Branca pelo Presidente Bush, que tinha a incumbência de criar uma estratégia de segurança nacional (*"National Strategy for Homeland Security"* [Estratégia Nacional para a Segurança Interna]). Esta foi apresentada em

---

[306] Mike Davis: *Die große Mauer des Kapitals* [A Grande Muralha do Capital], publicado em *Die ZEIT* [O Tempo], 12 de outubro de 2006, nº. 42/2006, na página eletrônica http://www.zeit.de/2006/42/Mauern.?page=2.html. (NA).

[307] *U. S. Customs and Border Protection* [Serviço alfandegário e de proteção das fronteiras dos Estados Unidos]: *National Border Patrol Strategy* [Estratégia Nacional de Patrulha das Fronteiras], setembro de 2004. (NA).

[308] Mike Davis: *Die große Mauer des Kapitals* [A Grande Muralha do Capital], publicado em *Die ZEIT* [O Tempo], 12 de outubro de 2006, nº. 42/2006, na página eletrônica http://www.zeit.de/2006/42/Mauern?page=2. html. Um bom exemplo deste efeito foi a *"Operation Gatekeeper"* [Operação Guarda do Portão], realizada no ano de 1994. Esta incluía um reforço da fronteira entre a Califórnia e o estado mexicano da Baja Califórnia, na forma de melhor treinamento do pessoal de defesa da fronteira, da modernização de seu armamento e da construção de cercas do mesmo modo que do aperfeiçoamento das já existentes. Quatro anos mais tarde, um grupo de organizações não-governamentais norte-americanas e mexicanas – entre elas o *American Friends Service Committee* [Comissão de Prestação de Serviços por Amigos Norte-americanos], o *Centro de Apoyo al Migrante* [Centro de Ajuda aos Imigrantes] e a *Casa del Migrante* [Casa do Imigrante] – organizou um balanço durante o qual seriam averiguados os deslocamentos dos fluxos de imigrantes. Verificou-se que o estabelecimento das cercas havia deslocado a maioria dos ilegais a tomar um caminho através do deserto que cobre o nordeste do México, entre Mexicali e Tecate, onde a temperatura média durante o dia chega a 50 graus (*Bundeszentrale für politische Bildung: USA/Mexiko: Kritische Bilanz von Nichtregierungorganizationen zu vier Jahren* [Escritório Federal Central de Informações Políticas: O Balanço crítico de organizações não-governamentais durante quatro anos]: *"Operation Gatekeeper"* [Operação Guarda do Portão], publicada na revista *Migration und Bevölkerung* [Migração e População], edição 8/1998, disponível na página eletrônica http://www.migration.info.de/migration_und_bevoelkerung/artikel/980807.htm. (NA).

[309] *Ibidem*. Veja Também Achim Reinke: *Unterwegs in die Erste Welt* [Caminhando pelo Primeiro Mundo]: Boletim da Cáritas International 11/2006, conforme página eletrônica http://www.caritas-international.de/10567.html. (NA).

julho de 2002. A partir dela a tendência se especializou em pensar na segurança das fronteiras sob o ponto de vista do perigo terrorista, de modo a considerar e organizar sua defesa. O documento estratégico se exprime do seguinte modo:

"Historicamente, os Estados Unidos confiaram em dois vastos oceanos e dois vizinhos amigos para garantir a segurança de suas fronteiras e se basearam no setor privado para a manutenção da maior parte das formas de segurança nos transportes. A mobilidade e o potencial destrutivo crescentes do terrorismo moderno obrigaram os Estados Unidos a repensar e a reformar fundamentalmente seus sistemas de segurança de fronteiras e transportes."[310] A partir de outubro de 2001 foi promulgada a assim chamada *"Patriot Act"* [Lei Patriótica] que, entre outras coisas, determinava o interrogatório dos não-cidadãos e a expulsão de imigrantes.[311]

Depois da criação do Ministério de Segurança Interna, o problema da segurança das fronteiras foi respondido especialmente pelo reforço conjunto da guarda-costeira e pela criação da "Autoridade Aduaneira e de Defesa das Fronteiras" (*United States Customs and Border Protection* [Serviço Alfandegário e de Proteção das Fronteiras dos Estados Unidos]) (CBP).[312] Desde então, as medidas de controle das áreas de ingresso legal vêm sendo progressivamente reforçadas. Um ingresso sem necessidade de visto, como ocorre na Europa, não é mais possível mediante autenticação automática do passaporte, porque está sendo oficialmente requerido por ocasião da entrada a comparação com fotografias e impressões digitais armazenadas no sistema. Futuramente será requerido o registro eletrônico de todas as entradas com 48 horas de antecedência. O Ministério do Exterior da República Federal Alemã recomenda aos passageiros que se destinam aos Estados Unidos que cheguem aos aeroportos com pelo menos três horas de antecedência ao horário agendado para os voos, considerando a

---

[310] *"America historically has relied on two vast oceans and two friendly neighbors for border security, and on the private sector for most forms of domestic transportation security. The increasing mobility and destructive potential of modern terrorism has required the United States to rethink and rearrange fundamentally its systems for border and transportation security."* [Historicamente, os Estados Unidos confiaram em dois vastos oceanos e em dois vizinhos amigos para garantir a segurança de suas fronteiras e se basearam no setor privado para a manutenção da maior parte das formas de segurança nos transportes. A mobilidade e potencial destrutivo crescentes do terrorismo moderno obrigaram os Estados Unidos a repensar e a reformar fundamentalmente seus sistemas de segurança de fronteiras e transportes.] *Office of Homeland Security* [Escritório de Segurança Interna]: *The National Strategy for Homeland Security* [Estratégia Nacional para a Segurança Interna], julho de 2004, p. 21, em http://www.dhs.gov/xabout/history/publication_0005.shtm. (NA).

[311] Nicholas Parrott: *Länderprofil – Die Vereinigten Staaten von Amerika* [Perfil das nações – Estados Unidos da América], Focus Migration 4/2007, disponível na página eletrônica http://www.focus-migration.de/ Die_Vereinigten_Staat.1233.0.html. (NA).

[312] *Department of Homeland Security* [Ministério de Segurança Interna], *Organizational Charts* [Organogramas], 1º. de abril de 2007, p. 1, disponível em http://www.dhs.gov/xlibrary/assets/DHS_OrgChart.pdf. (NA).

possibilidade de uma demora nos procedimentos de controle.[313] Os Estados Unidos estão regulamentando a espera dos voos por meio de um acúmulo e elevação dos requisitos de conferência de dados biométricos. Neste mesmo ano os procedimentos de segurança anteriores ao ingresso aos Estados Unidos serão ainda mais reforçados, sendo apenas permitidas as viagens com dispensa de emissão de vistos mediante o registro das impressões digitais de todos os dez dedos. No futuro, estes controles de ingresso poderão também incluir a verificação das retinas oculares, conforme um comunicado do Ministério de Segurança Interna tornou público no mês de junho. Os dados acumulados serão colocados em um banco central de dados a que o FBI e a CIA terão acesso.[314]

Dentro deste contexto também é interessante informar os custos e o ritmo de privatização das medidas tomadas pelo Escritório de Segurança Interna – em 2006, o governo dos Estados Unidos despendeu o equivalente a 545 dólares por família nas medidas tomadas em favor da defesa nacional; dentro deste esquema, foram assinados mais de cem mil contratos com firmas especializadas em segurança privada.[315] Do mesmo modo, logo após o tratado de ação comum entre os Estados Unidos e o Canadá para a defesa das fronteiras, as medidas relativas foram diretamente intensificadas. Na metade de dezembro, foi firmado em Ottawa um pacto denominado *"Smart Border Declaration"* [Plano de Ação para Fronteiras Inteligentes], que dependia da elaboração de um outro banco de dados (Projeto *"Northstar"* [Estrela do Norte] e se destinava a uma cooperação mais enérgica no controle de fronteiras e de aeroportos, em que seriam destacadas *"passenger analysis units"* [unidades de análise dos passageiros] conjuntas. Parte do pacto incluía o acesso da RCMP (*Royal Canadian Mounted Police* [Real Polícia Montada do Canadá]), correspondente à Polícia Federal, ao banco de dados de impressões digitais do FBI norte-americano. Ambos os países concordaram igualmente em comparar estes e os novos bancos de dados com os das pessoas que solicitassem asilo ou que ingressassem como refugiados.[316]

---

[313] Kai Oppel: *USA – unbeliebt und unvermeidlich* [Estados Unidos – impopulares e inevitáveis], *Financial Times Deutschland* [Suplemento Financeiro do *Times* em edição alemã, 9 de setembro de 2007, publicado na página eletrônica http://www.ftd.de/unternehmen/handel_dienstleister/247895.html. (NA).

[314] *US-Regierung verschärft Einreisekontrolle* [O governo dos Estados Unidos reforça o controle da imigração], *Handelsblatt* [Folha do Comércio], edição de 25 de junho de 2006, disponível na página eletrônica http://www.handelsblatt.com.news/_pv/_p/20051/_t/ft/_b/1285723/default.aspx/index.html. (NA).

[315] Naomi Klein: *Die Schock-Strategie. Der Aufstieg des Katastrophen-Kapitalismus* [Estratégia de Choque: A ascensão do capitalismo das catástrofes], Frankfurt am Main, 2007, p. 26. (NA).

[316] *Bundeszentrale für politische Bildung: USA/Kanada: Grenzsicherungsabkommen und höhere Einwanderugsquoten in Kanada* [Escritório Federal Central de Informações Políticas: USA/Canadá: Tratado de Segurança das Fronteiras e quotas mais elevadas de imigração no Canadá], *Migration und Bevölkerung* [Migração e População] 1/2002, disponível na página eletrônica http://www.migration-info.de/migration_und_bevoelkerung/artikel/020104.html.

O principal responsável pela defesa das fronteiras dos Estados Unidos é o CBP U.S. *Customs and Border Protection* [Serviço Alfandegário e de Proteção das Fronteiras dos Estados Unidos], que iniciou suas atividades em março de 2003. Ele inclui um total de 42.000 empregados, dos quais 18.000 são funcionários públicos, distribuídos por 325 postos de controle instalados em aeroportos, portos marítimos e postos de fronteiras terrestres, do mesmo modo que 11.000 destacados diretamente para a vigilância das fronteiras terrestres. O CBP está equipado para a realização de suas tarefas com mais de 8.000 veículos terrestres, 260 aeroplanos e helicópteros e 200 embarcações.[317] Desde 2005, dois aviões-robôs não-tripulados são controlados eletronicamente para patrulhar a fronteira do Arizona mediante observação e fotografia aérea; até o final de 2008 deverão ser acrescentados mais quatro à execução das mesmas tarefas, com a função de vigiar as costas marítimas e observar a fronteira terrestre com o Canadá.[318] Em média, as tarefas diárias do CBP incluem a inspeção de quase 1.200.000 pessoas atravessando legalmente as fronteiras dos Estados Unidos, o impedimento da entrada de 870 suspeitos e a captura de quase 3.500 pessoas que já haviam conseguido ingressar anteriormente de forma ilegal apesar dos controles (*"illegal aliens"* [estrangeiros ilegais]).[319] Com todas estas medidas em ação, para cada invasor que consegue ingressar com sucesso no país, estatisticamente oito são impedidos de algum modo.[320]

Em novembro de 2005, o titular do Ministério de Segurança Interna dos Estados Unidos, Michael Chertoff, colocou em ação a SBI (*Secure Border Initiative* [Iniciativa para a Segurança das Fronteiras]). De acordo com o documento de criação publicado pelo Serviço Alfandegário e de Proteção das Fronteiras dos Estados Unidos, a Iniciativa não somente deveria se preocupar com um controle eficiente das fronteiras, mas também tinha a seu cargo a extensa elaboração de um novo regulamento sobre a imigração e controle aduaneiro, do mesmo modo que de um programa adicional para a criação de possibilidades de emprego para visitantes (denominado *"Temporary Worker*

---

[317] *U. S. Customs and Border Protection* [Serviço alfandegário e de proteção das fronteiras dos Estados Unidos]: *Securing America's Borders* [Como tornar seguras as fronteiras norte-americanas], setembro de 2006, p. 1, disponível na página eletrônica oficial em http://www.cbp.gov/linkhandler/cgov/toolbox/about/mission/cbp_securing_borders.ctt/ cbp_securing_borders.pdf. (NA).

[318] Tim Gaynor: *Blocking the Border* [Bloqueio das Fronteiras], Agência Reuters, boletim noticioso de 10 de setembro de 2007 incluído na página eletrônica http://features.us.reuters.com/cover/news/N07313987.html. (NA).

[319] Naomi Klein: *Die Schock-Strategie. Der Aufstieg des Katastrophen-Kapitalismus* [Estratégia de Choque: A ascensão do capitalismo das catástrofes], Frankfurt am Main, 2007, p. 26. (NA).

[320] Achim Reinke: *Unterwegs in die Erste Welt* [Caminhando pelo Primeiro Mundo]: Boletim das Cáritas International 11/2006, conforme página eletrônica http://www.caritas-international.de/10567.html. (NA).

Program" [Programa para Trabalhadores Temporários]) (TWP). Uma "faceta crítica das funções" da Iniciativa para a Segurança das Fronteiras, conforme a publicação do Serviço Alfandegário e de Proteção das Fronteiras dos Estados Unidos, é a criação e manutenção da *"SBInet"*, um programa digitalizado para a modernização da defesa das fronteiras, empregando as mais recentes técnicas de vigilância e de comunicações.[321]

Em setembro de 2006, o governo dos Estados Unidos liberou uma verba de dois e meio bilhões de dólares para o desenvolvimento da SBInet, de modo a criar uma "fronteira virtual", ao longo da linha divisória do sudoeste do país, com o emprego das mais recentes e robustas tecnologias e capaz de executar as tarefas mais difíceis de vigilância e comunicações. Foram erguidas centenas de torres de observação, com cerca de trinta metros de altura, equipadas com radar e câmeras infravermelhas, interligadas com os veículos de observação aérea e as patrulhas terrestres, de modo tal a tornar impossível a passagem de invasores através das linhas limítrofes sem serem observados de uma forma ou de outra. Em julho de 2007, nove dessas torres já estavam instaladas e em pleno funcionamento, cada uma das quais podia manter atalaia por um raio de dezesseis quilômetros. O desenvolvimento, a construção e a instalação do sistema foram realizados mediante terceirização a empresas privadas, cada uma delas responsável por uma parte do projeto – cerca de cem empresas particulares foram contratadas para a realização deste empreendimento. Foi iniciado por meio de um projeto-piloto abrangendo cerca de 45 quilômetros da linha de fronteira do estado do Arizona com o México, que corta o deserto a leste da cidade mexicana de Nogales (denominado *"Projeto 28"*), aprovado pelo governo federal ao custo previsto de vinte bilhões de dólares. Todavia, sua instalação foi retardada por problemas técnicos de caráter geral e, passados apenas alguns meses, os custos previstos para a instalação da SBInet ao longo da fronteira sudoeste dos Estados Unidos com o México tiveram de ser acrescidos de mais oito milhões de dólares.[322] Em setembro de 2007, Michael Chernoff ameaçou

---

[321] *U. S. Customs and Border Protection* [Serviço alfandegário e de proteção das fronteiras dos Estados Unidos]: *Secure Border Iniciative: A Comprehensive Border Security Solution* [Iniciativa para a Segurança das Fronteiras: Uma solução abrangente para a segurança das fronteiras], *Secure Border Initiative Monthly* [Revista mensal da Iniciativa para a Segurança das Fronteiras] 1/1 2006, p. 1 (NA), disponível na página eletrônica http://www.cbp.gov/linkhandler/cgov/border_security/sbi/sbi_monthly_newsletter/sbi_newsletter.ctt/ sbi_newsletter.pdf.

[322] Joseph Richey: *Fencing the Border: Boeing's High-Tech Plan Falters* [A construção da cerca na fronteira: O plano de alta tecnologia da Boeing fracassa], publicado em *The Nation Institute* [Instituto Nação], 9 de julho de 2007, disponível em http://www.nationinstitute.org/ifunds/34/fencing_the_border_boeing_s_high_tech_plan_falters. (NA).

HARALD WELZER

abandonar o projeto de construção da SBInet em caso de necessidade e ir buscar uma solução alternativa. Durante o outono desse ano foi testado um sistema melhorado e decidida sua instalação no futuro.[323] O deserto do Arizona constitui o ponto de entrada preferencial dos imigrantes ilegais provindos do México; calcula-se que de um total aproximado de 1,13 milhão de imigrantes ilegais capturados em 2005, cerca de 438.000 haviam passado por esse trecho da fronteira. Existe aqui também a atividade de um grupo denominado *"Minutemen"* [Vigilantes]: uma espécie de milícia integrada por voluntários, que contribui para a vigilância das fronteiras e que, ao avistar quaisquer transgressores dos limites, alarma imediatamente as autoridades encarregadas de controlar a passagem.[324]

Depois de discussões que duraram um ano, no final de setembro de 2006, o plano do Presidente Bush foi apresentado perante o Senado norte-americano, prevendo a construção de uma cerca de 1.123 quilômetros de extensão na fronteira com o México, ao custo de um bilhão e meio de dólares. Os políticos mexicanos criticaram o plano duramente.[325] Durante bastante tempo as coisas continuaram como antes, ainda se discutindo nos diversos setores do governo norte-americano se a construção da longa cerca tornaria a fronteira mais segura ou não, até que, em setembro de 2007, tinham sido construídos não mais que trinta quilômetros de cerca e uma porta-voz do Ministério de Segurança Interna declarou finalmente que também "cercas virtuais" (como o projeto malogrado SBInet) estavam sendo colocadas em ação, conforme determinara a assim chamada *"Secure Fence Act"* [Lei da Cerca de Segurança], promulgada em setembro de 2006.[326] Finalmente, a construção tão anunciada da cerca na fronteira Estados Unidos-México

---

[323] Chris Strome: *Contractor Problems Hold Up Border Fence Project* [Problemas com Empresas Terceirizadas interrompem o projeto da cerca na fronteira], publicado em *Government Executive Magazine* [Revista do poder executivo], 7 de setembro de 2007, em http://www.govexec.com/dailyfed/0907/090707cdpml.htm. (NA).

[324] Thomas Kleine-Brockhoff: *Ground Zero in Arizona* [Alvo localizado no Arizona], publicado em Die ZEIT [O tempo], 6 de abril de 2006, Nº. 15/2006, reproduzido na página eletrônica http://zeit.de/text/online/2006/15/einwanderung. *Veja também*: www.minutemen.com. (NA). O termo é uma alusão aos civis engajados na luta pela independência dos Estados Unidos, que haviam assumido o compromisso de sair de suas casas um minuto após serem avisados, a fim de se apresentarem ao "Exército Continental" do General Washington. (NT).

[325] Hildegard Strausberg: *Mexikaner protestieren gegen die neue Mauer* [Mexicanos protestam contra o novo muro], publicado em *Welt online*, 6 de outubro de 2006, na página eletrônica http:/www.welt.de/print-welt/article157609/Mexikaner_protestieren_gegen_die_neue_ Mauer.html. (NA).

[326] Fred Lucas: *Border Fence "Very Doable", Engineers Say* [Uma cerca ao longo da fronteira é "perfeitamente praticável", dizem os engenheiros.], *Cybercast News Service* [Serviço Noticioso Cibernético], 6 de setembro de 2007, publicado em http://www.cnsnews.com/ViewNation,asp?Page=/Nation/archive/200709/NAT20070906a.html. (NA).

A GUERRA DA ÁGUA

começou a ser instalada e até o presente uma linha de fronteira de 160 quilômetros de comprimento já foi protegida por cercas.[327]

Do mesmo modo que na Europa, também nos Estados Unidos aumenta a preocupação sobre a maneira de impedir a entrada de refugiados antes que eles consigam atravessar as fronteiras terrestres, de modo tal que se torne possível expandir a fronteira para o exterior. De acordo com um relatório da agência católica Cáritas, os Estados Unidos estão solicitando cada vez com maior insistência ao governo do México que também reforce a segurança de sua fronteira sul, porque uma quantidade extremamente numerosa de migrantes atravessa a fronteira desimpedida com a Guatemala, provenientes não só deste país como de diversas outras nações centro-americanas e sul-americanas, com a intenção de usar o território mexicano como espaço de trânsito para ingresso nos Estados Unidos. Mediante acordos bilaterais, como o *"Plan Sur"* [Plano Sul] ou *"La Repatriación Segura"* [Repatriação com segurança] já foram estabelecidos no México, mediante financiamento dos Estados Unidos, 41 campos onde os ilegais permanecem prisioneiros enquanto aguardam sua deportação para os países de origem.[328]

Na história recente, o tema dos imigrantes ilegais começou a chamar a atenção pela primeira vez depois de Ronald Reagan observar publicamente a existência de uma "invasão", afirmando que os Estados Unidos haviam perdido o controle sobre suas fronteiras, o que na época foi saudado como uma gafe presidencial. Mas seguiu-se a *"Immigration Reform and Control Act"* [Lei de Reforma e Controle da Imigração], promulgada em 1986, que previa o fortalecimento da fronteira sul, multas aplicadas a quem desse emprego aos trabalhadores ilegais, a captura dos imigrantes ilegais, mas também previa uma anistia para tais imigrantes, desde que pudessem comprovar ter permanecido

---

[327] De acordo com um estudo publicado pelo PEW *(Project for Excellence in Journalism) Hispanic Center* [Centro Hispânico do Projeto para Excelência em Jornalismo] em março de 2006, havia cerca de doze milhões de imigrantes ilegais nos Estados Unidos, número aumentado anualmente por mais meio milhão. Esta imigração é praticamente impossível de conter, porque os imigrantes econômicos são trabalhadores baratos e bem recebidos em toda parte. O estudo assinala a seguir que 56% desses imigrantes sem abrigo legal são mexicanos e mais 22% provêm de outros países latino-americanos e 94% destes trabalham e ganham salários. De fato, a economia dos Estados Unidos tem necessidade destes ilegais e de sua força de trabalho pouco dispendiosa, o que significa que, todas as medidas em contrário, seu número irá se ampliando cada vez mais. O sociólogo Mike Davis afirma que a política de fronteiras não terá o menor efeito para impedir a entrada da imigração ilegal, mas que, ao contrário, deveria conduzi-los a acampamentos de trânsito de onde seriam encaminhados diretamente para os mercados de trabalho. (NA).

[328] Achim Reinke: *Unterwegs in die Erste Welt* [Caminhando para o Primeiro Mundo]: Boletim da Cáritas International 11/2006, conforme página eletrônica http://www.caritas-international.de/10567.html. (NA).

HARALD WELZER

nos Estados Unidos durante tempo suficiente.[329] Em 1994, o então governador republicano do estado da Califórnia, Pete Wilson, determinou por decreto que os invasores recebessem a devida atenção das agências estaduais, como escolas para seus filhos e amplos cuidados médicos. A realização de um plebiscito resultou em uma maioria favorável, mas suas consequências levaram a uma mobilização dos californianos de origem latino-americana, que se levantaram contra o plano e logo na eleição seguinte transformaram a Califórnia em um baluarte democrata. Os republicanos tiveram assim exposto drasticamente diante de seus olhos, diretamente pela manifestação dos latinoamericanos, que a imensa maioria da população era contrária a uma política que parecesse hostilizar os imigrantes, mesmo no caso dos imigrantes ilegais, o que deu origem a um acirrado debate político.[330]

Este cabo de guerra político entre os democratas, em sua maioria liberais, e a política basicamente conservadora dos republicanos foi significativo o bastante para esclarecer que realmente já se passavam alguns anos desde que o consenso dominante era o de que a política de imigração tinha de ser reformada, embora nenhum conceito ideológico abrangente e muito menos prático tivesse ainda alcançado aceitação popular. Uma lei aprovada pela Câmara de Deputados norte-americana em dezembro de 2005, a oficialmente chamada lei H. R. 4437(*House of Representatives Bill 4437 109th. Session* [Lei nº. 4437 da 109ª. Sessão da Câmara de Deputados Federal]), denominada por extenso *Border Protection, Anti-terrorism, and Illegal Immigration Control Act* [Lei de Proteção às Fronteiras, Antiterrorismo e Controle da Imigração Ilegal] contemplava um regime de imigração mais duro; em maio de 2006, o Senado rejeitou uma proposta em favor da ampliação das oportunidades de trabalho dos ilegais e de suas possibilidades de naturalização e nenhum outro projeto de lei conseguiu até o presente obter a aprovação do Congresso norte-americano neste sentido.[331] A proposta supramencionada provocou já na primavera de 2006, os maiores protestos em massa registrados na história dos Estados

---

[329] Nicholas Parrott: *Länderprofil – Die Vereinigten Staaten von Amerika* [Perfil das nações – Estados Unidos da América], Focus Migration 4/2007, em http://www.focus-migration.de/Die_Vereinigten_Staat.1233.0.html, p. 2. (NA).

[330] Thomas Kleine-Brockhoff: *Die Macht der Latinos* [O poder dos latino-americanos], publicado em *ZEIT on-line* 1º. de abril de 2005, conforme a página eletrônica http://zeit.de/text/online/2006/14/usa_immigration. (NA). Não obstante, o partido republicano recobrou o governo estadual em 2003, quando tomou posse o ator Arnold Alois Schwarzenegger, um cidadão naturalizado de origem austríaca, que foi reeleito em 2006. (NT).

[331] Nicholas Parrott: *Länderprofil – Die Vereinigten Staaten von Amerika* [Perfil das nações – Estados Unidos da América], publicada na revista Focus Migration 4/2007, disponível na página eletrônica http://www.focus-migration.de/Die_Vereinigten_Staat.1233.0.html, p. 2. (NA).

Unidos. Somente em Los Angeles, a 25 de março desse ano, entre meio milhão e um milhão de pessoas se reuniram em uma demonstração contrária a um agravamento das leis contra os imigrantes ilegais e também contra a construção das cercas de proteção à fronteira.[332] Finalmente, foi apresentado ao Senado dos Estados Unidos, em junho de 2007, um projeto de lei para reforma da política de imigração que, ao lado de um reforço técnico e aumento do funcionalismo destinado a patrulhar a fronteira sul, também propunha 200.000 novos vistos para trabalhadores temporários e ampliava as possibilidades de ocupação na economia, particularmente na área agrícola, mediante a obtenção de permissões de permanência regular.[333]

Os Refugiados e o Asilo Político

Quem quer que sofra perseguições políticas em sua pátria pode solicitar uma permissão de viagem para os Estados Unidos; quem já se encontra em seu território e teme ser perseguido quando retornar a seu próprio país, pode solicitar asilo político. Em 1980 foi estabelecido pela primeira vez um limite superior para o número de refugiados, exatamente 231.700 pessoas por ano. Desde 2004, este limite foi reduzido para apenas 70.000. Na prática, a aceitação de refugiados ficou geralmente bem abaixo dos limites estabelecidos para o período. Durante a década de 1990, em média foram aprovados 100.000 dos formulários de solicitação de asilo; entre 2000 e 2006, o número caiu para a metade, via de regra, em torno de 50.000. Em 2006, foram aceitos legalmente nos Estados Unidos 41.150 refugiados; os principais países de origem foram a Somália (25%), a Rússia (15%) e Cuba (7,6%). Ao mesmo tempo, foi concedido asilo político a 26.113 pessoas, provenientes principalmente da China (29%), do Haiti (12%), da Colômbia (11%) e da Venezuela (5,2%).[334] Já no Canadá, entre 1995 e 2004, 46% dos refugiados apelaram para o direito de asilo, provenientes na maioria da China, Colômbia, República do Congo, Hungria, Índia, Irã, México, Nigéria, Paquistão e Sri Lanka. Entre 2002 e 2004,

---

[332] Netzwerk Migration in Europa [Rede de emigração para a Europa] (Editora), diversos: USA: Massenproteste gegen Einwanderungsgesetzte [Estados Unidos: Protestos em massa contra as leis da Imigração], publicado em Migration und Bevölkerung [Migração e População] 3/2006, conforme a página eletrônica http://www.migration-info.de/migration_und_bevoelkerung/artikel/060308.htm. (NA).

[333] Ibidem, p. 7. (NA).

[334] Ibidem, p. 5. (NA).

a maioria chegou do México e da Colômbia.[335] Em razão das crescentes dificuldades de acesso através das fronteiras dos Estados Unidos, uma parte do fluxo migratório desviou-se dos Estados Unidos para o Canadá.

Tanto a Europa como os Estados Unidos, em sua condição de países que apresentam o maior grau de atração tanto para refugiados como para imigrantes ilegais, seguem estratégias semelhantes, pelo menos em dois aspectos, para garantir a segurança de suas fronteiras. Por um lado as medidas de contenção nas fronteiras e o pessoal que trabalha na manutenção da segurança vêm sendo progressivamente reforçados; por outro, existe uma tendência em ambos os pontos para tentar afastar o problema para além de suas fronteiras, se bem que esta tendência seja muito mais forte na União Europeia que nos Estados Unidos. Em ambos os casos, surgem fortes reações ao problema das crescentes pressões migratórias e a questão permanece em aberto sobre de que modo estas reações se manifestarão quando estas pressões se tornarem muito mais poderosas em função das consequências provocadas pelas transformações climáticas.

Fronteiras fora do Próprio Território

A transposição das fronteiras para o exterior parece atualmente a prática mais efetiva e menos chocante, no sentido de que se destina a preservar a vida dos imigrantes ao mesmo tempo em que impede seu ingresso, sem ser necessário o emprego das forças de segurança europeias como atores, dentre as que vêm sendo estudadas pelas autoridades da União Europeia que se ocupam com a gestão administrativa e com o repatriamento dos refugiados, uma vez que o problema dos refugiados não somente atinge a sociedade europeia, como diariamente os cadáveres dos afogados são recolhidos nas praias sicilianas e canarinas. Esta é a única alternativa que, pelo menos aparentemente, não relaciona uma política de defesa nacional com a morte dos refugiados; na maior parte das vezes, são de fato acontecimentos sem ligação direta, embora esta última também constitua um problema para as autoridades de segurança.

---

[335] Jennifer Elrick, *Länderprofil Kanada* [Perfil das terras do Canadá], publicado em *Focus Migration* [Enfoque sobre a Imigração], 8/2007, conforme a página eletrônica http://www.focus-migration.de/Kanada.1275.0.html, p. 8. (NA).

Muitas das considerações a respeito do afastamento das fronteiras derivam dos bastidores da política; um exemplo particularmente adequado é a situação extraparlamentar da FRONTEX, que já executa grande número de tarefas de proteção. Convém observar que entre as atividades de defesa das fronteiras por ela empreendidas se encontra o planejamento de como enfrentar um problema que certamente se agravará durante os próximos anos – será necessário tomar desde agora medidas de prevenção contra uma das consequências centrais das variações climáticas: as migrações provocadas pelo ambiente.

O alcance da fantasia é muito amplo no sentido de encontrar denominações interessantes para ações individuais ou manobras conjuntas, as quais com frequência são buscadas na antiga mitologia grega – tais nomes funcionam como eufemismos que não somente indicam que as medidas são inofensivas, mas igualmente trazem a conotação dos posicionamentos culturais tradicionais, o que ajudará a fortalecer o apoio às atividades de defesa das fronteiras. Finalmente ocorre que esses paradigmas básicos inseridos na política de fronteiras assinalem que o problema do infringimento potencial de fronteiras deva ser afastado o mais possível para longe do continente.

Mas não somente ocorre que a questão dos acampamentos e zonas de defesa despertem a recordação de infelizes precursores históricos – é preciso atender ao fato de o número destes acampamentos de trânsito já existentes e dos que estão sendo implantados significar que quase já existe uma disponibilidade para barrar os próximos assaltos das torrentes de refugiados com o auxílio de violência indireta, uma violência que não será exercida pela confrontação direta entre as forças de segurança europeias e o constante fluxo de refugiados, mas que, de uma forma ou de outra, será financiada e delegada às autoridades norte-africanas. O poder político e econômico será desse modo praticamente aplicado para forçar países como Marrocos ou a Líbia, que já cooperam na construção e manutenção dos acampamentos, a empregarem a violência para a conservação dos refugiados em seu interior. Tanto jurídica como moralmente, isso representa um afastamento da violência para uma esfera além do alcance de uma responsabilidade direta – isso significa, em termos práticos que, quando as autoridades ou o exército marroquino ou argelino abandonam os refugiados no deserto que se estende além de suas fronteiras, esta ação se encontra além da responsabilidade da política de segurança europeia; estas podem então se queixar calmamente das infrações cometidas contra os direitos humanos.

Proporcionalmente à dimensão das medidas e ao número preocupante de refugiados, nos encontramos aqui perante um novo tipo de conflito,

HARALD WELZER

caracterizado pela delegação da violência e que, por este meio, gera uma *inocência técnica*. Isto se torna possível apenas graças a uma organização compartilhada pelos países financeira, política e tecnologicamente bem dotados, que sentem aversão pelo emprego da violência e preferem não se identificar com ela.[336] Os atores visíveis são os refugiados, os "bandos de repressão" e os "administradores individuais" de pessoas, as autoridades africanas e talvez ainda as famílias financiadoras das investidas dos refugiados. As autoridades de defesa das fronteiras da União Europeia apresentam-se neste cenário principalmente como atores humanitários, que procuram impedir pela força a continuação das tragédias que diariamente ocorrem na travessia do Mediterrâneo ou do Oceano Atlântico.

Embora aparentemente ninguém esteja pensando agora sobre as possibilidades contingenciais que provocaram o fluxo de refugiados climáticos, parece justo considerar que o encolhimento das áreas que apresentam condições de sobrevivência na África teve como causa original o processo de industrialização dos países desenvolvidos e que, por essa mesma razão, eles devam ser responsabilizados por isso. Mas segundo a opinião do WBGU (*Wissenschaftlicher Beirat der Bundesregierung Globale Unweltveränderungen* [Conselho Consultivo Científico do Governo Federal Alemão sobre as Mudanças Ambientais Globais]), o equilíbrio entre a política climática e a política de segurança europeia pode ser tanto interpretado como favorável a uma política ambiental mais eficiente como a uma política de segurança muito mais enérgica.

A psicologia social apresenta também aqui uma questão sobre até que ponto a opinião pública europeia, excitada pelo crescente sentimento de ameaça provocado pela pressão migratória e as decorrentes necessidades de segurança, se voltará em favor da criação de uma política de defesa contra a imigração muito mais rigorosa. As opiniões manifestadas em favor de maior segurança e menos ênfase nos direitos humanos depois das diversas tentativas fracassadas ou exitosas dos ataques terroristas indicam que a sensação de ameaça contra a própria situação pesa muito mais sobre o desejo de que sejam articulados meios de defesa mais eficazes. A percepção de ameaças externas sempre gera coesão no plano interno.

Deste modo, as atividades da política de desenvolvimento se dirigem mais para a defesa das fronteiras por meio de medidas aplicadas *fora* da União Europeia, para não permitir o aumento da pressão já exercida contra as fronteiras

---

[336] Heinrich Popitz: *Prozesse der Machtbildung* [Processos do Estabelecimento do Poder], Tübingen, 1976, pp. 9ss. (NA).

externas. Já se torna visível na opinião pública a impressão do que as previsões sobre as dimensões a serem atingidas pelas massas de refugiados na metade do presente século realmente significarão caso se confirmem os prognósticos. Uma multiplicação por dez no número dos refugiados significará um aumento decuplicado da pressão populacional externa sobre a estrutura interna das sociedades afetadas e deste modo irá originar a percepção de uma série de problemas que conduzirão à exigência de soluções.

Os Rápidos Processos de Transformação da Sociedade

O século 20 assistiu a uma longa série de rápidos processos de transformação social – por exemplo, a revolução russa de 1917, o período nacional-socialista na Alemanha e sua expansão pelos países vizinhos, as revoluções sul-americanas nas décadas de sessenta e setenta, o dilaceramento da Iugoslávia e tantos outros. Espantosamente, nem a sociologia, nem a política, nem a ciência histórica dispõem de uma teoria ou sequer de conceitos para a descrição e esclarecimento destes processos de transformação social extremamente acelerados. Nesse mesmo sentido, também é muito estranho que todos os que trabalham dentro dos diversos setores dessas ciências e pensam a respeito de seus significados e abrangências, os quais vivenciaram *no mínimo um* desses processos de transformação social extremamente acelerados, e com eles literalmente *ninguém* que pertencesse às demais áreas de formação de opinião, nenhum político, nenhum cientista, nenhum jornalista, calculou sua aparição e desenvolvimento. O colapso do bloco oriental europeu se completou em um espaço de apenas alguns meses, considerando-se que, poucos dias depois dos acontecimentos de novembro de 1989, sua estrutura interna começou a se esfacelar. Foi um fenômeno tal como o mundo nunca tinha contemplado antes, muito menos o espaço europeu. Nenhuma previsão de transformações sociais desse tipo estava incluída nas teorias de desenvolvimento das sociedades modernas, nenhuma possibilidade nesse sentido fora imaginada e, portanto, absolutamente nada poderia ter sido previsto. Consequentemente, foi aplicada a etiqueta de "delírio" aos acontecimentos daqueles dias subsequentes ao assassinato do ditador romeno e de sua esposa, em que uma onda libertária correu avassaladoramente, fazendo com que

HARALD WELZER

o mundo habitado por 365 milhões de pessoas sofresse uma modificação completa da noite para o dia.

A falta de *uma teoria sobre os processos de transformação social que dinamizam a si mesmos* descarta a possibilidade de registrar as transformações da própria sociedade em seu início, a fim de interpretá-las e, se for o caso, impedi-las. A partir deste pano de fundo é sintomático que a sociedade ocidental tenha realmente caracterizado os países do leste europeu após 1989 como "sociedades em rápida transformação", mas até hoje não tenha entendido que as configurações internacionais transformadas desde então, com todas as suas consequências econômicas, sociais e ecológicas tenham lançado igualmente os países ocidentais em um processo de transformação social.

Claramente, a maior parte dos processos de transformação rápida ocorre quando se iniciam procedimentos violentos ou quando estão imiscuídos em processos de violência coletiva. Quando essa velocidade afeta o imaginário, como ocorreu na Iugoslávia durante o processo de homogeneização étnica, no qual a sociedade inteira se envolveu abertamente em uma guerra brutal que desembocou em limpeza étnica e assassinatos em massa, ou quando realmente é observada, como no caso do incrivelmente curto espaço de tempo em que a sociedade alemã se adaptou ao nacional-socialismo a partir de 1933, percebe-se como, na realidade, são praticamente inexistentes a estabilidade e a indolência tão frequentemente afirmadas da sociedade moderna com relação à segurança de suas instituições e à sua organização psicossocial interna.

Por outro lado, torna-se compreensível não somente que categorias analíticas como "sociedade" e "formas de governo" sejam abstratas, comprovando a rapidez com que se modificam no curso de uns poucos meses, mas que as pessoas concretas que compõem e formam essas sociedades e vivem dentro dos parâmetros determinados por suas formas de governo possam de uma forma tão avassaladoramente rápida ajustar sua orientação moral, seus valores e seus parâmetros de identificação, juntamente com o seu comportamento em relação a outras pessoas. Portanto, não existe nada de espantoso que no caso de ameaças reais ou imaginárias o espectro de atitudes percebido possa modificar-se tão rápida e radicalmente. Não obstante, neste processo de transformação até que ponto uma ameaça é concreta ou abstrata exerce uma influência importante. Quando uma coisa não pode ser exibida, tampouco é possível defender-se contra ela e o controle da situação rapidamente é perdido.

As Modificações Climáticas Exageradas

As modificações climáticas assumem dimensões maiores do que seu tamanho natural, segundo muitos pontos de vista. Este é o primeiro acontecimento de âmbito mundial realmente provocado pelo homem: é indiferente por quem, onde ou quando as transformações climáticas foram influenciadas pelas emissões de gases poluentes – as consequências desta influência podem espalhar-se por uma região totalmente diversa do mundo e ser percebidas e prejudicar gerações completamente diferentes. As causas iniciais e seus desenvolvimentos se ampliam mutuamente por meio das variações climáticas – quem originou as causas e aqueles que terão de combater suas consequências não são contemporâneos. O problema com as tentativas de fazer alguma coisa para interromper seus desenvolvimentos é que são influenciadas por esta *irresponsabilidade prévia* que neles se acha *articulada*. A desproporção temporal, regional e biográfica entre as causas originais e os resultados coloca o discernimento da responsabilidade no caminho da atribuição legal de compromissos que é provocado pelo descaso com relação ao resultado de possíveis catástrofes. E o resultado atual das variações climáticas é que suas modificações não podem ser influenciadas imediatamente; o que se pode fazer, se é que algo irá ser feito, ainda não terá resultados visíveis – muito menos completos – pelo menos por uma década – externamente, todos os esforços empreendidos até agora foram realizados pela aplicação de métodos ainda mal compreendidos e destinados a retardar mensuravelmente o aumento da concentração do dióxido de carbono na atmosfera, porém as geleiras continuam a derreter e os ursos polares estão morrendo apesar disso, enquanto os valores marcados pelos termômetros continuam a subir.

A desigualdade do peso das consequências é a sua pior dimensão, a qual realmente não pode ser compensada – naturalmente não é possível reassentar em outra parte do mundo a metade da população africana, ainda mais quando se toma em consideração que o povo de Bangladesh e os habitantes do Ártico também veem seus espaços vitais e sua própria sobrevivência ameaçados. Diferentemente de catástrofes como o *tsunami* ocorrido no Natal de 2004 ou o avanço do furacão Katrina no verão de 2005, as consequências das variações climáticas não se encontram em qualquer período *do passado* e logo outras inundações e tufões seguirão estes precursores destruindo tanto os bens das populações atingidas como os planos e capacidades das organizações de combate a catástrofes. Não obstante, como nos poderemos comportar diante de

HARALD WELZER

catástrofes *conhecidas*, mesmo que seus efeitos ainda não tenham sido sentidos, quais comportamentos podem ser adequados quando através do mundo pelo menos algumas regiões já se estão transformando radicalmente? Aceita a crença no progresso do mundo ocidental, irmanada com a convicção de que é inútil lamentar pelo que ainda não se perdeu, onde se encontra finalmente uma medida razoável da dimensão do problema? Quais foram as consequências práticas desses eventos para nossas próprias vidas?

As catástrofes técnicas, naturais[337] e sociais inesperadas e que portanto superaram tanto os recursos previstos para acontecimentos desse tipo como a capacidade de defesa, já ocorreram. O acidente com o reator nuclear de Tchernobyl em abril de 1986 foi uma catástrofe *técnica* porque, estatisticamente, de acordo com os cálculos e expectativas dos seus construtores, o derretimento de um reator atômico não poderia ocorrer,[338] e quando efetivamente ocorreu, foi encarado com perplexidade pelo mundo inteiro. Em primeiro lugar, o resultado foi que o inesperado aconteceu e, em segundo, que o mundo não tinha a menor ideia de como se poderia enfrentar uma catástrofe desse tipo. Em terceiro lugar, uma coisa ocorrida aqui pela primeira vez, a consciência de que danos ambientais como a disseminação de radicais radioativos pela atmosfera e seu depósito progressivo na terra e nos mares, o chamado *fall-out*, não faziam a menor distinção entre seus causadores originais e os afetados finais – uma vez que largas regiões da Suécia, Finlândia, Báltico e Polônia foram afetadas pela radiação, porque o vento soprava nessa direção.[339*] Contudo, o acidente de Tchernobyl não foi mais que uma rápida visão das consequências futuras de um desastre ambiental. Ademais, esse desastre serviu também para desfazer a fantasia de que a energia nuclear era controlável, como a daqueles que se preocupam em comer apenas alimentos ecológicos e ainda se gabaram alegremente do fato de que as estufas holandesas onde eram plantadas as hortaliças de que se nutriam não tinham

---

[337] No sentido estrito, não existem catástrofes naturais, porque a natureza é totalmente indiferente ao que possa acontecer consigo mesma ou com os seres que nela habitam. Catástrofes somente ocorrem em lugares habitados ou que interessam às pessoas e, portanto, de caráter apenas relativo à percepção humana, ocorrendo o mesmo com relação à consciência da sobrevivência futura daquilo que a evolução tiver originado. É somente em consideração da diferença que apresentam para com as catástrofes antropogênicas que emprego aqui o adjetivo "natural". (NA).

[338] Mais tarde, entretanto, se calculou que a possibilidade estatística de um tal acidente seria de uma vez em vinte mil anos, mesmo considerando todos os reatores nucleares já existentes e tomando em consideração que eles possam se tornar bem mais comuns no futuro. Contudo, estes cálculos não ficaram muito claros para o público, no sentido de que um acontecimento tão improvável que só pode acontecer uma vez em vinte mil anos, poderá perfeitamente ocorrer amanhã e não nos vinte mil anos que se seguirão. (NA).

[339*] Contudo, o cientista Edward Teller, um dos membros do Projeto Manhattan e conhecido como o pai da bomba de hidrogênio, já havia previsto detalhadamente estas consequências na década de sessenta do século 20, sendo-lhe inclusive atribuída a cunhagem do termo *fall-out*. (NT).

A GUERRA DA ÁGUA

sido afetadas pelo *fall-out,* já que os hortigranjeiros biologicamente controlados haviam recebido doses de radiação bastante baixas. Mas a maior desmoralização da consciência de segurança e de controle dos habitantes de uma civilização técnica foi a evidência da pobreza e primitivismo das soluções aplicáveis a um problema que é um símbolo urgente da existência de catástrofes técnicas *que não são corrigíveis,* como atesta a capa de concreto ecologicamente risível que foi aplicada ao redor do reator derretido, e que já rachou repetidas vezes, precisando receber novos revestimentos mais grossos e mais resistentes.

No caso de uma catástrofe *natural* como o maremoto que levou o *tsunami* a retornar duas vezes no Natal de 2004, o comportamento foi um pouco diferente. Este evento também chegou de forma inesperada, mas pode ser interpretado como um ato do destino que, deste modo só poderia ser entendido como inevitável e incontrolável – o que tornava o desastre menos vergonhoso e desmoralizador, diversamente do fato da causa original de uma catástrofe tão grande ter sido um grande erro, mas estúpido e perfeitamente evitável, uma coisa provocada por seres humanos.[340] Não obstante, o *tsunami* foi igualmente uma catástrofe de alcance global, não somente porque a médio prazo provocou consequências meteorológicas por todo o mundo, mas porque tantos turistas internacionais foram atingidos por ele. Superou radicalmente a capacidade de reação dos países afetados e destruiu o sentimento de segurança que até então era percebido pelas pessoas que empreendiam longas viagens. Na realidade, esta foi uma catástrofe *remediável,* no sentido de que os mortos foram enterrados e logo foi iniciada a restauração das praias e dos hotéis destruídos.

A catástrofe *social* do Holocausto já ficou mais para trás, mas até hoje demonstra seus efeitos, pelo menos no mundo ocidental. O fato de que a cultura cristã-ocidental fosse capaz de produzir um crime social desta monta, que nem a literatura ou os pregadores apocalípticos nem os políticos mais cínicos haviam previsto, perturba até hoje, mais de seis décadas depois de seu encerramento, quem medita sobre o caráter e a dialética dos processos da civilização. Que as pessoas pudessem considerar a resolução de um problema de uma forma tão radical, mesmo em princípio, que dirá de forma concreta, que o êxito dos planos de extermínio de milhões de pessoas tivesse sido festejado como um sucesso, eram possibilidades que não se encontravam nem nas teorias da

---

[340] Para a elaboração e remoção dos sentimentos provocados por uma experiência catastrófica, os psicólogos fazem uma importante distinção, a saber, se um acontecimento pode ser, em princípio, controlável, por exemplo, desviado ou afastado ou se é incontrolável, portanto um golpe inevitável do destino. (Veja Julian Rotter: *Clinical Psychology* [Psicologia Clínica], Nova York, 1964. (NA).

HARALD WELZER

Modernidade, nem nas consciências dos habitantes dos países atingidos.[341*] Contudo, também o Holocausto apresenta um caráter global, porque, durante a Segunda Guerra Mundial, em cujo decorrer foi planejado e executado, grupos de vítimas de diferentes origens e nacionalidades foram levados ao extermínio (a maioria das vítimas provinha conjuntamente de vinte nações)[342] e teve igualmente uma influência global positiva, porque a legislação empregada para os Julgamentos de Nuremberg até hoje serve de jurisprudência para figuras jurídicas anteriormente imprevistas e fez soar a hora do nascimento dos atuais conceitos sobre Direitos Humanos e do Direito Penal dos Povos.

Mas neste caso as consequências sociais, políticas e psicológicas desta catástrofe realmente *não são remediáveis*, mais uma vez porque alguns de seus efeitos não podem ser curados – não somente tiveram um alcance internacional e uma influência transgeneracional, como aspectos deste acontecimento social de extrema violência continuamente retornam. O Holocausto também é uma catástrofe social no sentido de que abalou permanentemente a confiança do mundo, ou no mínimo, a confiança da sociedade secular ocidental em si mesma. Foi a primeira demonstração sistemática de que efetivamente, mesmo em um mundo racionalmente esclarecido, as pessoas seriam capazes de *fazer tudo* contra outras pessoas, desde que isto lhes parecesse de algum modo correto e racional, porque na falta de um compromisso de caráter transcendental a própria razão tem livre curso, sem que nada a possa limitar.

As catástrofes técnicas, naturais e sociais podem ser também altamente *inconcebíveis*; antes que elas aconteçam, não existem quaisquer padrões de referência dentro dos quais sua previsão possa ser enquadrada. As variações

---

[341*] Não obstante, massacres semelhantes já ocorreram na história moderna, como a matança dos protestantes franceses ou irlandeses, o extermínio dos cátaros e outros grupos dissidentes pelos franceses, o assassinato de um milhão de judeus pelos espanhóis no século 16 etc., sem contar a destruição das civilizações ameríndias, também pelos espanhóis e assim por diante; na mesma época, o Tzar Ivan Grozny massacrou a população de Nijni-Novgorod sem motivo aparente, enquanto os turcos trucidavam milhares de cristãos às margens do rio Maritza. Se voltarmos um pouco atrás, veremos como os romanos destruíam sistematicamente as tribos "bárbaras" que enfrentavam, de passagem pelo extermínio da população de Jerusalém pelos Cruzados ou o genocídio deliberado das populações da Ásia Central ou do Leste Europeu por hunos, mongóis e turcos, a limpeza étnica realizada na China pelos Han e tantos outros exemplos. (NT).

[342] Wolfgang Benz: *Dimension des Völkermords. Die Zahl der jüdischen Opfer des Nazionalsozialismus* [A dimensão do genocídio. O número de vítimas judias do nacional-socialismo], München, 1996. (NA). Nem todas as vítimas eram judias; centenas de milhares de ciganos também foram exterminados deliberadamente, além de outros "orientais", sem contar os campos de trabalhos forçados em que prisioneiros de guerra ou trabalhadores escravos eram recolhidos de várias regiões da Europa. O mesmo vale para homossexuais e comunistas alemães ou de outras nacionalidades. O trânsito de centenas de milhares de trabalhadores escravos franceses, muitos dos quais morreram nos campos de trabalho, está perfeitamente documentado e pelo menos um cidadão turco, que não era judeu, cigano, homossexual nem comunista desfilou em Auschwitz, durante uma parada organizada pela fantasia do diretor a fim de homenagear as autoridades nazistas visitantes, cada grupo nacional de prisioneiros com sua bandeira. (NT).

cont. na página seguinte

climáticas, em sua condição de um problema *ecossocial*, pelo fato de estarem associadas de certo modo a estas grandes catástrofes que afetam as condições de sobrevivência, constituem uma ameaça de caráter global, suas consequências são imprevisíveis, os meios para seu controle completamente insuficientes e seus efeitos psicológicos totalmente desorientadores. Todos estes elementos contribuem para fortalecer o sentimento básico de impotência gerado pelas catástrofes provocadas por enchentes e borrascas, pela fome ou escassez de alimentos ou ainda pela destruição de megacidades. Em resumo: estamos lidando com um problema quantitativa e qualitativamente *novo*, para cujo combate não dispomos nem de um plano diretor nem de meios de controle. E uma reação psicológica constante perante aquilo que é ameaçador, para de algum modo se ter a impressão de que o perigo é controlável é a defesa do que é tido como normalidade: as pessoas reduzem a dissonância cognitiva que é despertada na consciência por uma ameaça incontrolável, quer ignorando o perigo, quer calculando que seja bem menor do que de fato o é. As possibilidades para alcançar este resultado são numerosas e abrangem desde um ceticismo com relação às previsões científicas até a busca de um novo eixo de avaliação, tal como o fato de que a humanidade já sobreviveu a tantos problemas no passado, portanto, por que razão não há de suceder o mesmo com relação ao aquecimento da Terra?

Uma vez que as consequências das catástrofes sociais não afetam todos da mesma maneira e não raramente revelem a incapacidade dos governos e administrações que não saibam como lidar com eventos inesperados, a relação das vítimas de uma catástrofe e o cálculo dos prejuízos com grande frequência são seguidos de saques, protestos maciços, demonstrações etc. Isso aconteceu após a inundação de Nova Orleans no outono de 2005 e não foi diferente após a catástrofe provocada pelo incêndio florestal na Grécia, durante o verão de 2007, nem tampouco após o terremoto ocorrido no Peru em agosto de 2007. Até mesmo as mudanças de sistema podem ser provocadas por ocorrências ambientais – como foi o caso da queda da ditadura de Somoza, transcorrida na Nicarágua em 1972 após um terremoto.[343]

Em outras palavras: acontecimentos incontroláveis conduzem à revolta entre aqueles que mais sofreram suas consequências – as suas expectativas de defesa e de socorro da parte do estado foram frustradas e este desapontamento

---

[343] Elke M. Geenen: *Kollektive Krisen, Katastrophe, Terror, Revolution – Gemeinsamkeiten und Unterschiede* [Crise coletiva, catástrofe, terror e revolução – Semelhanças e Diferenças], publicado em Lars Clausen *et alii* (editores), *Entsetzliche soziale Prozesse* [Os espantosos processos sociais], Münster, 2003, p. 15. (NA).

se articula em protestos e, não raramente, em manifestações de violência. Os distúrbios se tornam tanto mais vigorosos quanto a própria catástrofe foi destruidora e realmente causou duros prejuízos aos atingidos, principalmente aos pobres que se veem sem possibilidades de defesa ou de compensação pelos danos sofridos. Assim fervilha um potencial de violência que no caso de catástrofes futuras será ainda mais virulento, quanto mais estas venham a provocar efeitos assimétricos sobre a população.

As catástrofes sociais destroem a realidade social: aquilo que anteriormente constituía os alicerces da vida diária, os parâmetros compreendidos como evidentes por si mesmos se demonstram subitamente indignos da confiança neles depositada; as fontes de renda com que cada um contava até esse momento se tornam inúteis, ao mesmo tempo em que todas as regras costumeiras perdem a validade. O resultado é um profundo "abandono da confiança em sua própria cultura, em sua capacidade de proteção contra riscos, além de uma desconfiança de tudo que havia sido anteriormente planejado, incluindo os comportamentos sociais esperados dos demais".[344]

A redução do horizonte de planejamento, o estreitamento do espaço de liberdade de ação e a perda de toda a possibilidade de autocompreensão podem desembocar diretamente na violência, em que não existe nenhuma instituição estável capaz de regulamentar ou controlar o conflito ou em que estas foram arrasadas por uma crise ou por um acontecimento incontrolável. As catástrofes, sejam técnicas, naturais ou sociais, sejam acidentes nucleares ou químicos, terremotos ou *tsunamis*, revoluções ou genocídios, dentro de um espaço de tempo espantosamente curto podem conduzir à instabilidade das regras e à estabilidade das exceções.

De forma semelhante, a civilização moderna se preocupou, mediante comparação com soluções anteriores, em coordenar os comportamentos de produção e de relações sociais, a fim de tornar as maneiras de viver cada vez mais flexíveis e obter a cumplicidade dos modelos de relacionamento. Com a exceção de indivíduos instáveis, a vida nos parece hoje em dia controlada por instituições relativamente confiáveis e permanentes e, via de regra, realmente é assim. Seja como for, no processo de modernização existem muitos meios de obtenção de uma previdência ou estabilidade colocados diretamente à disposição do que deles necessitarem – os cuidados de saúde e as aposentadorias dos velhos não são mais uma tarefa incumbente à família, mas se tornaram

---

[344] *Ibidem*, p. 6. (NA).

responsabilidade do sistema de previdência social; a resolução de conflitos não é mais uma atribuição dos clãs ou das famílias, mas um monopólio do estado e de seus órgãos; o controle dos riscos de assaltos e acidentes foi assumido pelos serviços de segurança. Estes são procedimentos normais em sociedades funcionalmente diferenciadas e estas delegações de responsabilidades para instituições governamentais são garantidas durante situações de normalidade, quando tudo corre conforme esperado, mantendo-se a continuidade, a estabilidade e a planejabilidade.

O lado avesso destes desenvolvimentos surge porém quando a cadeia de ação entre medidas, intervenções e consequências demora mais a ser posta em prática e surge a possibilidade de realmente não estar funcionando mais, ou seja, que "as estruturas de saúde, transporte, comunicações e outras infraestruturas idealmente típicas que constituem o alicerce subjacente ao sistema de funções corrente tenham sido interrompidas".[345] No caso de crises, estas garantias podem ser rapidamente expostas como quimeras – e crises são aquelas situações percebidas subitamente, quando realmente tudo parecia estar funcionando normalmente, dentro dos parâmetros habituais da sociedade. O alcance costumeiro dos serviços conjuntos fornecidos pela sociedade se torna em um piscar de olhos sua visível negação – especialmente em catástrofes públicas que "se mesclam de forma sistemática nos comportamentos cotidianos e misturam riscos e perigos nos atos mais comuns da vida diária".[346] O efeito de impotência consequente, provocado pela insegurança, percepção do fracasso da sociedade e reações de pânico etc., que torna ainda mais difícil ou deixa totalmente impossível o retorno à normalidade, surge sem tardar – proporcionalmente às dimensões da própria catástrofe, a lógica corrente perde seu efeito e desaparecem os sentimentos de ordem interna, quanto mais clara for a percepção do acontecimento externo. Quando esta se torna grande o bastante, ninguém sabe o que poderá acontecer.

De forma semelhante, mais de duas gerações se acostumaram com a paz e a prosperidade nos países ocidentais, e deste modo consideram a estabilidade como uma coisa normal, e a instabilidade se acha excluída de suas perspectivas. Quando as pessoas despertam para um mundo onde não há guerras, em que a infraestrutura não é destruída por terremotos ou onde não existe fome, passam a imaginar que atos maciços de violência, caos e pobreza sejam um problema que somente acontece *com os outros*. Os padrões de referência

---

[345] *Ibidem*, p. 12. (NA).
[346] *Ibidem*, p. 12. (NA).

HARALD WELZER

construídos em fases de relativa estabilidade deixam de funcionar em momentos de crise ou de catástrofe, talvez até mesmo em períodos de exceção relativamente pequenos, como em presença de incêndios florestais ou enchentes. É por isso que em tais regiões, cada vez que os rios inundam as margens, se começa a falar na "enchente do século".[347]

Isto também traz o perigo de a formação de um potencial para uma rápida adaptação social não vir a surgir no momento em que surge uma situação em que ela venha a se tornar necessária. Deste modo, as pessoas que viveram antes de 1989 na República Democrática Alemã (oriental) e na República Federal Alemã (ocidental) alimentavam a pressuposição de que nenhuma transformação radical dos comportamentos sociais poderia ocorrer em qualquer desses países então independentes; muitos judeus alemães não acreditavam na possibilidade de uma deportação até o momento em que foram transportados ou conduzidos às estações ferroviárias; e as pessoas que moravam nas proximidades do reator atômico de Tchernobyl sempre haviam acreditado – como aliás seu governo declarava ser indicado pelas pesquisas – que estivessem em segurança, e tanto menos sensação de insegurança elas sentiam quanto mais perto vivessem do reator atômico.[348] Quanto mais imprevisível é um perigo, tanto maior é a quantidade de dissonância cognitiva percebida e consequentemente tanto maior a necessidade de sua redução pelos processos psicológicos como indolência, repressão ou outros mecanismos de defesa. Dificilmente as pessoas conseguem conviver com perigos incontroláveis sem serem afetadas.

A flexibilidade demonstrada pelos seres humanos diante de condições ambientais transformadas depende de sua conexão com os parâmetros culturais – as novas gerações já encontram os conhecimentos e tecnologias que seus antepassados desenvolveram e já podem contar com estratégias de solução de

---

[347] Até mesmo a maioria dos sociólogos vive e se comporta de acordo com a crença de que o mundo é perfeitamente estável, por isso não é de espantar que suas teorias não consigam prever a quebra de sistemas inteiros, a irrupção de extrema violência ou a transposição dos comportamentos sociais em parâmetros totalmente novos e os denominem de "fenômenos de exceção" quando as coisas ocorrem diversamente do que haviam calculado. Ao passo que os oceanologistas, meteorologistas e paleoarqueólogos não têm qualquer problema em criar modelos para desenvolvimentos problemáticos, seus colegas nas ciências sociais ou culturais claramente têm dificuldade para investigar os significados sociais de uma elevação de dois graus na temperatura média do planeta ou de uma elevação da superfície dos oceanos da ordem de quinze centímetros. A razão disso é simples. Eles fazem parte do mundo que se ocupam a estudar cientificamente e, desse modo, evitam os temas que possam desencadear sentimentos de ameaça, inquietação, insegurança e perda de controle. (NA).

[348] Isso ocorre quase sempre quando existe a possibilidade de um desastre. Um estudo realizado sob o ponto de vista do vazamento na Usina Atômica de Three Mile Island assinalou que as pessoas, quanto mais perto morassem do referido gerador atômico, mais acreditavam na segurança das instalações, duvidando da possibilidade da ocorrência de qualquer acidente grave. Elliott Aronson: *Sozialpsychologie. Menschliches Verhalten und gesellschaftlicher Einfluss* [Psicologia Social: Os comportamentos humanos e a influência social], München, 1994, p. 244. (NA).

A GUERRA DA ÁGUA

problemas nos níveis estabelecidos pela geração anterior.[349] Mas o que ocorre nas teorias que se ocupam com este aspecto fascinante da vida humana e que pode ser facilmente descurado é o problema de que, inseridos nos padrões desta coevolução social, não somente se desenvolvem *estratégias evolucionárias exitosas* que atravessam as gerações e se difundem através do mundo, mas também *erros e falhas* que igualmente se propagam e perpetuam.

Deste modo surge uma consequência a curto prazo, isto é, a elevação rápida o bastante para tirar o fôlego dos níveis de segurança e dos padrões de vida nos países que inicialmente se industrializaram, cujo desenvolvimento se baseou no consumo de recursos naturais não-renováveis e que, se continuar crescendo desta forma, somente nos pode conduzir a um desastre a médio prazo. Se *todas as sociedades* humanas existentes nos países em desenvolvimento seguirem o caminho da industrialização moderna, empós o princípio do melhoramento do bem-estar social por meio do aproveitamento e consumo desses recursos, muito rapidamente será atingido seu esgotamento natural. Todavia, as pessoas são constituídas psicologicamente de tal forma que, ao lhes serem propostas modificações abruptas em sua maneira de viver que possam interpretar como sendo prejudiciais à manutenção de seus padrões atuais, se demonstram abertamente contra elas.

Surgem aqui dois aspectos psicológicos interrelacionados: quando as pessoas têm de enfrentar um grande problema de sobrevivência contra o qual não há muito que possam fazer, se deixam levar pelo sentimento anacrônico das experiências anteriores vivenciadas em um período em que não existia instabilidade do mundo e a necessidade de reduzir a sensação de dissonância cognitiva. De acordo com Norbert Elias esta indolência funciona por meio de uma permanência das atitudes habituais subjacente ao desenvolvimento futuro de uma realidade indesejada, impedindo que a transformação social corresponda a uma transformação do andamento perceptivo.[350] Nós *ainda somos* o que acreditávamos ser ontem, conforme escreveu Günter Anders, isto é, nossas perspectivas não se acham sincronizadas com a modificação dos padrões ameaçadores.[351] Anders define a "cegueira apocalíptica" como a incapacidade de aceitar perigos reais de grandes proporções e a potencialidade para

---

[349] Michael Tomasello: *Die kulturelle Entwicklung menschlichen Denkens* [O desenvolvimento cultural do pensamento humano], Frankfurt am Main, 2002. (NA).

[350] Norbert Elias: *Die Gesellschaft der Individuen* [A sociedade dos indivíduos], Frankfurt am Main, 1987, p. 219. (NA).

[351] Günter Anders: *Die Antiquiertheit des Menschen* [A Conexão do Ser Humano com seu Passado], München [Munique], 1987, p. 278. (NA).

223

reagir consoante "a crença ancestral e imaginária do progresso automático da história[352]". O lado oposto desta inércia contra a aceitação dos processos de transformação e da incapacidade de avaliar suas dimensões é o fenômeno das *shifting baselines* [linhas básicas em transformação] em que as percepções e suas interpretações se desviam imperceptivelmente passo a passo com uma realidade em transformação.

---

[352] *Ibidem*, p. 277. (NA).

PESSOAS TRANSFORMADAS DENTRO DE REALIDADES ALTERADAS

Dentro do deslizamento constante do presente é difícil determinar se nos encontramos em um ponto crítico de desenvolvimento, em que nível uma diferenciação se torna irreversível ou em que ponto de seus efeitos uma estratégia se transforma em catástrofe. Em que momento estes pontos e este nível foram atingidos na Ilha de Páscoa? Em retrospecto, podemos dizer: no momento em que tantas árvores foram derrubadas, que a regeneração natural dos bosques se tornou impossível. Mas naquele determinado momento, sobre aquela ilha determinada, provavelmente não se podia saber disso. O conhecimento ambiental utilizável e os padrões mentais de referência que devem funcionar conjuntamente na apreensão do mundo, realmente não estavam sincronizados de tal modo que as pessoas percebessem que havia uma maneira melhor de procederem.[353] No mesmo sentido, quando Jared Diamond questiona o que teriam pensado os ilhéus pascoanos quando abateram a última das árvores, se encontra em uma apreensão psicológica falsa: porque a conexão não se encontra no final de um processo de destruição, mas no ponto em que ninguém ainda podia perceber que suas ações eram destrutivas.

---

[353] Stephen Jay Gould realizou várias pesquisas com o objetivo de identificar as razões por que as pessoas *não podem* entender um determinado ponto de vista diferente do seu (veja, por exemplo, Stephen Jay Gould: *Die Lügensteine von Marrakesch* [As pedras falsas de Marrakesh], *Vorletzte Erkundungen der Naturgeschichte* [As mais recentes descobertas da história natural], Frankfurt am Main, 2003). (NA).

A catástrofe social da Ilha de Páscoa não começou no instante em que a última árvore foi abatida, do mesmo modo que o Holocausto não foi iniciado pela instalação da primeira câmara de gás em Auschwitz. As catástrofes sociais principiam no momento em que falsos *critérios de diferenciação* são adotados – ou seja, no momento em que as regras de distinção e de posição social adotadas pela sociedade da Ilha de Páscoa sobre o aproveitamento da madeira para a produção das esculturas conduziram a um ponto em que o retorno não era mais possível ou quando as regras de exceção baseadas em uma pseudociência que afirmava a dissimilaridade dos habitantes da Alemanha interromperam a aplicação das leis e da ordem vigentes. Todavia – para permanecermos no exemplo do Holocausto – como poderiam ter sido conhecidos, nesse determinado ponto do tempo, quais teriam sido os efeitos finais sobre os judeus, numa época em que ninguém ainda havia pensado em nada tão bizarro como a criação de campos destinados especialmente ao extermínio de seres humanos?

Linhas Básicas em Transformação

"Houve violentas tempestades, mas não caiu qualquer chuva sobre as florestas tropicais. Nas florestas ressecadas de Bornéu, do Brasil, do Peru e da Tanzânia, da Flórida e da Sardenha espalharam-se incêndios florestais de uma vastidão e impetuosidade nunca antes conhecidas. A Nova Guiné assistiu à pior seca em cem anos e milhares de seus habitantes morreram de fome. A África Oriental sofreu a inundação mais arrasadora em cinquenta anos – embora permaneça cercada pelas zonas áridas. Uganda foi o país em que o ambiente foi afetado pelo mais longo período de tempo e até mesmo a maior parte da zona desértica ao norte foi submersa pelas águas. A maior parte dos rebanhos das tribos nômades da Mongólia morreu durante uma onda de frio inesperada, enquanto no Tibete caíam tempestades de neve como não se viam havia cinquenta anos. Nas zonas áridas da Califórnia avalanches de lama arrastaram casas pelos rochedos.

No Peru, uma faixa costeira em que frequentemente não havia precipitações pluviais o ano inteiro foi inundada pelas chuvas e um milhão de pessoas ficaram desabrigadas. O nível da água no Canal de Panamá baixou tanto, que não foi mais praticável para navios de maior calado. Saraivadas derreteram e provocaram grandes torrentes através dos estados norte-americanos da Nova Inglaterra e da província canadense de Quebec, de tal modo que milhões de pessoas passaram uma semana sem luz ou energia elétrica. Na Indonésia se perderam as colheitas dos cafezais, em Uganda florestas inteiras foram desarraigadas e no Pacífico Oriental a pesca foi interrompida. Um aquecimento incomum dos oceanos destruiu as algas, os corais perderam as cores vivas, os recifes ficaram expostos pelo recuo das águas, particularmente nos oceanos Índico e Pacífico, deixando para trás os esqueletos descorados dos animais mortos."[354]

Este é um relato de um futuro possível, quando a média do aquecimento mundial se elevar apenas mais um grau, digamos em 2018? Infelizmente esta suposição é falsa: todos os acontecimentos aqui registrados ocorreram no passado, em 1998 e foram provocados pelos efeitos de um fenômeno meteorológico denominado *El Niño*. Tampouco constituem uma previsão dos efeitos do aquecimento global, porque já se sabe que as variações climáticas influenciarão *El Niño* de modo tal que seus efeitos futuros serão muito mais frequentes e devastadores. Os acontecimentos de 1998, que se repetiram em grau menor durante os anos de 1999, 2000, 2001 etc., assinalam acima de tudo a capacidade de esquecimento desenvolvida pelos seres humanos com relação a catástrofes pelas quais eles mesmos não foram afetados, mas de que tiveram notícias exclusivamente pelos meios de comunicação.

Em retrospecto, numerosas catástrofes de nível médio ocorreram nos últimos dez anos – um incontrolável incêndio florestal em Bornéu, que deixou a capital provincial, Palangkaraya, coberta de fumaça durante um mês, entre o final de 1997 e o início de 1998 e liberou entre oitocentos milhões e 2,6 bilhões de toneladas métricas de dióxido de carbono na atmosfera.[355] Outra delas foi uma série de tornados que assolaram Oklahoma em 1999, deixando um rastro de quarenta mortos e 675 feridos e um prejuízo de 1,2 bilhão de dólares. Especialmente espetaculares foram os furacões: o denominado Mitch matou mais de dez mil pessoas na América Central em 1998; em 2005, pela primeira vez uma cidade ocidental ficou submersa, quando Katrina assolou Nova Orleans; no mesmo ano, Wilma estabeleceu três recordes: sendo o vigésimo segundo furacão dessa estação, alcançou maior fúria que todos os vinte e um anteriores; foi o mais forte furacão a avassalar a costa atlântica dos Estados Unidos e ainda o causador de maiores prejuízos, tendo alcançado mais de 29 bilhões de dólares.

---

[354] Fred Pearce: *Das Wetter von Morgen. Wenn das Klima zur Bedrohung wird* [O clima do amanhã: Quando as condições atmosféricas constituírem uma ameaça], München, 2007, p. 39. (NA).

[355] *Ibidem*, p. 99. (NA).

Esse tipo de acontecimentos meteorológicos extremos não é absolutamente novo, porém sua frequência e dimensões se ampliaram muito nos anos mais recentes. Não obstante, eles parecem para as populações eventos perfeitamente normais, e a sua intensidade incomum é atribuída muitas vezes a exageros dos noticiários. As pessoas se acostumam a considerar "naturais" coisas que, na realidade, têm muito pouco a ver com a natureza.

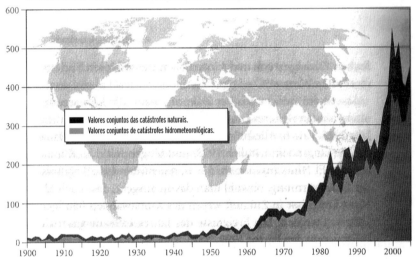

NÚMERO DE OCORRÊNCIAS NATURAIS EXTREMAS E PARTE DAS CATÁSTROFES LIGADAS AO CLIMA ENTRE 1900 E 2005

Fonte: EM-DAT* (Banco de Dados Internacional da OFDA**/CRED+), UCL'' - Bruxelas (http://www.em-dat.net, acessado em 3 de abril de 2006.

Shifting baselines [Linhas básicas em transformação] – este é o nome atribuído pela psicologia ambiental ao fenômeno fascinante manifestado pelos seres humanos que sempre consideram seu posicionamento com relação ao meio ambiente como a posição "natural" correspondente às experiências passadas ao longo de suas vidas. As transformações em seu ambiente social e físico não são absolutamente percebidas, mas sempre consideradas a partir do seu ponto de observação atual. Deste modo, as gerações que vivem no presente têm somente uma impressão vaga ou abstrata não apenas daquilo que foi enxergado pelas gerações anteriores e as levou a construir o mundo presente e a estabelecer suas infraestruturas, como também do que significa viver em um ambiente natural – por exemplo, não fazem ideia que os locais onde atualmente se pratica a agricultura ou pastam os animais domésticos foram objeto

A GUERRA DA ÁGUA

de desmatamento séculos atrás, originando um problema de erosão na Europa Central desde o grande aproveitamento das terras devolutas ocorrido durante a Alta Idade Média.[356]

Mas não é necessário olhar tão para trás para observar um espaço de tempo em que *não se observaram* modificações – via de regra, bastaria a uma geração observar os registros das ações da geração anterior para descobrir maciças transformações na percepção do mundo. Foi o que fez, consoante narramos acima, um grupo de ecologistas, que pesquisou na Califórnia a forma como os pescadores percebem suas áreas de pesca e a quantidade de suas pescarias durante um certo espaço de tempo, comparando as opiniões de várias gerações. Até agora, esta parece ser a única pesquisa empírica sobre as variações perceptivas do meio ambiente, e seus resultados são surpreendentes. Os pesquisadores compararam os resultados obtidos mediante questionários preenchidos por meio do interrogatório de membros de três gerações de pescadores, indagando quais cardumes haviam diminuído de tamanho, segundo sua opinião, quais as espécies principais capturadas em suas redes, qual a quantidade de pescado e o tamanho dos maiores peixes que já haviam trazido para bordo de suas embarcações. Os três grupos pesquisados eram compostos por integrantes das faixas etárias de 15 a 30 anos, de 31 até 54 e de mais de 54 anos.[357] Oitenta e quatro por cento dos dos entrevistados afirmaram que, sem a menor dúvida, os cardumes haviam se reduzido, mas muitos faziam uma ideia apenas aproximada de quais espécies de peixes não se encontravam mais. Os pescadores de mais idade nomeavam onze espécies que haviam desaparecido, os membros do grupo médio lembravam de apenas sete, enquanto os mais jovens recordavam unicamente de duas espécies que haviam cessado de aparecer em suas redes.[358]

Os mais jovens tampouco faziam a menor ideia de que nos bancos em que pescavam diariamente, não muitos anos antes existiam enormes tubarões brancos (*Carcharodon carcharias*), peixes-judeus (*Epinephelus itajara*)[359] [garoupas] ou mesmo ostras perlíferas. Seus próprios resultados eram a comprovação do que existia nos bancos de pesca. Os pescadores mais velhos recordavam que antigamente não precisavam viajar tão longe para encher

---

[356] Joachim Radkau: *Natur und Macht. Eine Weltgeschichte der Umwelt.* [A natureza e o poder: História mundial do meio ambiente], München, 2000, pp. 164ss. (NA).

[357] Andrea Sáenz-Arroyo *et alii: Rapidly Shifting Environmental Baselines Among Fishers of the Gulf of California* [A rápida mudança das bases de comparação ambientais entre os pescadores do Golfo da Califórnia], *Proceedings of the Royal Society* [Atas da Sociedade Real], 272/2005, p. 1960. (NA).

[358] *Ibidem*, p. 1.959. (NA).

[359] Os "peixes-judeus" [itajará] são uma subespécie das garoupas, chamados pelos americanos de *"Goliath Groupers"* e podem chegar a um metro de comprimento e pesar mais de 45 quilos. (NA).

suas redes, enquanto agora precisavam navegar até o alto-mar para obter resultados que apenas se aproximavam dos antigos. No caso dos entrevistados mais jovens, ninguém tinha experiência pessoal de que se pudesse realmente pescar nas proximidades das costas e consideravam que estas áreas costeiras podiam ter sido esgotadas por excesso de pesca predatória. Em outras palavras: dentro de seus padrões de referência *não existiam* peixes nas proximidades da costa.

Os comandantes de barcos esportivos que haviam trabalhado na década de 1930 declaravam que a região do Golfo da Califórnia era magnífica para pesca com anzol, onde era possível capturar sem grande dificuldade enormes garoupas. Quando os pescadores mais velhos eram interrogados, afirmavam que nos anos cinquenta ou até mesmo nos anos sessenta tinham podido pegar diariamente até vinte e cinco desses grandes peixes em suas redes, que nos anos setenta e oitenta só capturavam uns dez ou doze por dia e que, finalmente, nos anos noventa, o máximo que encontravam era um. Enquanto quase todos os pescadores mais velhos ou os do grupo intermediário tinham capturado garoupas, menos de metade dos mais moços podiam dizer o mesmo, a maioria nem sequer havia visto um desses peixes. Mas a conclusão mais assombrosa: apenas 10% dos pescadores jovens acreditavam que espécies de peixes tivessem realmente *desaparecido* da região, a maioria achava que nunca haviam existido na área.[360] Também proporcionalmente com a idade são relatadas pescarias não só em quantidades cada vez menores, mas também em que diminui progressivamente o tamanho dos peixes capturados.

Os autores do estudo, um grupo de ecologistas de ambos os sexos, concluem que estas rápidas modificações na percepção do ambiente explicam por que a maioria das pessoas aparentemente não se dá conta do recuo da diversidade biológica: segundo suas próprias percepções, isso não sofreu grandes mudanças, porque contemplam a diminuição da multiplicidade da fauna segundo seus próprios pontos de referência em transição.[361] Estas descobertas são naturalmente deprimentes para os ecologistas e significam para eles a necessidade de uma atitude ainda mais enérgica na proteção das

---

[360] Andrea Sáenz-Arroyo *et alii*: *Rapidly Shifting Environmental Baselines Among Fishers of the Gulf of California* [A rápida mudança das bases de comparação ambientais entre os pescadores do Golfo da Califórnia], *Proceedings of the Royal Society* [Atas da Sociedade Real], 272/2005, p. 1960. (NA).

[361] Além disso, as percepções relativas às modificações do ambiente já se tornam visíveis no que se refere a símbolos. Chegou-se a afirmar que a bandeira do estado da Califórnia somente mostra um único urso, porque antigamente esses animais eram muito numerosos nessa região, enquanto agora raramente são vistos. (NA).

A GUERRA DA ÁGUA

espécies que, segundo o ponto de vista desses cientistas, parece cada vez mais urgente e portanto deve ser inserida rapidamente entre as preocupações da vida diária.

Os psicólogos sociais consideram este estudo um exemplo extraordinário de como a avaliação das pessoas com relação às mudanças de seu ambiente se modifica também rapidamente – é como se fossem dois trilhos, que correm paralelamente na mesma direção e que parecem estar imóveis com relação um ao outro. A transição das linhas básicas de percepção apresenta naturalmente as suas consequências no que se refere aos que as pessoas percebem como perigos e valorizam como prejuízos e exercem um efeito muito importante sobre o que é considerado *normal* ou não.

A transição das linhas básicas de percepção não se reduz unicamente à esfera do ambiente biológico, talvez ela se manifeste muito melhor com relação aos padrões de referência dos processos sociais. Quando nos recordamos da vaga de protestos e manifestações que percorreu a Alemanha no início da década de oitenta do século 20 a propósito da realização de um recenseamento pelos governos dos estados federados da época e os acirrados debates que então surgiram sobre temas como "a vigilância de um estado totalitário" e os "cidadãos de vidro" e a comparamos com a despreocupação atual demonstrada praticamente por todos sobre o emprego de cartões de crédito, telefones celulares, correspondência eletrônica via internet etc., podemos empregar este exemplo em muitos sentidos como uma demonstração da transição das linhas básicas de percepção dentro do âmbito social. Cada usuário desses meios tecnológicos deixa rastros eletrônicos perfeitamente traçáveis sobre seus negócios, que podem ser reconstruídos quase instantaneamente por programas de espionagem eletrônica e a privacidade dos assuntos pessoais mais íntimos foi desta forma totalmente modificada. Mas praticamente ninguém protesta, nem sequer se sente tolhido em seus direitos pessoais, e muito menos se considera um cidadão ou cidadã "de vidro", o que é realmente bastante fácil de entender, porque não se está lidando aqui com um aumento visível da transparência, mas como um efeito colateral das inovações tecnológicas em torno de categorias como autodeterminação informativa, proteção de dados ou direitos pessoais que, ao serem encaradas sob a perspectiva de um usuário, não parecem exercer nenhum papel importante sobre sua privacidade. A tecnologia aumentou as possibilidades de comunicação que, por sua vez, conduziram a importantes modificações normativas e estas, inseridas no processo de desvio inconsciente de pontos de referência, não parecem ter um grande alcance.

A transição das linhas básicas de percepção no campo social permite em retrospecto a aceitação da transformação das normas de conduta dentro do ambiente das leis tácitas da sociedade como foi, de certo modo, também em retrospectiva, a aceitação da restauração das *Bundeswehr* [Defesa Federal], as forças armadas alemãs.[362*] Visivelmente este é um tema restrito, mas demorado demais para ser discutido aqui em profundidade. Muito mais claros são os exemplos da esfera biológica: assim os gastos com a defesa ambiental e a elevação dos custos da energia nas últimas décadas conduziram ao desenvolvimento de veículos automotores consideravelmente mais eficientes, ao mesmo tempo que a preocupação com a segurança e necessidades de demonstração de posição social tornavam os automóveis cada vez maiores e mais caros. As consequências foram um contínuo aumento do espaço de movimento dos êmbolos e da potência dos motores que conduziram ao exitoso crescimento da eficiência, reduzindo o consumo, o que teve o efeito contrário de aumentar a aquisição de veículos particulares, ampliando a circulação.

Deste modo, a transição das linhas básicas de percepção também se presta para originar normas e convicções falsas e também padrões de referência que a partir de então passam a orientar o que é certo e errado e o que é bom ou mau.

Padrões de Referência e a Estrutura da Ignorância

A 2 de agosto de 1914, no dia da declaração de guerra da Alemanha contra a Rússia, Franz Kafka, então residindo em Praga, anotou em seu diário:

[362*] As forças armadas alemãs tinham sido dissolvidas após a Segunda Guerra Mundial, durante o período inicial da ocupação interaliada, em que até mesmo as atividades de polícia eram exercidas pelas Polícias do Exército dos países encarregados de cada um dos quatro setores. Depois que se constituiu a Alemanha Federal, a opinião pública era contrária à renovação das forças armadas, embora os Estados Unidos fossem favoráveis, considerando que a Alemanha Democrática (oriental) já formara um exército de terra sob comando da União Soviética; mas os alemães preferiam que os norte-americanos se encarregassem da defesa do país, em que conservam bases militares e instalações de mísseis até hoje; contudo, quando o governo federal decidiu constituir um pequeno grupo inicial, houve grandes protestos, por mais que se afirmasse que eram apenas forças de defesa, até que, com o passar do tempo e o apoio norte-americano, foram reconstituídos o exército, a aeronáutica e uma marinha simbólica. Contudo, a Alemanha tem-se recusado a participar de guerras externas, salvo com destacamentos que fazem parte das forças de manutenção de paz da ONU. (NT).

"A Alemanha declarou guerra à Rússia – À tarde, aula de natação." Este é somente um exemplo extraordinariamente proeminente de como acontecimentos que a posteridade aprendeu a considerar como *históricos* apenas raramente são considerados em sua época no seu devido valor e consequências. Aquilo que se refere diretamente a nossas ocupações diárias é percebido de forma infinitamente mais importante e comentado em nossas observações com interesse muito maior e assim aconteceu que uma testemunha extraordinariamente inteligente da eclosão de uma guerra não encontrou nada mais importante para registrar do que a circunstância de que naquele mesmo dia tivera uma aula de natação. Deste modo, quando se inicia uma catástrofe social?

No momento registrado pela história, as pessoas vivem seu presente. Os acontecimentos históricos têm para elas um significado principalmente de retrospecção, particularmente quando elas mesmas sofreram suas consequências, ou quando elas, segundo a expressão de Arnold Gehlen, vivenciaram "consequências de primeira mão", deste modo, os acontecimentos precedentes têm um significado muito mais profundo para todos do que quando sucederam. Surge aqui então um problema de método, no qual se apresenta a questão de quando as pessoas realmente perceberam que sua recordação dos acontecimentos era apenas posterior, relativa ao que souberam, relativa ao que perceberam e relativa ao que *poderiam ter sabido*. Deste modo, as recordações de primeira mão, via de regra, não são adequadamente percebidas, porque são fatos novos e as pessoas procuram fazer combinar o que está acontecendo com o padrão de referências que utilizam, de preferência comparando com a maneira como agiram diante de acontecimentos precedentes do mesmo tipo, que poderão por sua vez servir como um padrão de referência para sua maneira de proceder quando acontecimentos semelhantes surgirem posteriormente.

Conforme mencionamos exatamente neste sentido, muitos dos judeus alemães não conseguiram entender as dimensões do processo de exclusão que acabaria por vitimá-los. O regime nacional-socialista era encarado como um fenômeno de curta duração "que temos de suportar como um revés ou contratempo a ser superado, mas dificilmente como uma ameaça que nos possa atingir pessoalmente de forma mais íntima e que sempre será mais suportável do que as agruras de um exílio".[363] A amarga ironia deste

---

[363] Raul Hilberg, *Täter, Opfer, Zuschauer. Die Vernichtung der Juden, 1933-1945* [Criminosos, vítimas, espectadores. O extermínio dos judeus, 1933-1945], Frankfurt am Main, 1992, p.138. (NA).

comentário é que no caso dos judeus realmente existia em seu quadro de referências a recordação do antissemitismo, perseguição e espoliação baseada em grande número de experiências históricas dolorosas e, mesmo assim, lhes parecia de fato impossível que pudessem contemplar novamente o que já acontecera com muitos de seus antepassados, com resultados absolutamente mortais.

Disto resulta que aquilo que se sabe não é necessariamente aquilo que se percebe, mas tampouco é um empreendimento assim tão difícil recordar o que se soube em um período anterior do tempo. Mas a história não é percebida como um padrão fixo, mas dentro de padrões de referência em constante deslocamento, de tal modo que para o observador se trata de um processo *lento* e considerado como uma *quebra da civilização* quando é atingido por um acontecimento mais abrupto – ainda mais quando se sabe que um tal desenvolvimento apresentou consequências radicais. Portanto, a interpretação percebida dos resultados de um determinado processo é como a superposição sucessiva de camadas de significado que conduzem à catástrofe; deste modo, para chegar à conclusão, por mais óbvia que seja, é necessária uma ousadia complicada – ainda mais enredada porque nossas perguntas sobre as percepções testimoniais na realidade se dirigem ao conhecimento delas, como as coisas realmente se deram e não auferem de fato o que as testemunhas logicamente poderiam ter sabido então. As pessoas contemplam o início de sua própria história do ponto de vista de sua atualidade e devem realmente suspender os seus próprios conhecimentos históricos a fim de poderem recordar qual tinha sido seu ponto de vista na época, o que de fato sabiam então. Deste modo, Norbert Elias não deixava de ter razão quando afirmou que uma das tarefas mais difíceis da sociologia era reconstituir a estrutura da ignorância dominante em uma época anterior.[364]

Inversamente o que se aproveita como testemunha dos acontecimentos não é o conhecimento futuro do que aconteceu, mas a percepção de que o presente de hoje é a história do amanhã. Aqui a tarefa paradoxal seria também discernir o que dentro das circunstâncias presentes não seria visível, porque ainda pertence ao futuro. Uma tal heurística do futuro só pode brotar de uma única fonte: do passado.

---

[364] Norbert Elias: *Was ist Soziologie?* [O que é Sociologia?], München, 2004. (NA).

Conhecimento e Desconhecimento do Holocausto

O horror, você sabe, o horror
que assistimos desde o começo
e que uma pessoa só pode contornar
com o auxílio de outras,
isso permaneceu de qualquer maneira.
Sim, é assim que é, não é verdade?
E então eu olhei para mim mesma,
imaginando como nós podíamos de fato
permanecer relativamente tranquilos,
como hoje se diz tão bem.

Antiga interna do Campo
de Concentração de Gusen.

Cada processo de morticínio de uma população começa a partir de um ponto em que ninguém ainda pensa em assassinatos. Começa no ponto em que a maioria de uma população imagina ter um problema. A questão, portanto, sobre em qual ponto do espaço deve ser iniciada a análise de uma catástrofe social como foi o Holocausto, é muito difícil de responder, porque as condições são influenciadas por grande número de fatores. Inicialmente, é necessário fazer uma distinção importante, a saber, se o morticínio foi realizado a partir de um plano pré-traçado (ou, como cada vez mais se busca comprovar, formulado inicialmente em *"Minha Luta"*, o livro escrito por Hitler) ou se as pessoas se envolveram em um acontecimento social radicalizante e autocatalisador, que não dependia nem de um plano diretor, nem das ordens de um *Führer* para se desenvolver. Em nenhum dos casos uma análise do Holocausto pode ser localizada em um ponto do tempo em que se tenha *de facto* iniciado, ainda mais porque este ponto temporal é em si mesmo questionável. Teria começado com a violência desenfreada da assim chamada *Reichkristallnacht* [Noite dos Cristais], em 1938? Começou com a promulgação das Leis Raciais de 1935? Com a vitória do NSDAP (*Nazionalsozialistische Deutsche Arbeiterpartei* [Partido Nacional-socialista dos Trabalhadores Alemães]) nas eleições parlamentares de 1933? Com a Lei de Autorização [tomada de posse], também de 1933? Com a lei de aplicação da Eutanásia, a partir de 1939? Com a invasão da Polônia, também em 1939? Ou com a guerra de aniquilação iniciada no verão de 1941, em que as primeiras "Ações Judaicas" sistemáticas iniciaram os fuzilamentos em massa? Ou quando Rudolf Hess, então comandante de Auschwitz, completou a instalação das câmaras de gás acionadas a Zyklon B e festejou alegremente o fato de a partir desse momento o genocídio poder continuar sem desnecessário derramamento de sangue?

Percebe-se que todos os *starting points* [pontos de partida] preferidos dos historiadores, os pontos mais marcantes no encadeamento de causas e efeitos, apresentam as suas falhas. A causalidade não é uma relação social de categorias e interiormente aos conjuntos de causas e efeitos sociais indiretos existe uma tensão evidente e processos de transição condensados, porém nada de semelhante a motivos ou causas imediatas definidas e dominantes sobre todos os demais. Deste modo, permanece inútil e frustrante a busca pela ordem do *Führer* para iniciar o assassinato dos judeus; um processo social como o Holocausto avança por sua própria dinâmica de ocorrências e soluções encadeadas, com que ninguém havia contado no início, provavelmente nem sequer o próprio Líder dos alemães. Os desenvolvimentos sociais ocorrem a partir de modificações de um entrelaçamento figurativo, construído pela ação mútua e conjunta dos seres humanos e não de fora, porque B disse que A tinha dado uma ordem. Deste modo não raramente se constituem processos sociais – como no caso da *body count* [contagem de corpos] no Vietnã – através de eventos que não haviam sido previstos sequer pelos próprios participantes, mas que nem por isso deixam de se transformar em realidade. Realmente os efeitos dos comportamentos de ontem são as atitudes comportamentais de hoje – mas esta semelhança não funciona ao reverso, ou seja, que das consequências nem se podem deduzir as causas e, deste modo, nem sempre se podem retraçar os pensamentos e propósitos iniciais que ocasionaram os efeitos finais.

Assim, o Holocausto deve ser considerado como um *processo* que não foi iniciado em um ponto determinado do tempo e nem se concluiu pela libertação dos campos na primavera de 1945. Na Alemanha se desenvolve a partir do dia da assim chamada Tomada de Posse a 30 de janeiro de 1933 uma modificação dos valores fundamentais por meio da qual acabou se considerando como normal haver grupos de pessoas categoricamente diferentes, resultando na correspondente diferenciação das normas que regiam as relações entre os seres humanos que estavam de um lado e o estabelecimento e aplicação de leis para controle de quem estava do outro.[365] Como pode ser lido em Raul Hilberg, permaneceu aqui um problema jurídico até bastante tempo depois do começo da guerra, ou seja, como se determinar com exatidão quem era judeu e quem não o era – deste modo, em agosto de 1942, uma jovem "semijudia" foi

---

[365] Veja Harald Welzer: "*Täter. Wie aus ganz normalen Menschen Massermörder werden*" [Criminosos: Como pessoas perfeitamente normais se transformam em assassinos de massas], Frankfurt am Main, 2005, pp. 48ss. (NA).

julgada como não judia por um tribunal de justiça, porque ela tinha resistido a todas as tentativas de seu pai judeu para seguir a religião judaica. O mesmo tribunal decidiu de forma inteiramente oposta contra um "semijudeu", porque este se declarara judeu em documentos e formulários.[366] Ainda que juridicamente permanecesse um problema por longo tempo determinar quem era judeu e quem não o era, esta questão, no plano das práticas sociais diárias, já fora respondida muito tempo antes pela privação de direitos, confisco de bens e depauperamento psíquico e material da maior parte dos judeus alemães. Aqui a prática da exclusão correspondia à identificação. Na vida diária sob o nazismo a exclusão foi praticada e percebida de modo a transformar rapidamente a realidade, e a percepção determinava quem era aceitável ou tolerável nos relacionamentos do Nosso Grupo com o Grupo Deles; em resumo: quem poderia ser encarado como um ser humano normal.

Para a reconstituição da variação dos valores na Alemanha nazista, que rapidamente aceitaram a normalização da exclusão radical, podemos apelar para as fontes de testemunhas oculares, como os apontamentos de Sebastian Haffner, os diários de Victor Klemperer ou de Willy Cohns ou as cartas de Lilly Jahns dentro do microplano do dia a dia social, as quais demonstram como, em um espantosamente curto espaço de tempo os grupos humanos foram sendo afastados do universo dos relacionamentos sociais – um universo, aliás, em que normas como justiça, compaixão e amor ao próximo etc., realmente haviam perdido a validade e não somente para com aqueles que, por definição, tinham sido expulsos da sociedade. Pela observação do comportamento sistemático do nacional-socialismo percebe-se frequentemente que este era um sistema baseado na injustiça e na arbitrariedade, mesmo nos casos em que o despotismo e a inequidade fossem aplicados exclusivamente aos Não-Pertencentes, enquanto os membros da comunidade popular viviam como anteriormente ou talvez em maior prosperidade e usufruíam a garantia plena de seus direitos e de todos os cuidados propiciados pelo estado.[367]

---

[366] Raul Hilberg: *Die Vernichtung der europäischen Juden* [O extermínio dos judeus europeus], Tomo I, Frankfurt am Main, 1990, pp. 80ss. (NA).

[367] Isto foi concluído a partir de um questionário retrospectivo realizado com três mil pessoas durante a década de 1990, no qual quase três quartos dos alemães nascidos antes de 1928 e que participaram da pesquisa não conheciam ninguém que tivesse entrado em conflito com as violentas forças de segurança alemãs e que, por tal motivo, tivesse sido aprisionado ou interrogado. (Eric Johnson & Karl-Heinz Reuband: *What we Knew. Terror, Mass Murder, and Everyday Life in Nazi Germany* [O que nós sabíamos. O Terror, os assassinatos em massa e a vida cotidiana na Alemanha Nazista], Londres, 2005, p. 349.) Uma parte ainda maior dos questionados afirmou que pessoalmente nunca se sentira ameaçada ou que tivesse sido consultada, tendo em vista sua contribuição para o bem maior da sociedade, para denunciar pessoas que possuíam radiotransmissores ilegais ou houvessem feito piadas sobre Hitler, ou declarações críticas a respeito dos

cont. na página seguinte >>

HARALD WELZER

A comunidade popular de fato determinava inteiramente que *ninguém mais* pudesse pertencer a ela. Havia um sentimento difundido de que ninguém era ameaçado e de que ninguém podia sofrer qualquer repressão, ligado fundamentalmente a um sentimento de pertencer, cuja imagem espelhada era demonstrada diariamente: o "não-pertencer" dos outros grupos, que na maior parte eram compostos por judeus. Logo depois do dia 30 de janeiro de 1933 foi estabelecida uma prática monstruosa e anteriormente desconhecida de exclusão dos judeus e realmente sem que houvesse qualquer resistência relevante da parte da maioria da população. Deste modo não somente os legisladores e a administração emitiram uma cascata de leis e decretos antijudaicos, como sua aplicação foi imediata por meio da ação de burocratas altamente motivados, acompanhados por medidas antijudaicas espontâneas e frequentemente humilhantes praticadas por indivíduos particulares em funções comunitárias ou por funcionários a cargo de serviços públicos, que não *deviam* pôr em ação essas medidas e nem sequer haviam recebido ordem para colocá-las em prática, mas as haviam assumido de livre e espontânea vontade.

"Quando no futuro algum pesquisador que nunca conheceu judeus, mas somente ouviu falar deles por testemunhos de terceiros vier examinar os registros do arquivo da cidade de Dortmund ficará sabendo que também os proprietários de casas de penhores alemães trabalharam juntos para executar uma pequena parte da solução final da questão judaica na Alemanha." Isto foi escrito em agosto de 1941 pelo Diretor do Escritório Municipal de Empréstimos e Penhores da Cidade de Dortmund, com visível satisfação pelo trabalho executado.[368] Nesta mesma linha existe grande quantidade de documentos

---

nazistas (*Ibidem*, p. 357). Um resultado ainda mais valioso desse estudo se encontra no fato de que, pensando em retrospectiva sobre seu próprio comportamento, entre um terço e mais da metade dos interrogados declarou ter acreditado no nacional-socialismo, admirado Hitler e compartilhado dos ideais nazistas (*Ibidem*, pp. 330ss). Um número semelhante foi registrado em uma pesquisa realizada pela reportagem do boletim noticioso *Allensbacher Berichte*, no ano de 1985. Cinquenta e oito por cento dos interrogados que em 1945 tinham no mínimo quinze anos afirmaram ter acreditado no nacional-socialismo, 50% ter adotado totalmente seus ideais e 41% terem admirado Hitler (citado por Karl-Heinz Reuband: *Das NS-Regime zwischen Akzeptanz und Ablehnung* [O regime nacional-socialista entre a aceitação e a recusa], publicado em *Geschichte und Gesellschaft* [História e Sociedade] 32, março de 2006). Isto nos indica também que o consentimento ao sistema nacional-socialista crescia paralelamente ao nível de instrução – contrariamente ao preconceito corrente de que a educação levava as pessoas a se defenderem dele. Na mesma proporção do crescimento da escolaridade aumentava também o apoio a Hitler, no sentido de que sua política era considerada como positiva, nos aspectos do combate ao desemprego e à criminalidade, sem contar a construção das autoestradas. Um quarto dos interrogados acentuou, mais de meio século após o final do "Terceiro Reich", como era grande o sentimento de comunidade dominante nessa época (Eric Johnson & Karl-Heinz Reuband: *What we Knew. Terror, Mass Murder, and Everyday Life in Nazi Germany* [O que nós sabíamos. O Terror, os assassinatos em massa e a vida cotidiana na Alemanha Nazista], Londres, 2005, p. 341). (NA).

[368] Konrad Kwiet, citado por Hilberg: *Die Quellen des Holocaust* [As fontes do Holocausto], Frankfurt am Main, 2002 p. 49. (NA).

que podem ser tomados como exemplo da "moral nacional-socialista", indicando que estes pequenos funcionários claramente se achavam comprometidos por razões pessoais com "a solução da questão judaica" e que existia uma convicção bastante profunda em 1941 de que era uma ação meritória e significativa resolver o problema percebido de uma forma tão radical, para que a posteridade – como o historiador trabalhando em um futuro imaginário – só chegasse a conhecer os judeus por ter ouvido falar neles. Deste modo a referida solução não apenas não era encarada como um dever antissocial, como as pessoas se sentiam plenamente satisfeitas com esta nova atitude, de modo tal a desejarem que sua própria participação nela fosse reconhecida pelas gerações vindouras como uma ação correta e plena de significado. Perante esta mensagem de significado em apoio das medidas antijudaicas contra os "Não-Pertencentes" toda a sociedade, associações, sindicatos e comunidades, via de regra, hipotecavam o seu consentimento ou, de qualquer modo, ninguém protestava, muito menos se opunha.

Na vida social diária sob o regime nacional-socialista tais medidas se aplicavam *aos outros*, embora para o entendimento dos "Não-Pertencentes", naturalmente, fossem compreendidas por sendo diretamente voltadas contra eles. Praticamente não se passava um dia sem que fosse comunicada uma nova medida. Entre as principais leis antijudaicas, que representavam somente a ponta normativa desse *iceberg*, mas constituíam oficialmente as práticas de exclusão, está a "Lei sobre a Recomposição do Quadro do Funcionalismo Público", de 7 de abril de 1933, que, entre outras disposições, determinava a demissão de todos os funcionários "não-arianos". Ainda no mesmo ano, 1.200 professores e docentes universitários foram despedidos, sem que sequer uma única faculdade ou universidade protestasse. A 22 de abril todos os médicos de sindicatos ou de sociedades beneficentes considerados "não-arianos" foram excluídos de seus empregos nas uniões ou sindicatos.[369] A 14 de julho de 1933 foi promulgada a "Lei sobre o impedimento da descendência dos portadores de doenças hereditárias".

Como sempre, as leis e medidas foram apoiadas pelos concidadãos e concidadãs – ficando bem claro que já havia nesta fase inicial, pelo menos com relação aos "Não-Pertencentes", uma *mudança de valores* importante que significava diferentes formas de comportamento contra determinados grupos, mesmo que ainda não tivessem sido plenamente articuladas. Mas o que

---

[369] Alex Bruns-Wüstefeld: *Lohnende Geschäfte. Die "Entjudung" am Beispiel Göttingens* [Negócios lucrativos. A "desjudificação", segundo o exemplo de Göttingen], Hannover, 1997, p. 69. (NA).

significava exatamente "Não-Pertencentes"? Quando se pensa na progressão da exclusão para o confisco dos bens e deste para a aniquilação como um *relacionamento de atitudes*, logicamente não é possível falar de "Não-Pertencentes": quando um grupo de pessoas de forma tão veloz, condensada, oficial e extraoficial é excluído dos relacionamentos morais de um universo, isto representa justamente o oposto, que o valor percebido e sentido de pertencer a uma comunidade populacional *foi aumentado*. Isto significa que a consistência interna do "Nosso Grupo" e o significado percebido de pertencer a ele foram fortalecidos, ao passo que, em idêntica medida, a homogeneidade percebida do "Grupo Deles" e a mácula de pertencer a esse grupo também cresceram. O mais seguro sinal de uma categorização total foi a transformação do coletivo em um singular: os judeus passaram a ser referidos como "o Judeu".

Agora a diferenciação entre os dois grupos não se encontra mais apenas nas teorias racistas e no conjunto de leis categorizante e, portanto, intransponível, mas abrange também a realidade social. Isto igualmente assinala que os padrões referenciais dos próprios participantes foram mudados: a violência manifestada contra os judeus que anteriormente era considerada como desusada e inesperada, passou de repente a ser considerada como a atitude normal. Quando a violência se torna um acontecimento que se observa todos os dias, a dissonância cognitiva entre a expectativa e a realidade desaparece – simplesmente não chama mais a atenção de ninguém. As linhas referenciais se desviaram e adaptaram à nova realidade.

Psicologicamente não existe nada de espantoso que a aplicação prática da teoria da raça dos senhores encontre uma possibilidade de consentimento aberto. Diante do cenário das leis e medidas aplicadas, a teoria racial significa especificamente a satisfação dos instintos e ideais de uma massa de operários sem escolaridade e sem posição social de ajustarem contas com os romancistas, atores ou negociantes como parte do processo social corrente que factual, material e posicionalmente desclassifica os judeus de sua situação anteriormente superior. A autovalorização sentida desta forma pelo cidadão individual de classe baixa corresponde também a um sentimento de relativa diminuição dos perigos oferecidos pela sociedade – é um sentimento totalmente novo de uma vida plena dentro de uma comunidade popular exclusiva a que se pertence incontestavelmente por efeito das leis científicas que estabelecem as diferenças entre as raças e a que outros grupos humanos de forma alguma podem pertencer.

Enquanto as coisas se tornavam cada vez piores para alguns, os demais se sentiam cada vez melhor.[370] A força de penetração psicológica do projeto nacional-socialista baseava-se em um prognóstico de transformação radical do espaço social pela sua direta afirmação de uma mudança de posição para as camadas superiores da sociedade por meio de processos concretos e integrais e pela modificação dos padrões de referência que estas promessas significavam para quem deles participasse. "Os Judeus" foram colocados por meio deste processo em direta oposição a "Os Alemães" e esta diferenciação permanece até hoje, por mais que os professores de história procurem duvidar dela. Aqui se fazem visíveis quais os processos de violência são historicamente duradouros e que tipo de herança eles nos deixam. Entrevistas com nossos compatriotas alemães que vivenciaram essa época evidenciam claramente a atração psicossocial e a força de unificação emocional de que estes processos de inclusão e exclusão testemunham até hoje. Não é por nada que permanecem até hoje uma harmonia e concordância muito ampla entre os contemporâneos de que o "Terceiro Reich", pelo menos até o início da invasão da Rússia, foi uma "época bonita", segundo a maneira como o percebiam então; muitos deles continuam com idêntica opinião mesmo com relação ao período em que a guerra já se achava muito avançada.[371] A exclusão, a perseguição e a espoliação de quem pertencia ao "Grupo Deles" categoricamente não foram encaradas deste modo, porque estes Outros, por definição, não pertenciam mais à sociedade e seu tratamento antissocial não mais perturbava o alcance interno da moralidade e da socialidade do "Nosso Grupo".

Um capítulo particularmente perturbador dos procedimentos realizados dentro destes parâmetros foi a assim chamada "arianização" das lojas e empresas

---

[370] O projeto nacional-socialista não prognosticava apenas um destes futuros inteiramente dourados, mas também oferecia robustas promessas de participação no presente, como, por exemplo, grandes oportunidades para fazer carreira. O nacional-socialismo dispunha de uma elite condutora extremamente jovem e não era menos certo que os jovens quadros de ambos os sexos podiam acalentar grandes esperanças pessoais interligadas com a vitória final da "raça ariana". Deste modo, é mais fácil de entender a enorme disposição dos indivíduos e a energia coletiva com que contava esta sociedade. Uma estatística da época informava que a idade média dos dirigentes do partido era de 34 anos e que a média dos funcionários públicos do primeiro escalão tinha apenas 44. Veja Aly Götz: *Hitlers Volkstaat. Raub, Rassenkrieg und nationaler Sozialismus* [O Estado popular de Hitler. Pilhagem, Guerra Racial e o Nacional-Socialismo], Frankfurt am Main, 2005, pp. 12ss. (NA).

[371] Veja, por exemplo, Lutz Niethammer e Alexander Von Plato: *"Wir kriegen jetzt andere Zeiten"* [Nós lutamos em uma outra época], Bonn, 1985; Harald Welzer, Robert Montau & Christine Plaß: *"Was wir für böse Menschen sind! Der Nationalsozialismus im Gespräch zwischen den Generationen* ["É por isso que dizem que nós somos gente má!" O nacional-socialismo conforme o discurso entre as gerações], Tübingen, 1997; Harald Welzer, Sabine Möller e Karoline Tschuggnall: *"Opa war kein Nazi." Nationalsozialismus und Holocaust im Familiengedächtnis* ["Vovô nunca foi nazista!": O Nacionalsocialismo e o Holocausto na memória familiar], Frankfurt am Main, 2002. (NA).

HARALD WELZER

judias, do mesmo modo que os leilões em hasta pública dos objetos de valor e mobiliário de propriedade dos judeus. Enquanto um total aproximado de cem mil empresas e indústrias mudaram de proprietário durante o processo da "arianização", o resultado dos leilões dos bens judaicos realizados pelas prefeituras após as deportações não pode ser quantificado, mas alguns exemplos podem ao menos servir para avaliar suas dimensões. Em Hamburgo, no ano de 1941, 2.699 vagões ferroviários e 45 navios foram carregados inteiramente com "bens judaicos"; cem mil cidadãos de Hamburgo foram registrados como adquirindo móveis, vestuário, rádios e lâmpadas durantes esses leilões, que haviam pertencido a cerca de 30.000 famílias judias.[372] Na mesma ocasião foram registrados muitos milhares de trocas de proprietários de imóveis, automóveis, obras de arte etc. Além disso, ainda que ocasionalmente, as autoridades importunaram com ordens disfarçadas em pedidos os proprietários a lhes cederem os bens que cobiçavam, ainda antes que seus legítimos proprietários fossem transportados, mediante a promessa de que os judeus que aquiescessem a seus desejos não seriam deportados, os quais tinham de aceitar as suas avaliações reduzidas como uma forma de conservar alguma coisa, à vista dos leilões que já estavam sendo publicamente anunciados.[373]

Aqui se torna visível uma conexão comportamental em que fica claramente demonstrado que o processo de transformação das normas sociais não é imposto de cima nem sobe verticalmente, mas que, na prática, o comportamento das pessoas entre si é de caráter solidário e se transforma de maneira cada vez mais profunda à medida que novas linhas de referência vão sendo estabelecidas em comum. Dentro deste desvio progressivo da normalidade, realmente o que sucedeu a partir de 1941 não constitui uma quebra da moldura de referências, nem uma mudança de atitude súbita em que a população decidisse de repente que os judeus deveriam ser mortos e não somente afastados, do mesmo modo que não chamava mais a atenção de ninguém dentro destas circunstâncias as placas que mostravam o nome de localidades anunciarem que estavam "livres de judeus", que os bancos das praças públicas não pudessem ser utilizados pelos judeus, nem tampouco que os cidadãos judeus tivessem sido privados de seus direitos civis e suas propriedades fossem confiscadas.

---

[372] Götz Aly: *Hitlers Volkstaat. Raub, Rassenkrieg und nationaler Sozialismus* [O Estado popular de Hitler. Pilhagem, Guerra Racial e o Nacional-Socialismo], Frankfurt am Main, 2005, p. 154. (NA).

[373] Citado por Frank Bajohr e Dieter Pohl: *Der Holocaust als offenes Geheimnis. Die Deutschen, die NS-Führung und die Allierten* [O Holocausto como um segredo aberto. Os alemães, o governo nacional-socialista e os Aliados], München, 2006, pp. 30ss. (NA).

A GUERRA DA ÁGUA

É diante deste cenário que se manifesta, em um dos processos contra os criminosos de guerra, um funcionário do então existente "Ministério dos Estrangeiros", Albrecht von Kassel, sobre aquilo que se entendia sob a denominação de "Solução Final": "Este termo, 'Solução Final', foi empregado em sentidos diferentes. Em 1936, significava apenas que todos os judeus deveriam sair da Alemanha e que, além disso, enquanto eles estivessem saindo do país, suas propriedades poderiam ser tomadas; não era bonito, mas tampouco era criminoso...". Neste ponto, o juiz acreditou não ter entendido exatamente e lhe pediu um esclarecimento. Disse Von Kassel: "Eu disse que infelizmente não era bonito, mas não era um crime. As pessoas não queriam tirar-lhes a vida, só desejavam tomar-lhes seu dinheiro".[374]

Dentro de um depoimento desta ordem, semelhante a numerosos outros que foram registrados, fica documentada claramente a variação dos padrões de referência que passaram a valer para muitos dos alemães, entre 1933 e 1941. Esta modificação resultou na criação de categorias de pessoas totalmente separadas, tanto jurídica como socialmente e, deste modo, mais uma vez se manifesta a criação de um "Nosso Grupo" completamente oposto ao "Grupo Deles", o que autorizava então todo tipo de brutalidade, injustiça ou delito.[375]

No outono de 1941, começaram as deportações dos judeus alemães que ainda viviam no país, contanto que estes não fossem casados com alguém que não fosse judeu ou que não trabalhassem em fábricas cuja produção fosse importante para o esforço de guerra. Estas deportações eram realizadas publicamente, sem o menor segredo, porque as vítimas eram transportadas pelas ferrovias alemãs de uso normal ou seguiam em caminhões ou caminhavam em grupos vigiados, alguns grandes e outros pequenos, até os pátios das estações da estrada de ferro. Ninguém se preocupava com uma possível reação dos moradores das ruas por onde passavam, pois não existia nenhuma dúvida racional de que todos os membros da comunidade soubessem que as deportações estavam sendo realizadas ou qual fosse seu destino. Não raramente se reuniam grandes multidões de espectadores, que tagarelavam, soltavam piadas e faziam comentários desabonatórios, e grande número de crianças em

---

[374] Citado por Raul Hilberg: *Die Vernichtung der europäischen Juden* [O extermínio dos judeus europeus], Tomo III, Frankfurt am Main, 1990, p. 1.097. (NA).

[375] Dentro deste contexto a bizarra circunstância do interesse por lucro pode ser a razão por que, até hoje, a relação dos delitos incluídos no código penal não registra a omissão de assistência realizada pelos cidadãos comuns sob o regime nacional-socialismo; de fato, como seu campo de influência abrangia inclusivamente todos os membros da sociedade alemã, todos os cidadãos, pelo mesmo motivo, são juridicamente defensáveis. (NA).

HARALD WELZER

idade escolar participava da algazarra, zombaria e injúrias.[376] Em retrospecto, é impossível esconder como foi grande a parte que a população tomou nesse procedimento, pois todos queriam assistir ao espetáculo com seus próprios olhos e ninguém demonstrava por sua atitude preferir manter-se a distância desses acontecimentos. Era de conhecimento comum que agora os últimos judeus que permaneciam na cidade estavam indo de boa vontade ou sendo levados à força até a estação a fim de serem transportados "para o Oriente", era uma deportação feita às claras, dentro de circunstâncias de conhecimento público, todos podiam observar o que se passava e tomar parte em um processo que era crescentemente percebido como parte da normalidade.

Quaisquer que sejam as transformações de valores encontradas nesta atitude, elas são perfeitamente claras quando as pessoas começam a ingressar nos parâmetros de uma experiência psicológica desse tipo; as deportações começaram já em 1933, diretamente após a assim chamada "ascensão ao poder" do nacional-socialismo. O desvio das expectativas de normalidade da maioria da população alemã foi abrupto de tudo quanto eles tinham podido imaginar se realizasse sem atritos – tão imprevisto que mesmo o encadeamento da exclusão, privação de direitos, confisco dos bens, deportação e aniquilação não poderia ter sido sequer pensado naquele momento inicial, talvez nem sequer pudesse ser imaginável pelas pessoas comuns. Apenas oito anos depois, esta forma de procedimento passara a ser encarada segundo um tipo de participação completamente diferente, era uma coisa que já se podia esperar e, portanto, não era encarada por ninguém como fora do comum. Percebe-se claramente que uma transformação tão grande das linhas de referência sociais básicas não necessitava da modificação gradativa da maneira de pensar ao longo do espaço de uma geração, nem sequer de uma década; seu desenvolvimento precisou de apenas alguns anos.

E os próprios participantes do processo não percebem como suas percepções da realidade, seus posicionamentos morais, seus julgamentos sobre o certo e o errado ou seus comportamentos prossociais ou antissociais estão se modificando. Encontramos um exemplo assombroso neste sentido em uma entrevista, demonstrando como um processo social de deslocamento de estruturas foi observado por uma narradora, que assistiu a tudo, sem nada realmente lhe chegar à consciência. Quem descreve os acontecimentos é uma

---

[376] Frank Bajohr e Dieter Pohl: *Der Holocaust als offenes Geheimnis. Die Deutschen, die NS-Führung und die Allierten* [O Holocausto como um segredo aberto. Os alemães, o governo nacional-socialista e os Aliados], München, 2006, p. 47. (NA).

velha senhora, que na época assistiu à perseguição contra os judeus: "Sim, agora nós já tínhamos *poucos* judeus. As lojas dos negociantes judeus tinham sido fechadas, mas a gente não sabia que eles tinham ido para as câmaras de gás. Sim, nós tínhamos *muito, muito menos* judeus. Mas no fundo a gente nem percebia isso. Aquela noite em que quebraram as vitrinas (*Kristallnacht*) foi consternadora e, de uma hora para outra, a filha do rabino parou de frequentar a nossa escola. Mas ela era *a única judia* em nossa escola de ensino primário, tanto quanto eu sei. E eles podiam ter emigrado, como era o costume deles. Alguns deles eram muito estranhos e engraçados. Se tinham sido presos ou se tinham ido para outra parte era coisa que nós não tínhamos meio de saber. Na verdade, nós nunca chegamos a ter contato pessoal, ela tinha seis anos, estava em outra aula, *assim eu não a conhecia e nem ela tinha chegado a me conhecer*".[377]

Observa-se que, no plano das estruturas narrativas dos processos de expulsão das fronteiras e de sua posterior perseguição, em consequência das quais se encontravam cada vez menos judeus até, finalmente, desaparecerem totalmente, reflexões com estruturas análogas estavam sempre presentes, como manifestam numerosos depoimentos de testemunhas oculares ou que vivenciaram aquele período, evidentemente exatas. A consciência daquela narradora não havia compreendido muito bem as narrativas sobre a perseguição da população judaica, porque esta era crescentemente percebida como um acontecimento normal – mas a estrutura de seu depoimento documenta como um protocolo secreto anunciava a mudança das linhas básicas de sua conduta com referência a esta percepção.

Ao darmos atenção ao fenômeno do deslizamento dos pontos de referência, precisamos também encarar um outro problema completamente diverso – a questão das transformações não é simplesmente um produto de ilusões, mas sua percepção moral rapidamente leva as pessoas a um posicionamento que contém processos que não lhes permitem interromper atitudes desumanas e muito menos recuar delas. Acontece muitas vezes que não conseguem suspender estas atitudes nem com relação a si mesmas, quando estes processos ameaçam tornar-se autodestrutivos. Basta trazermos de volta a lembrança do consentimento de nossos compatriotas a um sistema que apresentava claramente uma inclinação crescente a iniciar uma guerra e realmente recordarmos

---

[377] Harald Welzer, Robert Montau & Christine Plaß: *"Was wir für böse Menschen sind! Der Nationalsozialismus im Gespräch zwischen den Generationen* ["É por isso que dizem que nós somos gente má!" O nacional-socialismo conforme o discurso entre as gerações], Tübingen, 1997, pp. 69ss. (NA).

que muitas pessoas, principalmente os jovens alemães, ainda em abril de 1945, acreditavam na "vitória final" e nas "armas maravilhosas" que estavam sendo desenvolvidas e ainda iriam inverter o rumo da guerra – contra todas as lições que eram expostas pelos fatos reais.

A Transformação das Linhas Básicas do Lado Oposto

Existe um ponto de diferenciação que se precisa compreender, ou seja, por que razão certas pessoas contempladas de fora parecem assumir comportamentos absolutamente incompreensíveis, horrorosos, prejudiciais a si mesmas ou até mesmo autodestrutivos. Logo vem à lembrança o exemplo das bombas humanas, mas este pode demonstrar um certo significado para qualquer um, já que as pessoas que se dispõem a saltar em pedaços pelo ar pretendem levar consigo tantas vítimas quantas forem possíveis. Neste caso, realmente não há uma diferença que possa ser percebida individualmente, de que se tenha saído de um campo referencial e que se encontre dentro de um campo referencial diferente, porque não se percebem de fato as *shifting baselines*, ou seja, que tenha havido uma transição das linhas básicas de caráter fundamental. Contudo, mesmo dentro dos padrões mais rígidos do fundamentalismo islâmico, os atentados suicidas constituem um fenômeno histórica e normativamente novo e as famílias de que provêm as bombas humanas, há apenas algumas décadas, achariam totalmente impensável poder encontrar motivo de alegria no fato de seus filhos ou filhas se autodestruírem desse modo. Tudo considerado, o Alcorão proíbe o suicídio.

Mas também aqui ocorreu uma transmutação de valores, que só se tornou possível há muito pouco tempo e é esta que permite à sociedade contemplar como desejável e altamente positivo o fato de alguém estar disposto a saltar em pedaços pelo ar. A palavra surgiu de uma codificação religiosa em apoio a tais atos de violência política, empregando para designar estas ações a denominação tradicional de "mártires" do Islã. "As imagens dos atentados suicidas em pinturas murais, cartazes, calendários, chaveiros, cartões-postais e flâmulas encontrados por toda a Palestina constituem uma forma impressa e concreta deste processo conscientemente dirigido" para a inversão dos valores sociais com relação à autodestruição. "A situação social da família é subitamente elevada e observada com respeito após a realização de um destes atentados. Deste

A GUERRA DA ÁGUA

modo, os orgulhosos pais palestinos dos mártires não anunciam as ações de seus descendentes na página dos necrológios dos jornais diários, mas sim na seção destinada às participações de casamento."[378]

Os modernos meios de comunicação exercem um importante papel sobre essa modificação de valores – por exemplo, a televisão palestina transmite anúncios semelhantes a comerciais em favor das organizações terroristas, convidando os jovens a participar delas. "Um desses anúncios, que foi lançado ao ar em 2003, mostra um jovem casal de palestinos em um passeio inocente, quando subitamente aparecem soldados israelenses e abrem fogo contra eles e a jovem é atingida por uma bala e cai morta no chão. Mais tarde, quando seu amigo vai visitar-lhe o túmulo, também é morto por soldados israelenses. Então se avista quando o céu se abre e ele é recebido lá por sua amiga, que dança com dúzias de outras mártires, as setenta e duas virgens cujo atendimento cada mártir [do sexo masculino] pode esperar receber no Paraíso."[379] Claramente se manifestou uma relação íntima entre a irradiação deste convite pela televisão e uma série de atentados que se sucederam em curto prazo. (O leitor atento poderá ver rapidamente o que se encontra por trás deste procedimento e indagar a si mesmo se existe nele maior ou menor significado do que morrer por um *"Führer".*)

As famílias de que provêm as bombas humanas recebem, além disso, uma recompensa financeira, de fato até 25.000 dólares para cada membro sobrevivente da família, o que logo lhes permite adquirir coisas bonitas, como novos televisores, mobiliário, ou cosméticos. As organizações terroristas envolvidas angariam dinheiro não somente para o financiamento de seus atores diretos, mas para o estabelecimento de uma infraestrutura que o governo oficial não oferece – deste modo, criam organizações de atendimento médico e odontológico, escolas, previdência etc. Todas as organizações terroristas encontram seu apoio por meio destas formas concretas de geração de lealdades e, de forma inversa, provocam o afastamento da população de outras organizações ou entidades governamentais que parecem confiar em falsos valores ou simplesmente não se preocupam com as necessidades do povo – isto vale tanto para o Hamás como para o IRA (*Irish Republican Army* [Exército Republicano Irlandês]) ou para o ETA (*Euskadi ta Askatasuna* [Pátria Basca e Liberdade]) espanhol. Comparado com estas transformações práticas do espaço

---

[378] Bruce Hoffman: *Terrorismus. Der unerklärte Krieg* [Terrorismo. A guerra incompreensível], Frankfurt am Main, 1999, pp. 247ss. (NA).

[379] *Ibidem*, pp. 248ss. (NA).

social, o papel da ideologia é mínimo. As pessoas modificam seus valores porque seu mundo se modificou e não o contrário.

O deslocamento da percepção de valores na sociedade palestina é influenciado pelas mensagens gravadas em videoteipe pelas bombas humanas antes de partirem para a realização de suas missões, do mesmo modo que pelas informações recebidas a respeito, como os fantasmagóricos anúncios de casamento ou as manifestações de entusiasmo popular quando um destes ataques foi bem-sucedido. Mais de 70% dos palestinos que respondem os questionários de pesquisas de opinião consideram que os ataques suicidas são uma ação meritória.[380]

Entre as massas humanas dentro das quais se desenvolve o fundamentalismo islâmico e se estabelecem as formas de violência que duas décadas atrás seriam totalmente impensáveis, existe ainda um outro aspecto desta configuração, isto é, vem-se desenvolvendo a ideia de que também são capazes de modificar as normas sociais da conduta básica do lado dos atingidos – por exemplo, o deslocamento dos valores da liberdade para o campo da segurança ou a disposição para aceitar numerosas formas de restrição em seus movimentos ou um excesso de vigilância ou para apoiar sem hesitação intervenções militares.

As modificações sofridas em uma das pontas da estrutura de interesses que as sociedades constroem conjuntamente geram uma pressão de transformação correspondente na outra extremidade de encaixe da própria estrutura. No caso do terrorismo, este desenvolvimento de transição é extremamente claro, pois as ações realizadas em uma das pontas geram pressões imediatas sobre a extremidade oposta. Isto significa que as consequências do ataque não são apenas a morte de algumas pessoas, o que causa em si um efeito surpreendentemente pequeno sobre a sociedade, mas que cada atentado é *um ato comunicativo* capaz de modificar infinitamente a sensação de segurança de muitas outras pessoas. Deste modo, as linhas de referência se tornam escorregadias no caso do terrorismo e quase complementares: cada ataque terrorista gera uma preocupação por um grau de segurança mais elevado da parte dos atingidos e amplia sua disposição para cambiar suas próprias liberdades por uma maior certeza de segurança, ou pelo menos pela sensação de menor insegurança.

Como reação aos atentados de 11 de setembro de 2001, particularmente os realizados em Nova York, durante os cinco anos seguintes foram promulgadas

---

[380] *Ibidem*, p. 249. (NA).

A GUERRA DA ÁGUA

na Alemanha rigorosas leis de combate ao terrorismo e logo postas em ação, e as leis existentes tiveram de adaptar-se a este novo conjunto de medidas legais (por exemplo, a Lei de Defesa da Constituição Federal, a Lei da Polícia Federal, a Lei do Departamento Federal de Combate ao Crime, a Lei de Controle da Segurança, a Lei dos Passaportes, a Lei dos Documentos de Identidade, a Lei das Viagens Aéreas, a Lei Federal do Registro Central dos Cidadãos Estrangeiros, a Lei de Segurança da Energia etc.), a fim de dar às novas autoridades responsáveis pela segurança a possibilidade de melhorar a coleta de dados, vigiar melhor os indivíduos, controlar melhor as fronteiras e assim por diante. Incluímos abaixo um resumo das consequências provocadas pela aprovação das novas medidas:

- A Lei de Defesa da Constituição passou a atingir as informações sobre depósitos bancários e movimento de contas de organizações ou pessoas suspeitas e requer o fornecimento destas informações pelos bancos ou sociedades de investimentos. Além disso, facilita os procedimentos anteriores para a autorização de coleta de informações desde a data de aprovação da lei de defesa constitucional em empresas de viagens aéreas, de telecomunicações e de prestação de serviços via rede eletrônica;
- O Departamento Federal de Combate ao Crime adquiriu competências mais amplas (a possibilidade de realizar averiguações mediante "suspeitas iniciais") contra atos criminosos realizados por computador ou preparação de ações terroristas de sabotagem;
- A Lei da Polícia Federal autoriza agora o ingresso de equipes de segurança da polícia federal a bordo de aviões ou helicópteros comerciais. Deste modo, a Polícia Federal obteve uma ampliação de suas possibilidades de investigação e interrogatório de pessoas;
- Com relação ao direito de ir e vir foram adotadas novas determinações no sentido de que pessoas que possam ameaçar a segurança da República Federal, seja participando de atos de violência, seja manifestando publicamente a inclinação para essa prática, seja por pertencerem a organizações terroristas tenham recusado o visto de entrada ou revogada sua permissão de permanência no país. De forma semelhante foi ampliado o controle sobre declarações falsas de extravio de documentos e o direito de renovação dos vistos de permanência extraviados;
- Com relação às leis de concessão de asilo, podem ser organizados prontuários com as declarações pessoais dos refugiados que solicitam asilo para

HARALD WELZER

comparação com seus dados nos países de origem a fim de que suas afirmações sejam conferidas. Os materiais referentes à segurança de identificação (como registros de impressões digitais) serão guardados até dez anos após a decisão favorável ou contrária à concessão do asilo e poderão ser comparados com os bancos de dados dos serviços de criminologia oficiais;

- A Lei Federal do Registro Central dos Cidadãos Estrangeiros permite um melhor controle das viagens de chegada ao país. Está ligada à transmissão de dados e à comparação com os dados já existentes nos registros das autoridades policiais, de tal modo que será identificada rapidamente a condição legal de permanência na Alemanha de uma determinada pessoa. Os dados já se acham disponíveis eletronicamente e deixou de ser necessário o envio de uma solicitação postal ao Registro Central;

- A Lei de Controle da Segurança permite agora requerer das pessoas que trabalham em instituições importantes para a vida humana ou para a defesa nacional (entre as quais se contam os aeroportos) uma forte comprovação de sua identidade;

- No que se refere à Lei dos Passaportes, ou à Lei dos Documentos de Identidade existe a possibilidade da identificação computadorizada das pessoas com base em documentos de comprovação legal (como fotografias, assinatura ou dados biométricos).

A lei de combate ao terrorismo foi avaliada em 2005 e ampliada em diversos pontos pela "Lei Complementar de Combate ao Terrorismo" para que essa explicação autorizada em defesa de sua redação não permitisse o sucesso de uma tentativa de interpretação contrária à Constituição. Além disso, essas explicações podem impedir que pessoas suspeitas possam ser condenadas rapidamente por pressão da excitação de uma sociedade volátil.

A revelação da existência de instruções secretas digitalizadas emitidas em caráter de urgência pelas autoridades responsáveis pela segurança e pelo Ministro do Interior da Alemanha Federal levou efetivamente a Corte Suprema à sua interdição mediante resolução de 31 de janeiro de 2007 (Decisão StB 18/06). As diligências realizadas até então por meio de programas *Trojaner* [Cavalo de Troia] e *Backdoor* [Porta dos Fundos] foram colocadas sob suspeita de constituírem um delito severo sob o parágrafo 102 do Código de Processo Penal, por terem sido realizadas sem o conhecimento do suspeito e a partir de então a Corte Suprema da Alemanha Federal proibiu a realização das referidas diligências em computadores, porque também os computadores pertencem à esfera privada (doravante, quando este tipo de investigação precisar ser realizada, o investigado deve ser, por exemplo, avisado de que está sob investigação). O Ministério do Interior da República Federal Alemã foi autorizado então a criar um programa de *Spy-Software* [equipamento para espionagem eletrônica] (neste caso um pequeno programa especializado) que possa pesquisar os discos do usuário sem ser observado para tê-lo preparado para utilização após autorização legal após o movimento de dados ter indicado a possibilidade de que se acha um atentado em preparação.

Um banco de dados antiterrorismo, cuja programação foi completada em dezembro de 2006 coordena o entrelaçamento dos Sistemas-IT do serviço de informações, das autoridades de segurança e da polícia. Neste banco de dados se encontram informações referentes aos indivíduos identificados como pertencentes a grupos terroristas, por exemplo, propriedade de armas, dados de comunicações, dados bancários, educação e profissão, ligações familiares e religião, condições de permanência no país e movimentos de viagens, incluindo a declaração de perda de documentos registrada por pessoas suspeitas. Deste modo são monitorizados não somente os suspeitos de terrorismo, mas também quaisquer outras pessoas que estes dados possam indicar estarem em perigo de agressão pelo terror.

Em setembro de 2007, um "Fórum para a Coordenação e Ação Conjunta entre as Autoridades de Segurança e Executivos Industriais" foi realizado, englobando a União Europeia. [...] A União Europeia aprovou um orçamento conjunto de 2,135 bilhões de euros a serem liberados até 2013 para o desenvolvimento de novas tecnologias de segurança a serem utilizadas com o objetivo de que os estados europeus possam dispor de mais amplas possibilidades de vigilância e averiguação[381]. Estes meios permitiram o desenvolvimento de um instrumento capaz de detectar a existência de materiais explosivos em residências particulares ou ainda preparar atividades especiais de vigilância por câmeras de vídeo para identificar comportamentos incomuns de indivíduos no meio de uma multidão. O próprio vice-presidente da Comissão da União Europeia, Günter Verheugen, classificou estas inovações como uma tecnologia "que irá transformar fundamentalmente a nossa sociedade". Seja como for, este Fórum recém-fundado é uma entidade independente da União Europeia.[382]

---

[381] *EU fördert Sicherheitstechnologie* [União Europeia patrocina a tecnologia de segurança], *Frankfurter Allgemeine Zeitung*, edição de 12 de setembro de 2007, p. 4. (NA).
[382] *Ibidem.* (NA).

HARALD WELZER

Também foram realizadas inovações semelhantes nas leis relacionadas à segurança interna referentes à vigilância tecnológica na maior parte dos países europeus; na França, um milhão de câmeras de vigilância serão instaladas até o final de 2009;[383] na Grã-Bretanha, há anos esse tipo de câmera se tornou realidade por toda parte; nos Estados Unidos, a partir do Onze de Setembro, conforme já foi mencionado, foi criado um Ministério de Segurança Interna semelhante ao da Alemanha. O mais surpreendente em tudo isso é que a diminuição da defesa dos dados particulares provocada pelas novas leis e pela adoção das novas tecnologias, além da possível redução da autodeterminação de ir e vir e de outros direitos civis não tenha provocado nenhum protesto significativo – bem ao contrário, a aplicação destes meios encontra um apoio incontestável da maior parte da população, que acredita serem necessários para impedir os atentados ou, pelo menos, para identificar quem os praticou. O medo da população alemã de ser alvo de novos atentados continuamente se manifesta[384] por meio das pesquisas de opinião, e o valor da preocupação com a percepção desta ameaça supera de longe os de temores clássicos como doença, acidentes, desemprego etc.[385]

Do mesmo modo também se modificou a disposição para o consentimento do emprego de meios políticos de segurança. Enquanto em 2005 somente 37% da população era da opinião de "era necessário mais" a fim de "impedir os ataques terroristas", no ano seguinte já 46% expressaram pensar dessa forma. Mais de dois terços dos alemães apoiavam um aumento da vigilância das estações de trem[386] por meio de câmeras de vídeo; em 2007, 65% da população acreditava que ainda não tinham sido instaladas câmeras de vigilância suficientes para o combate à criminalidade.[387]

Em tudo isso é particularmente interessante que dois terços dos interrogados não apresentaram o menor temor de que seus direitos civis fossem afetados como consequência dos meios tomados na luta contra o terror;[388] um estudo da Comissão Europeia revelou que somente pessoas com mais de quarenta e cinco anos temiam que a proteção dos dados pessoais contra outras

---

[383] *Frankfurter Allgemeine Zeitung*, edição de 15 de outubro de 2007, p. 6. (NA).

[384] *Allensbacher Berichte* [Boletim de Allensbach], 14/2006. (NA).

[385] *Ibidem*, 21/2004, p. 2. (NA).

[386] *Ibidem*, 14/2006, p. 3. (NA).

[387] *ZDF-Politbarometer* [Barômetro político] *(Zeitschrift Deutschlandfunk* [Difusão alemã de notícias]), edição de 20 de abril de 2007. Nesses lugares em que ocorrem frequentes ataques maciços do terrorismo, o medo da população naturalmente se torna mais intenso. Na Espanha originou-se uma regular islamofobia, a um ponto tal que conduziu à recusa do embarque em um avião a dois homens, somente porque pareciam ser paquistaneses. (*El Pais*, 23 de agosto de 2006). (NA).

[388] *Ibidem*. (NA).

organizações não fosse suficiente. Os questionados com menos de trinta anos não acharam que pudesse haver qualquer problema.[389]

Tais dados indicam que há *Shifting Baselines* [linhas básicas em transição] também do outro lado do conflito. Devido a uma vigilância cada vez maior provocada pela ameaça pressentida do terrorismo, devido à possibilidade de um ataque ainda maior, o índice de atribuição de prioridades foi colocado mais perto da segurança e mais distante da liberdade, uma atitude que não é desprovida de racionalidade, porque a liberdade não vai morrer por isso. De forma semelhante – uma diferença particular com relação às décadas de 1970 e 1980 – as manifestações em favor da segurança dos próprios direitos civis inequivocamente diminuíram. A questão permanece em aberto sobre se futuramente os cidadãos e cidadãs considerarão o acirramento das medidas de segurança não somente como um preço barato a ser pago, como também necessário e merecedor de apoio. Desta forma também se diversificam os valores e a percepção da normalidade dentro das sociedades democráticas.

De forma semelhante, qual será o sentimento geral com relação ao que seja uma reação normal ou exagerada dos países afetados perante um outro perigo de origem externa, a saber, quando o crescente número de refugiados mundiais provocar ao longo das fronteiras o que será pressentido como um problema maciço de segurança? Que escolha será feita, quando pesarem na balança os direitos humanos contra as necessidades de segurança na proporção em que o número e dimensões dos ataques terroristas se ampliarem? Como se articularão os desejos de orientação e estabilidade quando alguma catástrofe afetar os estados europeus? A história nos oferece numerosos comprovantes de que, quando se apresenta uma escolha entre a estabilidade e a violência esperada pelo emprego de medidas de segurança, particularmente quando se difunde um sentimento de aumento das ameaças contra a população civil, esta se manifestará em favor daquelas medidas que lhe pareçam mais favoráveis ao combate dessas ameaças – como, por exemplo, impedir o ingresso de massas de refugiados. Igualmente a prontidão com que uma sociedade se dispõe a trocar os direitos humanos pela segurança não precisa mais ser trazida à consciência. Especialmente quando houver confiança na estabilidade e no valor dos meios de segurança que os padrões da normalidade e da civilização não comportam. De tal modo, uma radicalização das consequências das variações climáticas pode trazer em sua esteira uma radical mudança dos valores sociais e éticos.

---

[389] Ludwig Greven: *Der Datenhunger wächst* [A fome de dados desperta], publicado em *ZEIT on-line a* 3 de setembro de 2007, disponível na página eletrônica http://images.zeit.de/text/online/2007/39/datenschutz-simitis. (NA).

A percepção de que existem reais ameaças externas gera um sentimento de integração interior à própria comunidade ainda mais profundo – as ameaças terroristas contribuem ativamente para a formação da identidade nacional e para o fortalecimento da sensação de pertencer ao "Nosso Grupo".[390] Esta adesão à identidade com os grupos internos não se forma sem que se desenvolvam igualmente as identificações opostas de caráter negativo com relação aos "grupos dos outros"; deste modo se estabelece um encadeamento ameaça-reação-configuração psicológica que cada vez mais fortalece o sentimento de identificação e uma definição progressivamente mais inequívoca de quem somos "Nós" e de quem são "Eles". Surge então uma questão sobre a dimensão do pressentimento de ameaças, sobre até que ponto as reações se desenvolverão, de forma limitada, expandida ou agressiva contra os membros do grupo identificado como "Eles". Conforme Mary Kaldor expressou, a política de identificação em tempos de globalização rapidamente se transforma em uma nova escala de valores.

Em resumo: a transformação dos valores é uma consequência da expansão das abrangências transnacionais, que não deixa ninguém inviolado, porque é inevitável a conscientização da existência de outros no extremo oposto – e de tal modo, ambos os extremos são dominados pela convicção de que realmente devem manter com a maior firmeza aqueles valores em que sempre confiaram.

---

[390] Um belo exemplo histórico neste sentido se encontra nos bombardeios realizados pelos Aliados durante a Segunda Guerra Mundial, na suposição errônea de que, por meio deles, conseguiriam provocar uma quebra na lealdade ao sistema vigente. O resultado foi justamente o oposto – a sociedade alemã sob o governo nacional-socialista confirmou ainda mais seu apoio ao regime vigente em consequência dos pavorosos ataques aéreos. (NA).

O RENASCIMENTO DOS VELHOS CONFLITOS: CRENÇAS, CLASSES, RECURSOS E A EROSÃO DA DEMOCRACIA

O mundo do stalinismo com suas limpezas étnicas, deportações, campos de trabalhos forçados e os métodos conscientes e deliberados de morte dos dissidentes pela fome atestam aquilo que foi chamado de um "desvio radical" do pensamento cristão-ocidental e dos princípios esperados pelo Iluminismo e difundidos pelo Racionalismo. Contudo, durante períodos importantes do século 20, estes princípios foram descurados, conforme nos indicam alguns exemplos, como a Coreia do Norte, Cuba, Birmânia (Myanmar) ou Laos, onde continuam a ser ignorados até hoje. Com referência aos propósitos deste livro, realmente é digno de interesse o que assinala empiricamente o desenvolvimento dos estados e dos sistemas políticos durante o século 20, a saber, que os desenvolvimentos sociais foram *inesperados,* sem indicações anteriores de caráter amplo ou constante e que estes desenvolvimentos foram gerados por eventos com os quais ninguém havia contado antes. Contra este pano de fundo se apresenta a convicção de que todas as sociedades atuais, mais cedo ou mais tarde, irão seguir o modelo dos países da Organização para a Cooperação e Desenvolvimento Econômico, por mais que este seja uma ilusão particularmente contrária à história: a experiência industrial ocidental realmente dura há apenas duzentos e cinquenta anos e quando este experimento social terminar, não irá acarretar consigo o fim da história.

HARALD WELZER

Outros sistemas de domínio já existiram por muito mais tempo e coesão bem mais vigorosa e, não obstante, todos eles entraram em colapso. Presentemente – descartando-se algumas exceções – o malogro de muito poucas sociedades foi objeto de uma atenção tão cuidadosa quanto a sua ascensão e, deste modo, dispomos de modelos limitados para a descrição do que causa a implosão de um sistema originada por variantes inesperadas de desenvolvimento. Qual teoria do estado havia considerado realmente a criação de autocracias pós-comunistas e pós-capitalistas, como a Rússia e a China? Quais haviam esperado a instauração de estados islâmicos fundamentalistas como o Irã? E qual havia calculado o aparecimento de anacronismos como a revolta entre gerações que se torna visível no desencadeamento de conflitos entre *grupos etários* durante os mais recentes processos de desenvolvimento?

Desde os grandes conflitos bélicos do século 20 entre os imperialismos e depois, durante a Guerra Fria, entre as concepções ideológicas, seguidos pela curta fase de felicidade europeia-norte-americana durante a década de 1990, que foi concluída por grosseiros tipos de guerras e conflitos inteiramente novos, apresenta-se agora o renascimento das antigas linhas de embate, que parecem realmente ter saltado do começo do século 19 para o início do século 21.

Aquelas que hoje parecem ser guerras religiosas pertencem, sem a menor dúvida, a uma época histórica muito mais remota e se elas ressurgem agora como efeito de reações à modernização e à globalização, são realmente conflitos violentos mais robustos que se manifestam sob o disfarce de confrontações religiosas – cujos participantes são reciprocamente denominados por designações plenamente conotativas de "cruzados" ou de "países vilões", por meio das quais ambos os lados definem os oponentes categoricamente como seus antagonistas. Formam-se assim os clássicos grupos de "Nós" contra "Eles" e soluções de compromisso não chegam sequer a ser tomadas em consideração, o que produz o efeito fatal de atribuir um caráter permanente aos conflitos reais subjacentes e que continuará sendo mantido enquanto pelo menos um dos lados conservar suas atitudes hostis com relação ao outro. Esta é a lógica da "afinidade eletiva" manifestada por meio da "guerra contra o terror", conjuntamente com a *Jihad* islâmica – logicamente será impossível um tratado de paz assinado entre iguais como encerramento de uma *guerra de convicções*. Deste modo, os partidos adversários fortalecem progressivamente suas ações hostis em função das representações e asserções que manifestam de forma recíproca.

As guerras de convicções têm, portanto, a singularidade de não permitir que os parâmetros de referência assimilados pelas partes e que caracterizam a

A GUERRA DA ÁGUA

configuração do conflito sejam mutuamente influenciados. O fundamentalismo apresenta a tendência de espelhar-se, conforme demonstra o persistente despertar que vem fortemente se manifestando nos Estados Unidos de um fundamentalismo protestante, o qual – sob a indumentária de uma oposição pseudocientífica entre o criacionismo e a teoria da evolução – já se está expandindo para os países europeus. Qualquer que seja o potencial de transformação de valores que se manifestará por meio da formação de reações espelhadas ainda permanece difícil de avaliar, mas para quem vivenciou o período de expansão total do secularismo durante os anos sessenta do século 20, a época da luta pelos direitos civis e das guerras de libertação anticolonial e a crescente liberalização dos costumes nos países ocidentais e oportunamente o degelo dos países da Europa Oriental, contemplar agora, apenas trinta ou quarenta anos depois, o surgimento de conflitos violentos baseados na oposição de crenças religiosas tem a conotação de uma atitude totalmente ingênua.

Mas este parece ser exatamente o caso dos dias de hoje e, do mesmo modo que as guerras religiosas aparentemente retornaram, os *conflitos de classes sociais* também vêm se manifestando, se bem que dentro de uma nova configuração. Com a globalização e a operação multinacional de empresas econômicas e as aplicações dos fundos de pensões ou de renda fixa (*Hedge Funds*), a sociedade classista se emancipou dos estados nacionais; ela assinala agora claramente que não depende mais das fronteiras artificiais constituídas entre os estados nacionais e os membros de referidas classes passam a agir de forma transnacional. Os diretores de um conglomerado automobilístico, a gerente de uma sociedade de fundos de aposentadoria e pensões, o especialista em tecnologia, o operário que vive em uma casa barata adquirida mediante hipoteca e o trabalhador que é um imigrante ilegal – todos representam para si mesmo de maneiras totalmente diversas a assimetria globalizada, o quadro de referência dos comportamentos sociais e suas possibilidades de receber um melhor salário ou realizar maiores lucros. Enquanto a racionalidade das empresas multinacionais já se emancipou há muito tempo das restrições simplesmente nacionais, e das exigências da justiça e as regulamentações nacionais apenas lhes servem como estruturas temporárias para o cumprimento de tarefas técnicas, fiscais ou políticas, os especialistas também já não se identificam com os operários sem especialização de cujas fileiras provêm, porque já dispõem de oportunidades de autorrealização e de progresso social que são totalmente utópicas para quem permanece em suas classes sociais de origem. O retorno da sociedade de classes de certo modo se encaixa no modelo tradicional

257

HARALD WELZER

e como tal é tratado pelas instituições que arbitram os conflitos entre as classes operárias e patronais – quer se tratem de sindicatos internacionais capazes de empreender negociações ou ministérios sociais e econômicos supranacionais que possam moderar as disparidades – este novo tipo de sociedade classista já se desobrigou de qualquer lealdade puramente nacional. Quais os conflitos que esta nova participação social possa causar ainda são imprevisíveis no momento.

Finalmente, há um renascimento dos *conflitos por recursos naturais*, que constituiu, sem a menor dúvida, a temática básica deste livro, pois aparentemente a velocidade do esgotamento das reservas disponíveis em nível mundial de petróleo, urânio, água etc., se tornará cada vez mais acentuada. O posicionamento antagonístico que já colocou diversas nações em disputa pelos presumíveis recursos encontradiços sob o Mar Ártico e o gelo da calota polar antártica nos dá um aperitivo do retorno de um novo imperialismo em torno da posse de tais recursos, como a história pregressa nos indica. As lutas pela conquista e divisão das possíveis reservas realmente já começaram.

Os conflitos dominantes no século 21 serão assim *conflitos de classes* (globalizados), *conflitos de crenças* (globalizados) e *conflitos sobre a posse de recursos naturais* (também globalizados) e atualmente nem se pode prever se serão travados por atores transnacionais particularmente eficientes, nem se envolverão o monopólio da violência entre os estados envolvidos; presentemente não existem quaisquer possibilidades de regulamentação para estas novas edições dos antigos conflitos. De qualquer forma já se pode prever, consoante anunciam os atuais conflitos ambientais ou ligados à posse de recursos naturais, que tais conflitos não poderão mais ser unidimensionais, mas deverão tornar-se interdependentes – mesmo quando não se manifestarem assim no começo dos posicionamentos antagonistas, logo se tornarão no decorrer das atividades bélicas, porque serão influenciados pelos papéis exercidos pelas questões de justiça, etnização, vingança, represálias etc., que necessariamente tornarão mais profundas as dissensões.

Em retrospecto, a época da Guerra Fria, da concorrência de sistemas ideológicos e das utopias políticas nos parece quase idílica; em que sentido peculiar se voltará a história doravante será indicado pelas lutas por espaço e por recursos e podemos esperar para as próximas décadas modificações fundamentais na configuração das sociedades ocidentais. A recordação dos sistemas totalitários e dos genocídios do século 20 nos dá a conhecer quão rapidamente a solução dos problemas sociais percebidos assume definições radicais e desencadeia ações mortíferas.

A GUERRA DA ÁGUA

O Deslocamento da Violência

É natural que a história não se repita; os formatos para a solução dos problemas da política de segurança encontrados no século 21 são diferentes daqueles empregados ao longo do século 20 – entre outras coisas porque os novos meios de comunicação instauraram uma espiral informativa para o reforço mútuo do armamento dos terroristas e dos órgãos de segurança e, deste modo, deslocaram a abrangência internacional do rearmamento. Deste modo a violência empregada para a resolução dos problemas de segurança modificou seu ponto de vista, particularmente nos casos em que a política interna e externa dos países ocidentais tentou restringir a utilização dessa violência a zonas determinadas, como nos casos do Iraque e do Afeganistão, a fim de evitar confrontações diretas em seus próprios territórios. Também é este o caso da defesa contra os imigrantes ilegais, em que as próprias fronteiras foram exteriorizadas. No caso da defesa contra perigos internos, a preocupação é que a "responsabilidade" pela realização dos atos seja transferida para a "terra-de-ninguém".[391]

Também o retorno da violência privada sobre os palcos de conflitos nacionais e internacionais lembra estranhamente as atitudes pre-modernas e está em ligação paradoxalmente íntima com a modernização dos meios de aplicação da violência. Logo após o final da Segunda Guerra Mundial e mais tarde, próximo ao final da Guerra Fria, instaurou-se uma espécie de época pós-heróica, em que foram legitimadas formas clássicas de violência, como a realização de guerras de conquista ou o retorno de um leque de meios de sua aplicação, tais como a tortura de prisioneiros justificada por pretextos de caráter elevado. Contudo, ao longo desta época pós-heroica, desenvolveram-se interesses que eram atingidos por uma ampliação da violência privada, conforme vem se observando há vários anos, mediante o emprego de meios de segurança de caráter policial e mesmo militar por empresas privadas. Logo se iniciaram as preocupações no sentido de que no futuro empresas particulares opostas se engajariam em seus conflitos privados, especialmente quando provocados pela concorrência por matérias-primas.[392]

---

[391] Wolfgang Schäuble, Ministro do Interior da Alemanha, 5 de outubro de 2007, publicado em *ARD-Brennpunkt*. (NA).

[392] Isso foi o que constatou Herfried Münkler em uma entrevista concedida ao *Frankfurter Allgemeine Sonntagszeitung* [Edição dominical do Frankfurter Internacional], ou seja, que as firmas de segurança privadas não são contratadas forçosamente por um estado, mas também podem ser pagas por empresas particulares. "Elas desviam dos estados o monopólio legítimo da violência física, tomam o poder em suas mãos e se tornam, deste modo, um novo poder político, que pode manter constantes os preços do petróleo ou talvez esteja pronto a aceitar quaisquer propostas mais lucrativas. (*Frankfurter Allgemeine Sontagzeitung*), 14 de outubro de 2007, p. 8. (NA).

Tal interpretação do desencadeamento da violência da parte tanto de governos como de empresas privadas provoca um esvaziamento do monopólio de violência das nações afetadas e traz como consequência o descontrole do parlamento sobre a aplicação dos meios repressivos – significando também um retrocesso do nível de controle da violência que já fora alcançado por meio da atuação dos poderes estabelecidos.

Uma delegação independente descobriu que, em vez da conservação controlada da violência, quando ocorrem conflitos limítrofes e a violência direta inevitável ligada a eles, os violadores potenciais das fronteiras são logo conservados em territórios-tampão ou devolvidos aos países de origem. A disseminação da violência torna-se aqui ainda mais ampliada, não sobre atores privados, mas sobre os órgãos de outros estados.

Um desenvolvimento paralelo assinala a preocupação da transferência prévia de um conjunto de circunstâncias de caráter judiciário: dentro do processo do combate ao terrorismo se desenvolve uma tendência de não mais se esperar pela execução de um atentado, mas tornar passível de penalidade procedimentos técnicos e estratégicos prévios que assinalem a intenção de sua realização – que indiquem o desejo criminoso aos olhos das autoridades – com o estabelecimento consequente de parâmetros devastadores para a democracia. Dentro desta nova configuração o direito de aplicação da justiça se transforma em um direito de punição para prevenção dos crimes (conforme escreveu Heribert Prantl) e esse direito necessariamente deve conduzir à pressuposição de os cidadãos desse estado serem tidos como suspeitos potenciais. Porém, quando "os limites entre a culpabilidade e a inocência, entre os suspeitos e os insuspeitados" se tornarem indistintos,[393] em que as comunicações por telefone e via internet puderem ser grampeadas e o sigilo bancário rompido sem dificuldades como um procedimento cotidiano normal e ninguém protestar contra isso, será iniciada a erosão dos direitos civis.

Ambos os tipos de reação perante os problemas reais ou imaginários modificam a configuração das democracias ocidentais – com os seguintes efeitos sobre nosso próprio futuro: quanto menos os direitos civis forem respeitados pelo estado em uma situação de crise, tanto mais fracos serão os meios de defesa da civilização contra a arbitrariedade e a violência e, consequentemente, mais radicais se tornarão as soluções escolhidas para resolver os problemas sociais.

---

[393] Prantl, Heribert: *Der Terrorist als Gesetzgeber* [O Terrorista como Legislador], publicado em NZZ Folio 9/2007, pp. 20-24. (NA).

MAIS VIOLÊNCIA

Tivemos de destruir a cidade
para poder libertá-la.
— *Oficial Norte-americano,*
Vietnã do Sul, 1968.

Considerando este cenário, as variações climáticas constituem um perigo social que não somente foi subestimado, mas tampouco é reconhecido por boa parte da sociedade e pode parecer contrário à intuição que este fenômeno pertencente às *ciências naturais* possa provocar catástrofes sociais, tais como a desagregação de um sistema de governo, guerras civis e genocídios, particularmente sob uma perspectiva que dá a impressão de tudo estar funcionando ordenadamente e sem problemas. Não obstante, não é necessária uma imaginação desenfreada para encarar as coisas que já estão ocorrendo no presente, já que no momento atual é possível assinalar conflitos sociais provocados pela pressão ambiental, guerras climáticas e medidas de segurança que foram tomadas em função das modificações ambientais.

1. Já ocorrem guerras climáticas em determinadas regiões e sob condições que já se demonstram capazes de desestabilizar seus governos, dentro de cujos territórios os mercados de violência privada parecem ser a situação normal. Cada modificação ecológica que influencie negativamente as referidas áreas abre novas oportunidades para os empresários da violência, de tal modo que essas guerras podem ser travadas de forma permanente

HARALD WELZER

e ainda projetar-se além das fronteiras dos países onde foram iniciadas para contagiar as nações limítrofes.

2. As consequências das variações climáticas, como a degradação do solo, as inundações, a escassez de água potável, as tempestades descontroladas etc., agravam os problemas já existentes e reduzem o espaço habitável, diminuindo assim as possibilidades de sobrevivência de seus habitantes. Deste modo, a enorme assimetria existente entre as nações atingidas e os países favorecidos tende a aumentar ainda mais.

3. As variações climáticas atingem muito mais profundamente as sociedades mais vulneráveis, tanto na probabilidade de seus efeitos como pelo alcance mais profundo de suas dimensões, de tal modo que o desencadear da violência irá provocar movimentos migratórios e originar ondas de refugiados, muito mais evidentes dentro do âmbito dos estados onde tais migrações já existem, mas projetando-se além de suas fronteiras, de tal modo a originar situações de violência ainda mais acendrada.

4. As ondas de emigração além das fronteiras das nações atingidas já alcançaram as ilhas de prosperidade e estabilidade da Europa Ocidental e dos Estados Unidos e forçam os atores políticos que lideram estes países a aprofundar suas medidas de segurança e a fortalecer suas próprias forças de defesa. Isto conduz a uma política externa baseada numa estratégia de fortalecimento da proteção de suas fronteiras, com a intenção de localizar os conflitos o mais além possível de seus próprios limites e com o resultado de agravar as medidas de segurança tomadas contra aqueles que violam suas fronteiras.

5. O terrorismo, que se expande proporcionalmente aos processos de modernização provocados pela globalização, é legitimado e fortalecido pelas disparidades e injustiças provocadas pelas variações climáticas.

6. Isto conduz a uma elevação continuada das medidas de segurança tomadas pelos governos dos países tomados como alvo pelo terror, de tal modo que a amplitude das liberdades individuais passa a ser progressivamente limitada, na medida em que são ampliados os níveis do monopólio de violência governamental.

7. Novas regiões fora do alcance de qualquer jurisdição legal, como aquelas já estabelecidas na esteira da guerra contra o terror, irão aumentar o nível da violência exercida pelos estados e originarão extraoficialmente unidades clandestinas que tomarão medidas independentes de qualquer norma constitucional. A execução dos atos de violência será assim deslocada

A GUERRA DA ÁGUA

e os suspeitos de atividades criminosas ou subversivas serão diretamente atingidos por esses grupos sem comprometimento governamental.

8. A variação dos pressupostos básicos irá alterar a percepção dos problemas do mesmo modo que a aceitação de soluções e medidas violentas. As normas sociais e os padrões de normalidade serão assim enviesados.

9. Todos estes são processos de interação. Os números crescentes de refugiados, o fortalecimento de medidas restringentes de segurança, os conflitos internacionais causados pela disputa de recursos etc., irão gerar efeitos autocatalisadores. Catástrofes ambientais imprevistas e súbitas irão forçar a capacidade de reação dos países da União Europeia e de outras nações industrializadas até seus limites, enquanto nas sociedades desestabilizadas elas se demonstrarão mortíferas e devastadoras. O senso de ameaça e as tensões emocionais resultantes conduzirão a reações imprevisíveis.

Estas condições, tomadas em conjunto, originarão um cenário que irá pressionar a configuração global de toda a sociedade humana. Diferentes formas de intensidade e de tensão social serão sua consequência imediata, resultado em explosões de violência. O clima social é muito mais complexo do que o clima atmosférico, mas isto não significa que não possamos identificar fatores *potenciais* que possam conduzir a perigos e a ameaças de deflagração de violência que se poderão tornar importantes no futuro. As variações climáticas funcionam em dois sentidos: tanto podem provocar conflitos violentos como aprofundar os já existentes. Por outro lado, por meio de interações, acumulações e encadeamentos, podem conduzir a *consequências inesperadas*. Já é mais do que tempo de introduzirmos os cálculos dos efeitos ambientais nas análises e descrições dos conflitos sociais. A maior parte dos aspectos de transformação de eventos esboçados acima já deixou há muito tempo a condição de cenários hipotéticos e se transformou em realidade para muita gente – já *existem* guerras climáticas, as pessoas estão *morrendo, fugindo e sendo assassinadas*. Empiricamente já não existe a menor base para acreditarmos que o mundo onde vivemos permanecerá igual no futuro ao que conhecemos no presente.

O QUE SE PODE FAZER
E O QUE NÃO SE PODE - I

Se é possível evitar *soluções radicais para problemas sociais* no futuro é também um teste para verificar se as sociedades podem aprender com a história ou se não têm essa capacidade. Não se trata de uma pergunta acadêmica, mas de uma questão política.

Não obstante, em uma época de perigo global, o pensamento político não se poderá deixar levar por modelos pré-estabelecidos para a orientação do futuro, não somente porque apenas a fantasia será incapaz de concebê--los, mas também porque todas as promessas libertárias imaginadas até o século 20 fracassaram e acabaram por se demonstrar pouco mais do que desastres totalitários. Por esse mesmo motivo, é necessária uma renascença do pensamento político, sólida o suficiente para demonstrar a capacidade de apresentar imediatamente *uma crítica diante de qualquer proposta que possa infringir as possibilidades de sobrevivência dos demais.* Para isso será necessário forjar um tipo de pensamento que seja consideravelmente mais prospectivo e antecipatório do que todas as ideologias que a humanidade foi capaz de propor durante as últimas décadas. À luz dos perigos atuais, cujas consequências finais só nos poderão ser reveladas no futuro, as sociedades estão sendo dirigidas para novos tipos de problemas, precisamente porque o pensamento social não dispõe de uma experiência básica anterior que a habilite a lidar com tais assuntos, do mesmo modo que um navio carregado de passageiros que aviste um *iceberg* a uma longa distância e não disponha de um leme que lhe permita mudar o curso a fim de evitá-lo.

Depois de tudo que foi discutido neste livro a respeito das consequências sociais das variações climáticas, não deve ser difícil prever que o mundo, dentro de poucas décadas, realmente apresente um aspecto bem diverso daquele que nos mostra hoje. Existem muitas razões para temer que não poucas regiões do mundo apresentem condições bem mais difíceis que as atuais para as possibilidades de sobrevivência dos seres humanos que nelas habitam nos dias que correm. Deste modo, permanece no final deste livro a mesma pergunta de antes: o que pode ser feito para demonstrar que este autor está errado?

Continuar Agindo como de Costume

Uma das muitas possibilidades de comportamento que podem ser adotadas é tão simples quanto óbvia: continuar agindo como sempre se fez. Esta alternativa considera a necessidade de um maior crescimento econômico das regiões desenvolvidas, o que irá exigir o emprego contínuo da importação de combustíveis fósseis e a utilização constante de novas matérias-primas, uma atitude que, a médio prazo, acarretará uma diminuição sistemática do apoio econômico e dos serviços prestados pelas organizações de socorro àquelas sociedades que estarão enfrentando dificuldades cada vez maiores. Uma tal estratégia para o futuro permitirá um desenvolvimento progressivo das indústrias de biocombustíveis, a fim de que estes sejam misturados em proporções cada vez maiores com a gasolina, não somente porque esta deve ser importada, como para adiar o prazo final do esgotamento das reservas de petróleo. Todavia, esta estratégia determinará que setores cada vez maiores das florestas tropicais sejam destruídos para dar lugar a mais plantações de produtos agrícolas capazes de produzir biocombustível. Isto já está ocorrendo em muitos países da América do Sul ou da Ásia,[394] enquanto este processo não raramente adquire as

---

[394] Nas ilhas de Sumatra e de Bornéu, pertencentes à Indonésia, até o presente foram destruídos, geralmente por meio de queimadas, mais ou menos cinco milhões de hectares de florestas tropicais, que foram convertidos em plantações de palmeiras para a produção de óleo. Por meio deste processo, cerca de um bilhão de toneladas de dióxido de carbono (CO_2) são lançadas anualmente à atmosfera, correspondendo aproximadamente a 15% de todas as emissões de gases poluentes produzidas ao redor do globo, de acordo com a página eletrônica http://www.umweltschutz-news.de/266artikel137screenoutl.html?besucht=66eceb92. Para exacerbar ainda mais o problema, os biocombustíveis são ecologicamente contraproducentes: no que se refere ao dióxido de carbono apresentam efeitos neutros com relação ao clima, mas não em termos de emissões de óxido nitroso. O efeito estufa é tornado aproximadamente 1,7 vez maior pela queima de óleo diesel produzido a partir do óleo de palmeira em comparação com o óleo diesel convencional produzido a partir dos combustíveis fósseis. (Veja *Frankfurter Allgemeine Zeitung*, edição de 2 de outubro de 2007, p. N1.) (NA).

referidas terras por meios violentos, levando à expulsão ou reassentamento das populações que anteriormente habitavam esses locais.

A política de conservação do curso atual exige além disso uma estratégia econômica e uma política externa que, a fim de garantir o fornecimento de matérias-primas e combustíveis a médio prazo, permite a assinatura de tratados com nações que não somente não respeitam os direitos humanos, como não dão a menor atenção aos padrões estabelecidos para a defesa do meio ambiente. E é preciso manter em mente que a adoção desta alternativa também conduz a uma relativa redução dos meios de intervenção humanitária a médio prazo em níveis ainda mais baixos que os mantidos hoje, uma vez que tanto o número de conflitos como os fluxos de refugiados certamente irão aumentar em proporção direta da diminuição dos recursos necessários para a sobrevivência humana.

Deste modo, os recursos disponíveis para a ajuda internacional e os socorros emergenciais terão de ser alocados mais seletivamente de acordo com prioridades a serem estabelecidas, cujo resultado natural será que algumas regiões ou países inteiros acabarão por serem excluídos de todo socorro externo. Apesar de tudo isso, as decisões que irão conduzir a estes eventos não ocorrerão no primeiro plano das atividades governamentais, nem sob a luz direta dos refletores da imprensa; bem ao contrário, serão objeto de negociações intrincadas que irão ocorrer nos bastidores, entrelaçando uma série de estratagemas políticos e sociais, de tal modo que as medidas consideradas como negativas não apresentem qualquer potencial para escândalos e, naturalmente, não deem origem a problemas políticos. Este tipo de planejamento logístico pode ser facilmente encarado como racional, até o momento em que as consequências provocadas pelas variações climáticas devidas ao aumento das emissões de gases poluentes comecem finalmente a afetar de maneira mais direta e contundente os poucos países desenvolvidos que haviam sido poupados delas até então – seja pelas consequências atmosféricas e ecológicas em sentido estrito, seja por meio das dificuldades econômicas provocadas pelas ondas de ressonância das guerras e conflitos ocorridos em outras partes do mundo, pelos ataques terroristas ou ainda pelas pressões constantes dos crescentes fluxos de imigrantes. Outra possibilidade é a ocorrência de conflitos internos resultantes dos problemas provocados quando as futuras gerações perceberem claramente que lhes estão sendo negadas as mesmas oportunidades consideradas normais na vida das gerações imediatamente precedentes, justamente as que foram responsáveis pela degradação ambiental.

A GUERRA DA ÁGUA

Não obstante, esta estratégia ainda pode funcionar por uma década ou duas e para as pessoas que se encontram agora na meia-idade, justamente aquelas que se encontram nos altos escalões do governo e nas funções executivas empresariais, manter exatamente o curso presente pode ser, tudo considerado, a estratégia mais indicada.

Além disso, uma estratégia deste tipo parece perfeitamente elegante, porque não acarreta quaisquer problemas morais – afinal de contas, quem irá aplicar a logística são os estados nacionais, um grupo de atores abstratamente representativos da sociedade que os elegeu e não será o resultado de nenhuma decisão individual – mais ainda, de acordo com a natureza dos relacionamentos entre os estados, as categorias reconhecidas como comportamentos individuais, tais como egoísmo, crueldade ou indolência, são totalmente irrelevantes. Em nível internacional, qualquer estado pode agir como o pior dos canalhas, sem que por isso precise se preocupar com a perda de seu poder de negociação com os demais países e sem que lhe seja sequer necessário modificar minimamente suas atitudes.

Contudo, se esta estratégia de "deixar como está, para ver como fica" fosse calculada ao nível de um único indivíduo, estaríamos enfrentando um sociopata que não tem a menor objeção a ganhar setenta vezes mais[395] do que os outros, ao mesmo tempo em que consome vastas quantidades das matérias-primas produzidas por eles, gastando deste modo quinze vezes mais energia, água e alimentos e, em comparação com as pessoas menos privilegiadas, lançando no meio ambiente nove vezes mais gases e outros poluentes. Além disso, esta pessoa sociopática se demonstraria categoricamente desinteressada pelo bem-estar futuro de seus próprios filhos e netos, o que explica perfeitamente o fato de não dar a mínima para os 852 milhões de pessoas que estão passando fome ao redor do mundo enquanto vinte milhões ou mais estão fugindo de suas terras ancestrais por causa de sua atitude e em consequência do comportamento de outros de sua laia.

Mesmo assim, de acordo com todos os critérios normativos, uma pessoa desse tipo não seria considerada como socialmente integrada ou, falando de forma mais simples e direta, como um cara de pau perigoso que deve ser detido a qualquer custo, de fato, uma tarefa a ser executada o mais cedo possível. Mas uma vez que atores coletivos não são responsabilizados diretamente por qualquer julgamento moral, e muito menos punidos por sua inação, por

---

[395] Em 2006, o produto interno bruto *per capita* de mais de vinte estados africanos se achava em uma alíquota inferior a 500 dólares anuais, em comparação com o *per capita* alemão de 35.204 dólares, enquanto o dos norte-americanos alcançava a alíquota dos 44.190 dólares anuais. Calculado pelo *Spiegel-online*, conforme sua página eletrônica http://www.spiegel.de/politik/ausland/0,1518.grossbild-991373-510917,00.html.

estarmos lidando exclusivamente com os representantes de países, instituições, organizações e corporações industriais e comerciais, os quais conseguem
se manter distanciados subjetivamente das ações praticadas,[396] ainda que sejam justamente eles que orientam estas atividades, a amoralidade subjacente à
política internacional não é categorizada e nem tampouco exposta ao público.
Foi por isso que fracassou a tentativa de estabelecer o conceito de *rogue nations*
[países divergentes] pelos Estados Unidos, a fim de obter apoio legal para sua
opção de *preemptive strikes* [guerras preventivas], justamente porque parecia
tão indefensável e inapropriado. Em outras palavras: a partir do momento em
que os indivíduos não puderem mais ser considerados pessoalmente responsáveis por suas ações, a ética se torna absolutamente irrelevante com relação a
seu comportamento; contudo isto não vale para seus governos. Deste modo,
os membros de uma sociedade podem viver com a convicção pessoal de estarem agindo moralmente, ainda que o conjunto de que participam e que aju-
dam a construir e a orientar, possa comportar-se de forma totalmente amoral.

Aqui se encontra uma das causas da assimetria gritante na igualdade e na justiça
provocadas pelo mundo globalizado, porque este distanciamento faz com que tudo
pareça inconspícuo e sem importância; deste modo qualquer pessoa que se conside-
re responsável pela miséria de outra pessoa que vive em uma parte distante do mundo, ou seja, que se encontra no início da cadeia de suprimentos de matéria-prima,
será considerada como irracional pela maior parte dos membros da sociedade ocidental, quando não for classificada diretamente como alienada. Pelo menos com
relação a este aspecto, é altamente improvável que as nações favorecidas considerem
seriamente a possibilidade de mudar seus procedimentos habituais.

Contudo, quando esta solução, pelo menos com relação à justiça para com as
gerações futuras ou no sentido racional da sobrevivência da raça humana, nos
parecer inaceitável, existem três alternativas de comportamento para melhorar
as possibilidades futuras, que não são mutuamente exclusivas, mas podem ser
adotadas ao mesmo tempo, segundo diferentes níveis de proporção. A primeira
e mais apreciada das três é a individualização do problema a fim envidar esforços para sua superação. Deste modo, um livro publicado há pouco tempo, sob o
título de "*Die Klima-Revolution*" [A Revolução Climática],[397] apresentou uma
lista de cem atitudes a serem tomadas individualmente a fim de salvar o mundo,

---

[396] Erving Goffman: *Rollendistanz* [Distanciamento], publicado por Heinz Steinert (editor), *Symbolische
Interaktion* [Interação simbólica], Stuttgart, 1973, pp. 260-279. (NA).

[397] Rudi Anschober e Petra Ramsauer: *Die Klimarevolution. So retten wir die Welt* [A Revolução Climática:
De que maneiras poderemos salvar o mundo], Wien (Viena), 2007, pp. 166ss. (NA).

A GUERRA DA ÁGUA

sendo uma delas a educação ecológica de nossos próprios filhos para que saibam como proteger o meio ambiente (sugestão n°. 10); outra é só ligar a máquina de lavar pratos depois de estar totalmente ocupada (sugestão n° 35); viajar alternadamente nos carros de outros motoristas para ligar menos motores (sugestão n° 56); outra ainda é aprender a separar os diferentes tipos de lixo orgânico e inorgânico para facilitar a reciclagem (sugestão n° 95), o que, aparentemente, também contribui de alguma forma para evitar o aquecimento global.

Tais sugestões não somente constituem propostas grotescas com relação às dimensões do problema que temos à nossa frente, mas que, pela própria sugestão de individualizar o problema, também reduzem radicalmente o nível e a complexidade das necessidades de reação e dos aspectos de responsabilidade que as modificações climáticas exigem de maneira radical. Esta suposição totalmente falsa, mas altamente sedutora, de que as modificações sociais podem ser iniciadas individualmente por meio de pequenas ações simbólicas tem a agravante de se tornar ideológica, a partir do momento em que alivia os atores políticos e corporativos de seus deveres reais em tomar medidas mais eficazes e é, além disso, irresponsável ao afirmar que um problema tão vasto pode ser resolvido pela simples retificação de hábitos pessoais. Quando a indústria petroleira queima entre 150 e 170 bilhões de metros cúbicos de gás natural todos os anos,[398] somente para aliviar a pressão dos poços e facilitar a extração do petróleo – uma quantidade tão grande quanto o consumo anual conjunto de energia pela Alemanha e a Itália, ambas nações altamente industrializadas – as tentativas individuais de diminuir o consumo de energia se reduzem a pouco mais que uma nota de rodapé.[399] Expressado de uma forma diferente, é uma negligência política causar a impressão de que o problema causado pelo princípio econômico do desenvolvimento e crescimento industrial pela exploração de recursos naturais possa ser resolvido pela modificação do comportamento individual. Realmente, a afirmação de que a energia mais limpa é a que permanece sem ser utilizada pode ser verdadeira, mas o fato é que a redução individual do consumo é uma distorção da realidade, considerando o crescente aumento das emissões dos países em desenvolvimento e se torna logo aparente que esta atitude não terá qualquer influência relevante sobre o processo.

---

[398] Anselm Waldermann: *Profitdenken schlägt Umweltschutz* [A busca de lucros derrota a defesa ambiental], publicado na revista *Spiegel-online*, 6 de setembro de 2007, em http://www.spiegel.de/wirtschaft/0,1518,504278,00.html). (NA).

[399] Este é um efeito colateral da dialética da redução da poluição. Como outro exemplo, podemos citar o óxido nitroso, produzido em grau elevado pelos biocombustíveis e que, deste modo, neutraliza o efeito da redução das emissões de dióxido de carbono. (NA).

EMISSÕES PRODUZIDAS PELOS PAÍSES EM DESENVOLVIMENTO

PAÍS	CHINA	ÍNDIA	ÁFRICA DO SUL	MÉXICO	BRASIL
Total Emissões 2004 (em milhões de toneladas métricas)	5.253	1.609	453	487	905
(Aumento desde 1990)	(+48%)	(+50%)	(+18%)	(+30%)	(+35%)
Total Emissões *per capita* 2004	4,2 t	1,6 t	10,5 t	4,9 t	5,3 t
(Aumento desde 1990)	(+34%)	(+25%)	(-1 %)	(+9 %)	(+18%)

Fonte: Escritório Central para Educação Política
Documento M 02.07 - Emissões de CO_2 pelos países em desenvolvimento

O efeito psicológico da individualização das consequências do aquecimento global, por outro lado, é bem maior. Desta forma, o problema parece reduzido ao âmbito de controle do indivíduo. Isto significa que poderá ser reduzido se todos fizerem alguma coisa a respeito, inclusive da próxima vez em que ligarem as suas máquinas de lavar pratos.

A segunda alternativa se manifesta em nível nacional e desde a publicação dos relatórios do IPCC (*Intergovernmental Panel on Climate Change* [Painel Intergovernamental sobre as Modificações Climáticas]) muitos países introduziram medidas e procedimentos de proteção ambiental – desde o programa de proteção ao clima iniciado pelo Ministério do Meio Ambiente alemão até a proposta australiana de substituir todas as lâmpadas incandescentes convencionais do país por lâmpadas fluorescentes poupadoras de energia. Medidas de isolamento climático de residências individuais demonstraram poder economizar energia de forma eficaz, e o alvo manifestado pelo governo alemão de reduzir as emissões de dióxido de carbono em 40% até o ano 2020 é ambicioso, mas realmente apropriado ao fim que se destina. Contudo, as disparidades internacionais no que se refere ao meio ambiente e a circunstância de as emissões de gases poluentes não se limitarem às fronteiras nacionais são dois fatores que contribuem para reduzir a potencialidade dos efeitos de medidas tomadas em nível nacional, o que não impede que estas tenham a sua utilidade: as estratégias inovadoras adotadas por alguns dos atores coletivos contribuem para alterar, ainda que gradualmente, as configurações agora existentes entre as diversas sociedades, e o papel destas soluções pioneiras pode inspirar outras nações a agir de forma semelhante. Também aqui os efeitos psicológicos são consideráveis, tanto quanto a situação individual provocada pela modificação dos hábitos pessoais; no mínimo, servem para reduzir a sensação de impotência e perda de controle. Mas de forma semelhante devemos conservar em

A GUERRA DA ÁGUA

mente as limitações sistemáticas de tais estratégias; as soluções adotadas por uma única nação não têm condições de realizar a grande mudança necessária para corrigir as "variações climáticas", porque sua influência quantitativa permanece pequena demais.

Isto nos leva ao nível internacional, em que a complexidade é ainda maior e a correspondente perda de controle individual se manifesta de forma muito mais clara. Não existe nenhuma organização supranacional que tenha a possibilidade de forçar estados soberanos a emitir uma quantidade menor de gases provocadores do efeito estufa do que pretendem. Esta observação também é válida no que tange à poluição de rios para os países a jusante, à construção de represas que possam prejudicar o abastecimento de água para os seus vizinhos ou ao abate de florestas dentro de seu próprio território. Tampouco existe qualquer tipo de monopólio de violência internacional que possa sancionar efetivamente países soberanos por quaisquer ofensas ambientais ou sociais que possam cometer durante a execução de suas políticas de reassentamento interno, expropriação legal ou confisco de terras ou que possam atentar contra os direitos humanos por meio de políticas ambientais imprudentes etc. Existe realmente, na maior parte das nações, uma separação de poderes, mas não há nada de semelhante em nível internacional. O único sistema supranacional de que dispomos no presente é o direito criminal internacional que instaura um arcabouço inicial de regulamentos internacionais por meio do qual indivíduos responsáveis por crimes contra a humanidade, tais como massacres, genocídios etc., possam ser, caso se apresentem ao tribunal ou sejam capturados, levados a julgamento em cortes internacionais de justiça.[400] Um desenvolvimento mais amplo de instituições supranacionais e, acima de tudo – conforme é assinalado pelo exemplo ineficaz das intervenções das Nações Unidas – um tratado internacional que permita equipá-las com autoridade e poder suficiente para impor sanções eficazes situa-se ainda em um futuro mais ou menos distante, tarde demais para a imposição de medidas que possam amenizar o problema já atual do aquecimento global. Entretanto, sempre é possível cultivar a esperança de que este problema possa incitar à criação de novas iniciativas que possam

---

[400] Contudo, foi o reconhecimento inicial do indivíduo como sujeito ao "direito das gentes", como se denominavam antigamente as leis internacionais estabelecidas por meio de convenções e tratados, que tornou possível o desenvolvimento de um direito penal internacional e permitiu a aceitação de acusações contra políticos ou militares individuais considerados responsáveis por infração desse direito. De forma inversa, a agressão governamental contra cidadãos individuais se encontra dentro do âmbito da lei soberana e uma nova convenção seria um pré-requisito para intervenção em um país soberano. Veja Gerhard Werle: *Völkerstrafrecht* [Direito penal dos povos], Tübingen, 2003, pp 2ss. (NA).

finalmente conduzir à formação das instituições internacionais mencionadas; o direito penal internacional que conhecemos hoje também se originou de uma catástrofe social, ou seja, os crimes cometidos pelos nazistas, definidos no Tribunal de Nuremberg como *crimes against humanity* [crimes contra a humanidade]. Contudo, pelo menos no momento presente, todos os acordos internacionais com relação ao meio ambiente são limitados a um compromisso voluntário que, caso não seja cumprido, não está sujeito a quaisquer sanções externas.

Deste modo, novamente aparece aqui a expectativa ilusória de que tudo ficará bem, caso a defesa ambiental seja assumida em nível internacional e que as medidas a serem tomadas serão fundamentalmente positivas, todavia será ilusório acreditar que somente tais providências sejam suficientes para reduzir as emissões poluentes até 2020 até estabelecê-las em um nível adequado para interromper o aquecimento global.

Estes são os três únicos níveis sociais de comportamento de que dispomos atualmente para tentar realizar as modificações necessárias. Deste modo, somos forçados a reconhecer que o problema das mudanças climáticas *não pode ser resolvido* no momento presente, o que significa que a tendência ao aquecimento global irá perdurar e o nível atualmente aceito como já sendo o limite máximo superior administrável ainda se tornará dois graus mais quente do que é agora.

Os Passados Futuros

"Por muito tempo fiquei parado sobre a ponte que conduzia até o terreno onde antigamente se realizavam as explorações. Bem atrás de mim, em direção ao oeste, dificilmente perceptíveis, desenhavam-se as colinas das terras habitadas, para o norte e para o sul reluziam os magros córregos que percorriam os leitos lamacentos dos braços mortos do rio, mas à frente tudo parecia destruído. Ao redor avistava as casas construídas de blocos de cimento, transformadas em um entulho de grande quantidade de pedras, nas quais, durante a maior parte de minha vida, centenas de equipes de técnicos haviam trabalhado no desenvolvimento de novos sistemas de armas, enquanto um pouco mais distante, havia uma estranha forma cônica, perceptivelmente visível acima do solo, como os túmulos erguidos em forma de montículos, nos quais, em tempos pré-históricos os grandes reis eram enterrados com todos os seus pertences

A GUERRA DA ÁGUA

e com toda a sua prata e seu ouro. A impressão que me causava era a de um grande santuário, embora dedicado ao profano, o que era fortalecido por uma série de pequenas construções em forma de templos ou de pagodes, que eu não conseguia associar de forma alguma a funções militares. Quanto mais perto eu chegava das ruínas, tanto mais sentia a impressão de uma ilha de mortos cheia de segredos e formava a ilusão de que fossem os restos de nossa própria civilização, arrasada por alguma catástrofe futura. Era como se eu fosse um de nossos vizinhos inimigos, sem o menor conhecimento da natureza de nossa sociedade e estivesse vagueando entre as pilhas de metal e máquinas enferrujadas que havíamos deixado para trás, tentando resolver o quebra-cabeças de como os habitantes iniciais haviam vivido e trabalhado aqui e para que os artefatos primitivos ainda encontrados no interior das casamatas, os ganchos embutidos nas paredes ainda parcialmente erguidas, os chuveiros com grandes válvulas e os ralos de escoamento poderiam ter servido."[401]

O escritor W. G. Sebald encontrava-se aqui diante dos remanescentes de uma antiga instalação militar de pesquisas localizada nas costas de Suffolk. Estas impressões fantasmagóricas, a ilusão de um quebra-cabeça formado pelos monumentos de uma civilização desaparecida, que o projetava estranhamente além de seu próprio tempo, também podem ser pressentidas durante uma excursão pelos restos das gigantescas instalações subterrâneas para a produção de foguetes transportadores de bombas no campo de trabalhos forçados nacional-socialista de Mittelbau-Dora ou em outros pontos abandonados através da Europa Oriental. Aquilo que ainda vemos por lá são infraestruturas que, através do emprego de tremenda energia e ao custo de milhares de vidas humanas foram construídas. Em Mittelbau-Dora a construção teve de ser realizada tão depressa que, no momento em que um operário debilitado se aproximasse demais do local onde estavam funcionando as betoneiras e escorregasse, seria misturado ao concreto derramado para formar as paredes e o piso do túnel; seus restos mortais continuam a ser encontrados até hoje. Muitas vezes, com grandes despesas e monstruosa consciência do futuro foram erguidos monumentos nos últimos anos de seu funcionamento; deste modo foram saudados como mensageiros úteis de propósitos e alvos ultrapassados que hoje em dia não se consegue mais nem se tem interesse em desvendar. Muitas vezes, porém, se acredita que apresentam um significado que os historiadores e arqueólogos buscam desvendar.

---

[401] W. G. Sebald: *Die Ringe des Saturn* [Os anéis de Saturno], Frankfurt am Main, 2002, pp. 281ss. (NA).

Os monumentos visitados por Sebald em Orfordness, do mesmo modo que as antigas fábricas nazistas para a produção de aviões, foguetes e cadáveres, são ilhas de um tempo peculiar de um passado progressivo – são relíquias de um *futuro efêmero*. Como os campos de pesquisas militares apenas serviam para o desenvolvimento de armas para futuras guerras, Mittelbau-Dora tinha o alvo de preparar o caminho para a futura dominação do mundo pelo nacional-socialismo. E a terra inculta do comunismo anunciou um futuro sonhado de um novo mundo que apenas os novos homens poderiam construir. Nas instalações enferrujadas, entre as quais crescem as ervas daninhas e se erguem as ruínas sem sentido nada mais existe que um passado, por mais que tivessem anunciado um futuro que não chegou nunca a se desenvolver.

As pessoas não vivem somente no presente, mas conseguem fazer viagens mentais entre o passado, o presente e o futuro. A capacidade especificamente humana de situar sua existência pessoal em um contínuo de espaço-tempo permite que retorne ao passado com um olhar retrospectivo, compreender que aquele foi o precursor do presente e estabelecer o alvo de orientar seu comportamento futuro tanto quanto for possível. Inversamente, as pessoas podem se projetar ao futuro em um abrir e fechar de olhos, mesmo que este não se tenha ainda tornado em realidade. A forma gramatical para isso em alemão é o Futurum II – *es wird gewesen sein* – que corresponde ao o futuro do pretérito português – seria – e representa uma forma mental de "retrospecção antecipada", conforme o termo cunhado por Alfred Schütz.[402] A retrospecção antecipada exerce uma função central no comportamento humano – cada antecipação, cada plano, cada projeto, cada modelo inclui a suposição de uma situação que se realizará no futuro. E realmente é a antecipação de uma posição futura que nos empresta motivação e energia – principalmente pela expectativa de se obter uma situação melhor do que a atualmente alcançada.

Esta possibilidade fascinante não somente concedeu à forma de vida humana uma grande vantagem evolutiva, permitindo adivinhar as vantagens e dificuldades de uma determinada configuração futura, como ainda virtualmente as permite viver por antecipação, já que esta forma de vida é dotada, afinal, de uma psique que retira sua energia não apenas da vivência, mas igualmente dos desejos e dos sonhos.

---

[402] Alfred Schütz: *Tiresias oder unser Wissen von zukünftigen Ereignissen* [O adivinho Tirésias ou nossos conhecimentos sobre os acontecimentos futuros], publicado em *Gesammelte Aufsätze* [Obras reunidas], do mesmo autor, volume 2, Den Haag (Haia), 1972, pp. 261. (NA).

Um tal recurso realmente possui sua própria dialética e apresenta uma retrospecção antecipada do mesmo tipo que foi previsto por Hitler ou Speer,[403] que estabeleciam previsões totalmente utópicas, não somente para a cidade de Germânia, que seria a nova capital do mundo, mas a ponto de construírem um museu para recordar a erradicação futura da raça judaica,[404] descrevendo o lado escuro da realidade futura com toda a arte teatral do totalitarismo, precursora da utopia marxista seguida a seguir pelas sociedades libertadas. Mas realmente, por mais horrível que seja o exemplo mostrado pelo nazismo, de fato antecipavam a energia psicossocial de um futuro que parecia aberto à frente, que dava a impressão de ser totalmente atingível, desde que cada um fizesse a sua parte para sua realização. Esta "ditadura consentida", no dizer de Götz Aly não conseguiu apenas desencadear uma espantosa energia destrutiva, resultando em cinquenta milhões de mortos e na demolição de metade da Europa, mas também em um consentimento realmente febril de um projeto de sociedade que representava um futuro glorioso e prometedor para todos os seus membros – após a guerra ter sido vencida – "enquanto a vanguarda do sexto exército atingia o Volga e o mínimo que se poderia sonhar era que após a guerra pomares de cerejeiras pudessem ser plantados em propriedades rurais nas tranquilas margens do Rio Don".[405]

A "retrospecção antecipada" torna-se regularmente mortífera quando quem a imagina procura organizar o mundo inteiro consoante a imagem que havia formado, porque cada utopia social *é forçada* a pressupor uma interpretação *daquilo que é o ser humano* e, deste modo, conforme escreveu Hans Jonas, "o erro da utopia é um erro de preconceito antropológico, uma interpretação peculiar da natureza do ser humano".[406] Aliás, sempre que se afirma alguma coisa sobre a natureza humana, isto é indicado inicialmente em sua pluralidade e somente em segundo lugar com sua potencialidade construtiva – uma forma de vida cooperativa e suas possibilidades de antecipação das possibilidades e perigos futuros. Esta capacidade de exercer tal potência se torna tanto maior quanto melhores são as condições de vida no presente – em primeiro plano

---

[403] Harald Welzer: *Albert Speers Erinnerungen an die Zukunft* [Lembranças antecipatórias de Albert Speer para o futuro], publicado em Straub, Jürgen (editor), *Erzählung, Identität und historisches Bewusstsein* [Relatos, identidade e consciência histórica], Frankfurt am Main, 1998, pp. 389-403. (NA).

[404] Dirk Rupnow: *Vernichten und Erinnern. Spuren nationalsozialistischer Gedächtnispolitik* [Matar e recordar. Vestígios da política de recordação do nacional-socialismo], Göttingen, 2005; Jan Björn Potthast: *Das jüdisch Zentralmuseum der SS in Prag. Gegnerforschung und Völkermord im Nationalsozialismus* [O Museu Central Judaico da *Schutzstaffeln* em Praga, República Tcheca. Pesquisas sobre os adversários e o genocídio realizado pelo nacional-socialismo], Frankfurt am Main, 2002. (NA).

[405] W. G. Sebald W. G.: *Luftkrieg und Literatur* [A guerra aérea e a literatura], Frankfurt am Main, 2001, p. 110. (NA).

[406] Hans Jonas: *Das Prinzip Verantwortung* [O princípio da responsabilidade], Frankfurt am Main, 1984, p. 383. (NA).

quando existe uma liberdade de precisar garantir os meios de sobrevivência e de segurança pessoal e que permite a ocupação luxuosa de pensar em possibilidades de melhorar ainda mais a própria existência; inversamente este luxo se reduz ou mesmo desaparece sem vestígios de cada vez em que a segurança da própria sobrevivência se torna ameaçada.

Isto significa que a potencialidade de permitir iguais *possibilidades de aperfeiçoamento* a todos os homens, ou seja, dar a todos as mesmas oportunidades é altamente improvável, porque implica também em uma distribuição desigual *das oportunidades futuras.* Para uma sociedade que viva cultural e politicamente na tradição racional do Iluminismo, isto não é aceitável. Enquanto as pessoas viverem dentro desta tradição (ou conviverem com todas as suas variantes pós-modernas ou pós-pós-modernas), a sua identificação com o problema das variações climáticas não somente se baseará em sua própria racionalidade de sobrevivência, mas também sua própria *identidade* com os outros não poderá ser atingida, como realmente ocorre até hoje. Tudo transcorre em torno de seu próprio modelo social.

A Boa Sociedade

Para começar, o problema do aquecimento global surgiu por meio do emprego imprudente e descuidado da tecnologia, de tal modo que qualquer tentativa para resolvê-lo pela utilização de "melhores técnicas" só servirá para agravar o problema, porque é uma parte dele e não a sua solução. Com base nas dimensões qualitativas e quantitativas destas circunstâncias, ninguém *de facto* sabe quais poderiam ser as estratégias que possam vir em resgate da situação; portanto, já é mais do que tempo de começarmos a pensar em termos novos e descartar a estratégia do "deixa como está, para ver como fica". Realmente, uma liberação das pressões comportamentais diretas para reagirmos de forma imediata não somente é aquilo que caracteriza a sobrevivência da vida humana e possibilita seus comportamentos, por meio dos quais é formado um espaço mental de planejamento, como nos afasta dos efeitos da crise principal. Pensar depressa demais pode ser mortífero para a vida humana, de tal modo que uma percepção de todas as dimensões do problema requer uma pausa para meditação, durante a qual, além disso, se pode abrir um espaço mental para a compreensão *daquilo* que se deve propriamente fazer e, ainda mais, de que maneira isso poderá ser feito. Será inicialmente uma observação isenta de

A GUERRA DA ÁGUA

qualquer ilusão pessoal que nos tornará possível escapar da lógica mortal da pressuposição de dificuldades, que nos conduz a falsas alternativas, do mesmo modo que claramente assinalam sugestões do tipo que é possível defender o meio ambiente pela construção de usinas termoelétricas com melhor aproveitamento do carvão e redução das emissões de gases e cinzas poluentes de preferência a empregar usinas atômicas.

De fato, tratam-se de alternativas falsas, porque ambas as tecnologias de produção energética são construídas com base no consumo de recursos limitados e as consequências a médio e longo prazo do emprego de qualquer delas ainda são imprevisíveis. Os debates travados em torno das variações climáticas estão cheios destas sugestões de pseudoalternativas, entre elas a indagação se as sociedades em vias de desenvolvimento devem ter os mesmos direitos de espalhar produtos poluentes pelo meio ambiente que as nações já desenvolvidas exerceram imprudente e impunemente durante seus processos de modernização – embora na época em que tais nações estavam se desenvolvendo ninguém tivesse dado ainda a mínima atenção para a ecologia ou a poluição ambiental. Não obstante, em nossa situação presente, em que dispomos *de um conhecimento claro de suas consequências*, e de como foram provocadas por pura falta de cuidado e desinteresse, esse tipo de questão não passa de uma manifestação de estupidez artificiosa. Realmente, existem melhores oportunidades, nos dias que correm, para se pensar na justiça global do que estar calculando como provocar uma redução maior ainda das esperanças de um povo para obter um futuro melhor. Ademais, o que deveria ser discutido neste contexto seria a possibilidade de dividirmos com maior justiça as despesas acarretadas pelas tentativas de reduzir o consumo de energia. Seria necessária a constituição de comissões de ética a quem fosse delegada a responsabilidade de estudar e desenvolver as melhores propostas sobre como os países ricos e dotados das melhores tecnologias poderiam descobrir e aplicar técnicas baratas de modernização para reduzir ou, melhor ainda, suspender as emissões de gases poluentes e distribuí-las gratuitamente para os países emergentes, a não ser que nos atrevamos a apresentar a questão ainda mais profunda e discutível sobre se vale a pena ou até mesmo é desejável que o mundo inteiro atinja o nível de modernização desenvolvido através do Ocidente.[407]

---

[407] É de estranhar que todas as críticas manifestadas contra a cultura do consumo e à predominância dos meios de comunicação na sociedade, nem o reconhecimento de todos os prejuízos colaterais da modernização, desde a obesidade infantil até a erosão do relacionamentos sociais não tenham obtido o menor resultado para alterar a convicção de que o Ocidente é o melhor de todos os mundos possíveis. (NA).

HARALD WELZER

Ainda na categoria das falsas alternativas conta-se sem a menor dúvida a questão sobre se o crescente número de refugiados provocados pelas catástrofes ambientais ou premidos pelas variações climáticas deve ser depositado temporariamente em acampamentos localizados no Terceiro Mundo, de onde eles provêm, ou simplesmente deixar que se afoguem no mar; aqui se manifesta claramente a lógica totalitária deste suposto impasse, ou seja, se estas pessoas devem ser deportadas para os países de origem ou morrer, enquanto os habitantes dos países signatários do Acordo de Schengen consideram que não têm condições de recebê-los ou simplesmente não desejam fazê-lo. Não estamos apresentando aqui uma declaração de caráter moralístico, é simplesmente um problema empírico. Se o que está em questão é se a aplicação de medidas de segurança mais estritas para manter a separação deste afluxo de pessoas não poderá produzir qualquer dissonância moral com referência ao tratamento destes indivíduos, então passa a ser realmente simples impedir a sua entrada no momento em que tentarem ingressar.

Uma maneira de recusar esta lógica seria de fato investir uma maior capacidade intelectual nas possibilidades de participação social dentro das quais se terá de reconhecer que, a médio prazo, se tornará inevitável que as nações industrializadas tenham de aceitar esse fluxo de imigrantes em razão das atuais tendências demográficas, em vez de ficarmos pensando em desenvolver as estratégias de exclusão que pareçam as mais humanas possíveis (e irão provocar o dispêndio de consideráveis somas para sua implantação). Por que razão as sociedades preocupadas com a superação de desafios futuros deverão se prender a um ideal de nação etnicamente homogênea que, para falar a verdade, tendo em vista a ampliação dos processos de modernização, já se está demonstrando obsoleto?

Enquanto estivermos procurando maneiras de ultrapassar estas falsas alternativas e buscar alternativas aparentes, talvez seja melhor encarar todo o problema das variações climáticas sob um ponto de vista *cultural*, o que nos apresentaria uma visão completamente diferente da questão. Esta alternativa seria de longo alcance e também apresentaria um significado mais profundo, porque as variações climáticas indubitavelmente afetam as culturas das pessoas e somente podem ser compreendidas em sua totalidade dentro do contexto de tecnologias culturais, tais como agricultura, pecuária, pesca, ciências etc., algo que é claramente perceptível. Fundamentalmente, os problemas ecológicos não são problemas provocados pela natureza, que trata todas as espécies da mesma forma, mas somente problemas sociais, provocados pela cultura humana desenfreada, que acabou por ameaçar sua própria existência.

Estes debates sobre os modos e possibilidades de sobrevivência futura também resultam de uma questão *cultural* e, como tais, devem ser encarados dentro do arcabouço de nossa própria sociedade e enquadrados em nossas condições de vida. Eles podem ser divididos em uma série de perguntas. Uma cultura pode subsistir a longo prazo quando se baseia em um consumo sistemático de recursos naturais? Ela poderá sobreviver quando aceita sistematicamente a exclusão das futuras gerações? Uma tal cultura pode servir como modelo para aqueles que deverão mantê-la enquanto desconsideram sua própria sobrevivência? É irracional que uma cultura desse tipo seja encarada externamente como de caráter excluidor e predatório e, pelo mesmo motivo, seja rejeitada por quem se acha fora dela?

A inserção do problema climático dentro de um arcabouço cultural e o recuo de uma lógica de alternativas frequentemente fatais e mortíferas significa uma oportunidade para um desenvolvimento qualitativo, especialmente quando a situação se demonstra tão crítica como um simples lançar de olhos sobre a situação presente já está indicando. Uma fixação em escolher uma via entre uma aparente encruzilhada que leva a becos sem saída nos fecha as possibilidades de pensar de forma diferente e de modificar nossas atitudes a fim de procurar soluções que ainda se acham à nossa disposição, mas estão se distanciando e cada vez se afastam para mais longe.

Aqui apresentamos quatro exemplos diferentes. A Noruega não está investindo sua atual riqueza nacional, que conseguiu reunir durante as últimas décadas pela exploração de suas reservas de petróleo em importantes projetos de infraestrutura ou na ampliação do nível de vida ou da prosperidade de sua população atual, mas ao contrário, financia uma estratégia de investimentos a longo prazo em um desenvolvimento sustentável que permitirá às futuras gerações manter os elevados padrões de vida da geração presente e se beneficiar das vantagens fornecidas por um estado voltado para o bem-estar social. Os investimentos noruegueses são selecionados de acordo com critérios éticos – por exemplo, companhias comprometidas com a produção de armas atômicas são rejeitadas por seus programas.[408] Ao mesmo tempo, o país está investindo em produção de energia ecologicamente saudável. A comunidade norueguesa Utsira, uma pequena cidade localizada em uma ilha do Mar do Norte, já possui um suprimento de energia autossustentável produzida por uma usina que

---

[408] *Königliche Norwegisch Botschaft* [Embaixada Real da Noruega], *Ausschluss von Gesellschaften aus dem Staatlichen Pensionsfonds* [Exclusão de sociedades pelos fundos de aposentadoria e pensões estatais], publicado na página http://www.norweven.no/policy/politicalnews/Selskaper+utelukket+fra+oljefondet.htm. (NA).

HARALD WELZER

emprega simultaneamente energia eólica e hidrogênio. Este é um bom exemplo do emprego sustentável de recursos econômicos.

Já faz uns vinte anos que a Suíça adotou um novo conceito de trânsito, favorecendo os transportes públicos e garantindo a integração das menores comunidades no sistema público de comunicações terrestres. Foi dentro desta nova política que Zurique reconstruiu seu sistema de trens urbanos, justamente na mesma época em que muitas cidades alemãs os estavam descartando, enquanto em outras partes do país o sistema de trilhos ferroviários foi instalado. A Suíça pode se gabar hoje em dia de possuir a mais extensa rede de transportes públicos do mundo inteiro, apesar de todas as dificuldades que teve de enfrentar na instalação deste sistema em função de seu território montanhoso. As aldeias mais remotas e os vales agrícolas de escassa população são ligados ao sistema ferroviário por um sistema de *"Postautos"* [veículos rápidos rodoviários]. Em média, cada cidadão suíço embarca em um trem para viagens rápidas ou longas 47 vezes por ano, em comparação com a média de 14,7 para os Estados Unidos.[409]

A Estônia garante a todos os seus cidadãos acesso livre à internet como um direito básico à informação. Tais oportunidades de comunicação assim abrangentes não somente reduzem a burocracia e originam um potencial para uma forma mais direta de democracia, como também favorecem a modernização, uma coisa que apela particularmente para os membros mais jovens da sociedade e seu gosto pelas novas tecnologias.

Apesar das consideráveis pressões aplicadas pela comunidade internacional, a recusa do governo alemão em participar da aliança militar que estava se formando para atacar o Iraque se demonstrou tanto correta como premonitória. Deste modo um erro irreversível com consequências imprevisíveis foi evitado pela comunidade política alemã, sem dúvida por recordarem o papel histórico negativo que a Alemanha exerceu nas duas maiores guerras do século 20. Eis finalmente um exemplo prático de como é possível aprender com a história.

Estas quatro decisões políticas altamente dessemelhantes apresentam, não obstante, um denominador comum: todas elas salientam um componente de identidade política. Nos quatro casos se assinala como uma comunidade política pode identificar a si própria, não somente descobrindo e aplicando a solução para um problema específico, mas tomando, além disso, uma decisão

---

[409] Veja *Informationsdienst für den öffentlichen Verkehr* [Escritório de informações para o livre comércio] (LITRA), publicado em *Meldung* [Comunicações] a 6 de julho de 2004 na página eletrônica http://www.litra.ch/Juli_2004.html. (NA).

consciente sobre o que essa comunidade *deseja ser*: no caso da Noruega, uma sociedade justa para com as gerações vindouras; uma sociedade que oferece o mesmo grau de liberdade de movimento para todos os seus cidadãos, no exemplo da Suíça; uma república que concede gratuitamente a todo o seu povo iguais oportunidades de comunicação, informação e pesquisa, segundo a iniciativa da Estônia; uma sociedade que demonstrou a capacidade de aprender com as lições do passado o suficiente para evitar aventuras políticas intervencionistas, como ocorreu na Alemanha. Estes planos de identidade concreta que orientaram a tomada de cada decisão não somente expressam sobre quais bases estas sociedades desejam moldar o seu futuro como também indicam o que significa ser *um norueguês, um suíço, um estoniano ou um alemão* e sob quais condições estes cidadãos desejam viver em seus respectivos países, pelo menos dentro das limitações da fragilidade das atuais perspectivas. Para mim, esses posicionamentos também me parecem altamente significativos com relação à maneira segundo a qual desejamos nos aproximar culturalmente da questão do aquecimento global. Porque da resposta sobre aquilo que desejamos fazer hoje irão depender as questões subsequentes sobre o que vamos realmente fazer e de que forma poderemos viver no futuro.

De fato, estas não são perguntas a que se possa responder com um *não sei*. Até mesmo a decisão do "deixar como está para ver como fica" é um tipo de resposta: de qualquer modo, ela expressa a decisão de continuar a fazer o que se vem fazendo até agora, mesmo que tenha sido essa a atitude causadora dos problemas que nos vemos agora forçados a tentar resolver. Esta resposta também aceita o aprofundamento das assimetrias, desigualdades e injustiças do presente, tanto no plano internacional como em relação com as gerações futuras, mesmo sabendo que as já presentes variações climáticas somente tenderão a agravar tais questões. O problema da atualidade é que cada decisão tomada neste sentido impossibilita ou ao menos diminui as possibilidades de se tomar as outras depois.

A maneira como realmente desejamos viver na sociedade de que fazemos parte e em que desejaremos viver no futuro... Esta é realmente uma questão de caráter cultural, que nos força a confrontar uma série de configurações possíveis, umas em oposição a outras, além de uma variedade de questões morais, por exemplo, quem deve ter permissão para participar dessa sociedade, como os participantes farão parte dela, qual a quantidade de bens materiais e imateriais, tais como renda e educação, que será dividida entre todos e assim por conseguinte. Uma reflexão a respeito é se devemos continuar a subvencionar a utilização de combustíveis fósseis (como a permanência da exploração cada vez mais cara das minas de carvão) ou se, em outro sentido, a nossa obrigação é a de expandir o sistema de educação; outra consideração é se devemos nos esforçar para conservar os empregos dos funcionários e operários de indústrias ultrapassadas ou se temos de derramar nosso potencial em melhores escolas, das quais possam brotar as soluções para o futuro – estas são questões de caráter cultural, que nos darão respostas pelo menos parciais sob quais sociedades nós iremos aceitar no futuro ou se os próprios cidadãos poder-se-ão identificar com elas. E as respostas fornecidas para tais indagações culturais são forçosamente orientadas por um imperativo, se elas serão capazes de ampliar ou limitar *nosso potencial para o desenvolvimento futuro.*

Os principais requisitos para a construção de um modelo social participativo e aberto a todos os membros de uma sociedade em potencial são a existência de riqueza – um bem com o qual as sociedades ocidentais podem contar – e as obrigações implicadas pelo acúmulo de tais riquezas implicam perante a perspectiva internacional. Em segundo lugar, é necessário pensar além do dia presente, ou seja, pensar *politicamente.* Não será o suficiente poder viver sem objetivo dentro de um mundo desvestido de significado por um capitalismo globalizado. Isto significa que estamos agora verdadeiramente em uma situação de crise em que temos de considerar visões, conceitos e ideias que até hoje ainda não foram pensados. Uma tal solução pode parecer ingênua, mas não o é em absoluto. Ingênua é a ideia de que poderemos interromper a presente destruição maciça das possibilidades de sobrevivência de milhões de seres humanos ao redor do mundo sem lhes oferecermos algumas mudanças e retificações. Não se pode modificar a velocidade ou o destino de um trem somente por nos virarmos na direção oposta à que está correndo. Conforme declarou Albert Einstein, nenhum problema pode ser resolvido pelo emprego dos mesmos parâmetros que conduziram a seu aparecimento. O que temos de fazer é mudar completamente o trajeto e, para isso, a primeira coisa a fazer é parar o trem.

A Tolerância Repressiva

De modo oposto, quem prefere se mostrar indiferente aos problemas das desigualdades e da violência, que são ainda mais aprofundados pelas variações climáticas, deve fazer um esforço para descartar categorias como justiça e responsabilidade – quer dizer, argumentar a partir de uma base de atribuição de valores e estabelecer a diferença mais extrema por meio de uma disponibilidade de estabelecer distinções normativas. Surge aqui a pergunta sobre quais grupos de empresas globais ou de indivíduos realmente têm as melhores oportunidades de impor seus interesses em contraposição aos dos outros. Em 1965, Herbert Marcuse publicou um famoso artigo sob o título de "Tolerância Repressiva", o qual – sob o ponto de vista de hoje – realmente apresentou uma linha de argumentação aventureira, mas em que descreveu uma situação correspondente à realidade, a saber, qual "a função e o valor da tolerância que depende do grau dominante na sociedade dentro da qual essa tolerância é praticada".[410]

Tecnicamente falando, a tolerância é uma variável dependente do nível de igualdade que foi atingido entre duas ou mais sociedades. Onde a tolerância é praticada, sem tomar em consideração o peso da desigualdade de poder existente, beneficia-se dos reflexos do poder por uma questão de princípio. De acordo com Marcuse, em uma sociedade baseada na desigualdade social, a tolerância se torna repressiva *em princípio*, porque determina firmemente a posição de quem dispõe de menor poder de forma normativa e ideológica. Já em sua época não se achava oculto que a argumentação de Marcuse servia de certa forma para embasar uma espécie de direito presumível de resistência, por meio do qual o Terceiro Mundo se poderia libertar mas, transposto para as condições listadas por este livro, podemos chamar a atenção para o exemplo da "tolerância repressiva" numa época em que a assimetria característica da globalização entre os países favorecidos e os excluídos é ainda mais aprofundada e ninguém articula a necessidade urgente de se dar uma guinada no leme.

A tolerância repressiva também se apresenta quando as possibilidades futuras das pessoas que habitam outras partes do mundo ou das futuras gerações vão sendo reduzidas ou totalmente afastadas, sem isto provocar qualquer crítica significativa. Uma sociedade que segue a cultura da tolerância repressiva põe de lado todas as possibilidades de encarar a si mesma de forma autocrítica ou de modificar as posições que parecem mais adequadas para satisfazer os próprios desejos. Deste modo, o espetáculo que será visto no futuro parece ligado definitivamente a um formato irresistível: vamos prosseguir como agora, apenas melhorando nossos métodos. Pelo menos é assim que se apresenta o aspecto atual da economia doméstica visionária dos países ocidentais, por meio do qual as pessoas de fato vêm adquirindo um pressentimento mais profundo de que esta perspectiva realmente é ilusória.

---

[410] Herbert Marcuse, Robert Paul Wolf & Barrington Moore: *Kritik der reinen Toleranz* [Crítica da tolerância pura], Frankfurt am Main, 1984, p. 138. (NA).

HARALD WELZER

Saber Narrar a Própria História

As estratégias individuais tomadas contra as variações climáticas têm principalmente funções sedativas. No plano da política internacional não aparecem grandes mudanças no presente. Portanto, permanece como campo de ação cultural *o meio termo*, que indicará como viveremos no futuro dentro de nossa própria sociedade e, portanto, põe em questão a ação da democracia.

A elaboração cultural desta questão não pode ser apenas em termos de instituição de uma identidade, mas deve ser necessariamente um compromisso firme dos atores responsáveis por ela, que se interessem quantitativamente e com gravidade pelo problema das emissões domésticas de gases poluentes como indivíduos – inclusive na economia de energia e na indústria automobilística. Também na perspectiva internacional o desenvolvimento de *outras opções* deve, no mínimo, despertar interesse, mesmo nos casos em que não possa influenciar diretamente o regime das variações climáticas. Não obstante, estes procedimentos produzem a vantagem psicológica de pensar no problema de forma menos ilusória e, portanto, mais adequada, enquanto esta, por sua vez, pode produzir o efeito inverso de uma geradora de identidade. No final da cadeia de consumo encontram-se os cidadãos que não se dispõem a *transpor a barreira* da renúncia material – menos carros, menos estradas asfaltadas – e que deverão assumir a sua parte nas transformações culturais que orientam uma sociedade e, mais ainda, considerar *boas* tais modificações.

Há mais ou menos vinte anos a política de desenvolvimento manifesta a opinião de que o auxílio material aos processos desenvolvimentistas não deve produzir simplesmente os resultados desejados, mas que estes se integrem firmemente às estruturas atuais do estado, que dependem da capacidade de funcionamento das instituições e dos sistemas legais do país onde o dinheiro foi inicialmente reunido. Foi a partir deste pano de fundo que se desenvolveu o conceito da *"good governance"* [bom governo], incluindo uma série de critérios, como transparência, eficiência, participação, responsabilidade, controle do mercado financeiro, eficiência do Judiciário, democracia e justiça. Somente quando um governo satisfaz a estes critérios é que se pode falar de uma boa administração, isto é, de um "bom governo", de tal modo que, desde a década de 1990, os subsídios concedidos ao desenvolvimento e a outras estruturas de apoio material são apenas liberados mediante estes parâmetros, ou seja, após ter sido determinado se os receptores dessas verbas seguem os critérios da *good governance*. As críticas levantadas contra este conceito indicam que é de caráter ideológico e que exige um perfil inflexível para todos os governos, o que pode levar ao surgimento de um problema, ou seja, que este perfil corresponde ao do país fornecedor dos recursos, mas pode ser de muito difícil adaptação para os países destinatários.

Sem querermos nos estender ainda mais sobre a problemática imanente de tal conceito, parece-nos proveitoso o raciocínio de que se deva pensar com cuidado sobre as regras que orientam os critérios. Uma analogia pode ser feita com os critérios que se busca desenvolver para *uma boa sociedade*, que será uma forma reflexiva do conceito da *good governance*. Uma boa sociedade, além de preencher critérios predeterminados, deve ser orientada para a manutenção permanente do maior potencial de desenvolvimento que lhe seja possível, o que também significa uma tomada de decisões irreversível. Esta seria uma consequência central e irrefutável, caso os processos iniciais da revolução industrial sejam estendidos por todo o planeta e a geradora de efeitos igualmente irreversíveis – como o consumo dos recursos ainda existentes e o fardo injusto da despreocupação com as possíveis consequências para as gerações vindouras, como no caso da energia nuclear etc.

Há também determinações que são criadas pelo próprio desenvolvimento da sociedade, possibilidades de segurança, justiça, educação e político-sociais que também devem satisfazer o critério da reversibilidade a fim de conduzirem à garantia de uma sociedade aberta à formação permanente. Um critério mais amplo sobre a bondade social seria as oportunidades de participação abertas por uma sociedade – tanto as questões que se referem diretamente à imigração como as do direito de asilo ou da participação dos cidadãos em um processo de determinação mais abrangente. Em resumo: se existe uma elevação das oportunidades de participação em debates e determinações sobre assuntos de relevância futura e, no presente, de uma *comunicação mais ampla* dos modos de participação, para que estes de forma alguma permaneçam orientados somente para o ciclo das eleições. Que os cidadãos possam, por exemplo, tomar uma parte mais ativa no debate étnico em torno dos direitos básicos, de tal modo que formas inteiramente novas de debates exteriores aos parlamentos sejam constituídas, para que se desenvolvam outras formas de democracia mais direta.

No sentido oposto, a ampliação das possibilidades de comunicação e de participação irá conduzir a um grau mais elevado de identificação cidadã com a sociedade que ajudar a construir. E novamente, esta será uma base para um compromisso mais firme com essa comunidade. A correlação entre a problemática ambiental e o inventário das possibilidades de soluções correntes significará, dentro do *projeto cultural* da boa sociedade, um abandono das ilusões, porque, caso contrário, as pessoas iriam interpretar o mundo de forma diferente, sendo mesmo possível dizer que as ilusões são, à sua maneira, menos perigosas do que os compromissos. Deste modo desaparece a influência psicológica, porque os resultados tangíveis do próprio esforço demoram a ser percebidos e, em última análise, apenas a experiência da renúncia permanece. O conceito da boa sociedade não favorece a abstinência, mas sim a participação e o compromisso para com o estabelecimento de um melhor clima social e uma sociedade que dispõe de melhor participação e goza de maiores compromissos da parte dos membros que a compõem se demonstra melhor no momento em que problemas urgentes devem ser resolvidos do que outra que permite a indiferença de seus cidadãos.

O equivalente à psicologia individual dentro deste conceito de engajamento social denomina-se *"empowerment"* [atribuição de poder] e descreve a estratégia que enfatiza as forças e competências respectivas de uma pessoa e procura fazer com que se desenvolvam ainda mais. Neste sentido, o conceito da boa sociedade aproveita os potenciais de seus cidadãos de ambos os sexos, oferece-lhes uma maior participação social e utiliza os recursos e interesses de forma muito melhor e renovável que os estilos políticos tradicionais. Em outras palavras: uma sociedade desse tipo produz uma estratégia consciente de modernização reflexiva.[411] Diferentemente da primeira e da segunda modernidades do passado a boa sociedade seria uma "terceira modernidade" para o futuro. Ela narraria uma nova história a partir de si mesma.

O ponto crucial da modernidade funcional se baseia no fato de ela não tomar sobre si qualquer história de uma identidade esclerosante em que as pessoas se insiram como cidadãos e cidadãs e, sobre tal base, possam desenvolver o sentimento de uma identidade concreta de "Nós". A história passa a ser recontada a partir do momento da criação da boa sociedade.

A humanidade já possui a competência científica, equipada com a capacidade de modificar as possibilidades de sua sobrevivência e também tem condições de antecipar quando está agindo racionalmente ou quando irá agir apenas perceptualmente; suas capacidades intelectuais são suficientes para lhe permitirem alcançar uma conclusão perfeitamente adequada. Com o apoio social e a competência cultural, estas conclusões podem levar a uma modificação

---

[411] Cordiais saudações a Ulrich Beck por seu auxílio na discussão e no desenvolvimento desta argumentação. (NA).

das práticas atuais. Em consequência se desenvolverá um juízo prático da necessidade de combater os menores efeitos do aquecimento global, não somente por meio de uma cultura planetária de redução radical do dispêndio de recursos naturais, mas também por meio de uma cultura de participação totalmente nova, tal como não foi imaginada até o presente, mas que deve ser pensada com urgência, caso se deseje realizar qualquer modificação mais permanente. Contempladas deste ponto de vista, as "variações climáticas" passam a ser um *starting point* [ponto de partida] para uma variação cultural de alicerces permanentes, realmente uma tal modificação que não encare a redução do esbanjamento e da violência como um prejuízo, mas sim como um lucro.

O QUE SE PODE FAZER
E O QUE NÃO SE PODE - II

"Por meio das pesquisas sobre os processos de desenvolvimento da sociedade encontram-se sempre novas constelações em que a dinâmica dos processos sociais não planejados por etapas determinadas segue em direção de outras (...) etapas bem diferentes, enquanto as pessoas afetadas por estas modificações na estrutura mesma de suas personalidades, nos hábitos sociais em que haviam perseverado durante um período anterior. Dependem inteiramente das forças relativas do impulso do desenvolvimento social e de seu comportamento perante as relações mais profundas e da capacidade de resistência dos hábitos sociais formados pelas pessoas, seja – e quão rapidamente isto ocorre! – da dinâmica dos processos sociais não-planejados de desestruturação mais ou menos radical destes costumes, seja dos hábitos sociais dos indivíduos adquiridos em seguimento às reações perante a dinâmica social de alcance mais amplo ou ainda se eles são travados ou, ao contrário, voluntariamente liberados."[412]

Pode ser que os processos de desenvolvimento não-planejados e desiguais da humanidade perante as variações climáticas incontidas possam atingir uma dinâmica diferente das formas habituais que se foram elaborando por décadas ou séculos e que, realmente, estão ultrapassados no momento presente. A ampla falta de bens materiais que se pode prever ao calcularmos as dimensões adequadas a um problema de ameaça global já argumenta em favor dessa inesperada mudança de atitude, apesar da ampla indolência manifestada

---

[412] Norbert Elias: *Die Gesellschaft der Individuen* [A sociedade dos indivíduos], Frankfurt am Main, 1987, p. 281. (NA).

no presente contra as consequências da violência que estão ligadas às variações climáticas de forma factual e potencial. Naturalmente, dentro da perspectiva internacional, existem campos de interesses totalmente contraditórios, alguns dos quais desejam simplesmente impedir a aplicação dos procedimentos que possam vir a frear o aquecimento global. Os processos de industrialização contínuos em alguns dos países em desenvolvimento, a fome incontida por energia nas nações que primeiro se industrializaram, e a abertura universal para um modelo de crescimento social dependente da utilização de recursos naturais em seu conjunto dão a entender ser irreal esperar que os projetos de suspensão do aquecimento global além de mais dois graus até a metade do presente século possam ser atingidos. E este é apenas um prognóstico de que as coisas possam retroceder de forma linear; os processos autocatalisadores que podem surgir por meio da aceleração da formação de efeitos sociais pelas variações climáticas e devido à escalada da violência não são totalmente tomados em consideração por estas previsões.

No plano geofísico podem igualmente aparecer processos não-lineares, que o problema das variações climáticas aprofundará de forma radical – uma possibilidade é que o degelo das camadas no solo *permafrost* [permanentemente congelado] da tundra siberiana ou das planícies canadenses possa liberar metano em quantidades imensas, o que novamente influenciará negativamente o clima; outra que a fome por madeira conduza à destruição das florestas tropicais ou provoque uma supersalinização das águas dos oceanos até um ponto crítico que possa gerar a partir de então um efeito dominó ainda imprevisível. Este influenciará por sua vez o plano social – quando forem desencadeadas guerras em consequência de conflitos por matérias-primas ou simplesmente por alimentos, que resultarão mais uma vez em novos movimentos de massas de refugiados, os quais por sua vez agravarão os conflitos fronteiriços, podendo conduzir a novas explosões de violência incalculável entre países ou no interior dos territórios das nações afetadas. A lógica dos processos sociais não é tampouco linear, muito menos as consequências sociais provocadas pelas variações climáticas. Nada na história da violência praticada entre os seres humanos nos preparou para isso, particularmente depois de um período tão longo de paz entre as sociedades atualmente estáveis; mas o que a história completa da humanidade nos ensina é que o emprego maciço de violência *sempre foi e sempre será* uma opção comportamental. As sociedades humanas que sobrevivem até os dias de hoje, conforme assinalou Norbert Elias, são também sociedades que no

HARALD WELZER

passado aniquilaram suas rivais e as consequências sociais das modificações climáticas parecem prometer o retorno de tais comportamentos.

Presentemente já existe um aprofundamento das assimetrias globais claro o bastante para se ter manifestado por meio de guerras, cujas causas originais são as variações climáticas e que se apresentam sob formas totalmente novas de uma violência infindável. O fato de que as consequências mais duras das variações climáticas afetam as sociedades com menores possibilidades de defesa indica nitidamente que os movimentos migratórios de alcance mundial no decorrer do século 21 alcançarão proporções dramáticas e que todas as sociedades serão forçadas a recorrer a soluções radicais durante o combate a esse problema, em que a pressão dos fluxos migratórios será encarada como altamente perigosa. Até que ponto poderão resistir os acampamentos para refugiados instalados além das fronteiras e, por meio deles, os efeitos da violência contra os internados ou quando as exigências do sustento dos imigrantes se tornarão excessivas demais para os países de trânsito, particularmente a Líbia, Israel, Argélia ou Marrocos, como já é o caso em alguns locais, permanece uma questão em aberto.

O reverso da segurança das fronteiras externas da Europa e da América do Norte é o contínuo reforço das medidas de segurança no interior de seus territórios e a necessidade permanente de criação de novas políticas de segurança a serem exercidas pelo monopólio da violência estatal e pela legitimação parlamentar da violência pela aprovação de novas leis neste sentido – aqui as palavras-chave são acampamentos extraterritoriais para os migrantes, abdução e deportação dos que já se acham no interior dos territórios, execuções, tortura, exércitos de mercenários e a autorização de organizações privadas para exercer a violência. Todas estas possibilidades constituem opções vitais de desenvolvimento provocadas pelo terror crescente desencadeado sobre a época da moderna globalização. O presente desequilíbrio na aplicação da violência, que segue os processos de violência irregular empregados durante o século 20, é inicialmente desfavorável aos governos menos estáveis submetidos à indisciplina dos partidos guerreiros fortemente armados e que procedem como estados dentro de estados, porém, em segundo lugar, constitui uma ameaça potencial à segurança das sociedades mais firmemente estabelecidas.

No transcurso do 21 e um seremos mortos cada vez menos no presente em consequência de razões ideológicas e isto não poderá ser evitado porque utopias científicas estejam prontas a anunciar projetos sobre a maneira como o mundo deve ser endireitado segundo as leis eternas da natureza ou possam indicar quem foi autorizado por ela a designar quais sejam essas leis. O mundo do século 21 tem carência é de modelos sociais adequados para o futuro, afastados tanto de utopias como da queima insensata de recursos – seremos mortos porque os criminosos exigem para si todos os recursos que as vítimas possuem ou mesmo aqueles que poderiam ter.

Podemos então realmente acreditar que as coisas vão mudar para melhor? Com a ampliação e crescente percepção dos efeitos das variações climáticas sobre o meio ambiente, com o aumento progressivo da miséria, das migrações e da violência, as pressões para resolver os problemas se tornarão cada vez mais enérgicas e o espaço mental proporcionalmente mais limitado. As percepções de estratégias de solução irracionais e contraproducentes irão aumentar cada vez mais. Isto vale principalmente para a problemática da violência, que será cada vez mais exacerbada pelas variações climáticas. Toda a experiência histórica indica que as pessoas classificadas por um alto grau de percepção como provocadoras de uma *inundação da sociedade* e que pareçam estar ameaçando as necessidades de bem-estar e de segurança dos membros estabelecidos dessa sociedade venham a perecer em grandes números, seja por falta de água ou por escassez de alimentos, seja por serem mortas diretamente em guerras de fronteira, seja assassinadas em guerras civis ou vitimadas por conflitos entre nações causados pela modificação das condições ambientais. Esta não é uma predição normativa: descreve exclusivamente o que podemos aprender por meio das soluções aplicadas durante o século 20 quando problemas dessa ordem foram presssentidos.

Mas não estamos, com tudo isso, afirmando que se configure uma repetição do Holocausto; a história não se repete. Mas as pessoas percebem a existência de problemas; e quando estes problemas são interpretados por elas como ameaçando suas próprias existências, elas se inclinam para soluções radicais, principalmente *aquelas em que não haviam pensado antes.* É necessário verificar se as culturas ocidentais aprenderam ou não as lições do século 20, se consideram a Humanidade, a Razão e a Justiça como seus melhores valores, se estas três reguladoras dos comportamentos humanos através da história podem conter as agressões, desde que sejam percebidas como suficientemente importantes. Pensando bem, estas culturas não existiriam há muito tempo se tivessem adotado as estratégias costumeiras de resolução imediata dos problemas, teriam subsistido por apenas duas ou três gerações. Tal duração, se comparada com o tempo que permanecem outras culturas, seria ridiculamente curta.

"As instituições", escreveu o antropólogo Claude Lévi-Strauss no final de *Tristes Trópicos*, seu livro cheio de melancolia, "cujos usos e costumes que coletei ao longo de minha vida e que busquei entender constituem uma linhagem transitória de um relacionamento perante o qual não se encontra qualquer sentido, embora talvez sejam eles que permitem à humanidade exercer suas funções dentro desta relação." Realmente, uma cultura só faz sentido dentro de si mesma – como uma técnica destinada a aumentar as possibilidades de sobrevivência dos grupos sociais. Mas se esta é capaz de melhorar contínua e exponencialmente a evolução das condições de sobrevivência dos bens peculiares à humanidade através do desenvolvimento cultural bem-sucedido a médio prazo é ainda uma questão em aberto. Esta *experimentum mundi* [experimentação do mundo] já dura quarenta mil anos, embora a variante industrializada ocidental não tenha mais de duzentos e cinquenta e este período de tempo infinitamente pequeno é mais uma distorção das bases de sobrevivência que mantiveram a vida humana durante os 39.750 anos anteriores. Esta distorção das bases de sobrevivência não somente compromete suas possibilidades de permanência no presente como pode aniquilar as futuras.

As ações impensadas dos seres humanos consistem, conforme prossegue Lévi-Strauss, na liberação contínua de uma estrutura complexa e no nivelamento de todas as condições dominantes entre as diversas culturas e, por conseguinte, também das formas de organização das comunidades humanas de sobrevivência. "Quando a relação entre os espíritos humanos é atacada, desaparece o significado que só existia com referência a tal relacionamento e a sociedade em que viviam afunda no caos a partir do momento em que estas relações forem extintas. A cultura inteira pode ser descrita como um grande mecanismo, unicamente dentro do qual podemos avistar as possibilidades de sobrevivência em que foi estabelecido nosso universo e onde suas funções não mais são exercidas, o resultado é a entropia física e a indolência social. Cada palavra permutada, cada linha de ação confirmada permanecem como um elo entre dois parceiros sociais e nivelam os relacionamentos caracterizados por estas peças de informação que conduzem a organizações maiores."[413]

O processo de globalização também pode ser descrito desta forma – como um processo acelerado de entropia social que dissolve as culturas e dentro de cujo final, se as coisas forem de mal a pior, a falta de distinção deixará para trás não apenas todas as possibilidades, mas o puro desejo de sobrevivência. Deste

---

[413] Claude Lévi-Strauss: *Traurige Tropen* [Tristes trópicos], traduzido da versão alemã para o referido texto, Frankfurt am Main, 1982, p. 411. (NA).

A GUERRA DA ÁGUA

modo se instalará a apoteose da violência e, por meio dela, a extinção do racionalismo, cujas chaves a cultura ocidental acredita ter encontrado. Mas desde o trabalho escravo dos tempos modernos e a indigna exploração das colônias até a destruição das bases de sobrevivência da humanidade iniciada pela revolução industrial, afetando diretamente seres humanos que não tinham nada a ver com este programa, a história do Ocidente livre, democrático e esclarecido vem sendo escrita com o apoio da história oposta da falta de liberdade, opressão e irracionalismo dominantes no resto do mundo. Dentro desta dialética, acirrada no futuro pelas consequências das variações climáticas não haverá lugar para a permanência da racionalidade. Ela naufragará e nos levará consigo.

ANEXOS

Gráficos e Tabelas

TÍTULO	PÁGINA

Alvos do Protocolo de Quioto atingidos e não alcançados:............................54

Emissões de dióxido de carbono de acordo com as regiões:...........................59

Populações com acesso a água potável tratada (porcentagens)
por região (de acordo com Debiel *et alii*: *Globale Trends 2007*, p. 367):...117

Encolhimento do Mar de Aral de 1957 a 2002 (de acordo
com Debiel *et alii*: *Globale Trends 2007*, p. 368): 119

Mapa-múndi dos Efeitos das Transformações Climáticas:...........................124

Guerras e Conflitos Armados de acordo com o
AKUF [Círculo de Estudos e Pesquisas sobre as Causas
originais das Guerras da Universidade de Hamburgo]: 136

Guerras, Conflitos, Crises: 139

Regiões já atingidas pela escassez de água em 1995 e Prognóstico
para 2025. (de acordo com Debiel *et alii*: *Globale Trends 2007*, p. 359):...140

Conflitos ambientais que provocaram violência. (de acordo
com Carius *et alii*: Cartografia mundial dos conflitos ambientais): 165

Número de ocorrências naturais extremas e parte
das catástrofes ligadas ao clima entre 1900 e 2005
(de acordo com Debiel *et alii*: *Globale Trends 2007*, p. 253): 228

Emissões produzidas pelos países em desenvolvimento:...............................270

Obras Consultadas

Allensbacher Berichte [Boletim de Allensbach], 14/2006.

Allensbacher Berichte, 21/2004.

Allensbacher Berichte, 24/2006.

Aly, Götz: *Hitlers Volkstaat. Raub, Rassenkrieg und nationaler Sozialismus* [O Estado popular de Hitler. Pilhagem, Guerra Racial e o Nacional-Socialismo], Frankfurt am Main, 2005.

Anders, Günter: *Die Antiquiertheit des Menschen* [A Conexão do Ser Humano com seu Passado], München [Munique], 1987.

Anderson, David: *What Really Happened* [O que realmente ocorreu], publicado em *Facing My Lai. Beyond the Massacre* [Enfrentando My Lai: Além do massacre], por David Anderson (editor), Kansas, 1998, (Tradução de Harald Welzer).

André, Catherine & Platteau, Jean-Philippe: *Land Relations under Unbearable Stress: Rwanda caught in the Malthusian trap* [Relações com a terra sob tensão insuportável: Ruanda capturada pela armadilha malthusiana], publicado no *Journal of Economic Behavior and Organization* [Revista da organização e comportamento econômicos], 34/1998, pp. 1-47.

Anschober, Rudi & Ramsauer, Petra: *Die Klimarevolution. So retten wir die Welt* [A Revolução Climática: As maneiras como salvaremos o mundo], Wien (Viena), 2007.

Arbeitsgemeinschaft Kriegsursachenforschung Hamburg [Sociedade de Pesquisas sobre as Causas Originais da Guerra] (AKUF), Hamburgo, consulte o *site* em http://www.soziawiss.uni-hamburg.de/publish/Ipw/Akuf/index.htm.

Arendt, Hannah: *Social Science Techniques and the Study of Concentration Camps* [Técnicas sociológicas e o estudo dos campos de concentração], publicado em *Jewish Social Studies* [Estudos sociais judaicos], volume 12, 1/1950, pp. 49-64.

Arendt, Hannah: *Elemente und Ursprünge totaler Herrschaft* [Elementos e causas iniciais do totalitarismo], München, 1996.

Argo, Nichole: *Human Bombs: Rethinking Religion and Terror* [Bombas humanas. Repensando a Religião e o Terror], *Working Paper* [artigo para discussão], *MIT Center for International Studies* [Centro de Estudos Internacionais do Instituto de Tecnologia de Massachusetts, 6 de julho de 2008, pp. 1-5.

Aronson, Elliott: *Sozialpsychologie. Menschliches Verhalten und gesellschaftlicher Einfluss* [Psicologia Social: Os comportamentos humanos e a influência social], München, 1994.

Bächler, Günther: *Transformation of Resource Conflicts: Approaches and Instruments* [Transformações dos conflitos sobre recursos naturais. Abordagens e instrumentos], Bern [Berna], Suíça, 2002.

Bajohr, Frank & Pohl, Dieter: *Der Holocaust als offenes Geheimnis. Die Deutschen, die NS-Führung und die Allierten* [O Holocausto como um segredo aberto. Os alemães, o governo nacional-socialista e os Aliados], München, 2006.

Barnett, Jon: *Climate Change, Insecurity, and Justice* [Mudanças climáticas, insegurança e justiça], artigo apresentado no simpósio *Justice in Adaptation to Climate Change* [A adaptação da justiça às mudanças climáticas], realizado no *Zuckerman Institute for Connective Environment Research* [Instituto Zuckerman para Pesquisas Ambientais Interconectadas], Universidade de East Anglia, Norwich, 2003.

Basič, Natalija: *Krieg als Abenteuer. Feindbilder und Gewalt aus der Perspektive ex-jugoslawischer Soldaten 1991-1995* [A Guerra como Aventura: Identificação de Inimigos e Violência segundo a perspectiva de antigos soldados iugoslavos], Gießen 2004 (Editora Diss, Hamburg).

Bauman, Zygmunt: *Dialektik der Ordnung* [A Dialética da Ordem], Hamburgo, 1992.

Bauman, Zygmunt: Die Rationalität des Bösen [O raciocínio dos malvados], publicado em *Auf den Trümmern der Geschichte* [Sobre os Destroços da História], organizado por Harald Welzer, Tübingen, 1999, pp. 91-125.

Benz, Wolfgang: *Dimension des Völkermords. Die Zahl der jüdischen Opfer des Nationalsozialismus* [A dimensão do genocídio. O número de vítimas judias do nacional-socialismo], München, 1996.

Berié, Eva e outros (redatores): *Der Fischer-Weltalmanach 2008* [Almanaque Mundial Fischer], Frankfurt am Main, 2007.

Blatter, Joachim & Ingram, Helen: *New Approaches to Transboundary Conflicts and Cooperation* [Novas abordagens aos conflitos e cooperação através das fronteiras], Massachusetts, 2001.

Bloch, Ernst: *Erbschaft dieser Zeit* [A Herança desta Época], Frankfurt am Main, 1962.

Brandstetter, Anna-Maria: *Die Rhetorik von Reinheit, Gewalt und Gemeinschaft: Bürgerkrieg und Genozid in Rwanda* [A retórica da limpeza, da violência e da comunidade. A Guerra Civil e o Genocídio em Ruanda], publicado em *Sociologus* 51/1-2, 200l, pp. 148-184.

Brehl, Medardus: *Vernichtung der Herero. Diskurse der Gewalt in der deutschen Kolonialliteratur* [O Aniquilamento dos Hereros. Discurso da Violência na literatura colonial alemã], München (Munique), 2007.

Brinkbäumer, Klaus: *Der Traum vom Leben. Eine afrikanische Odysee* [O Sonho da Vida, uma Odisseia Africana], Frankfurt am Main, 2007.

Broszat, Manfred: *Nach Hitler. Der schwierige Umgang mit unserer Geschichte* [Depois de Hitler: A difícil Convivência com nossa História], Munique, 1987.

Bruns-Wüstefeld, Alex: *Lohnende Geschäfte. Die "Entjudung" am Beispiel Göttingens* [Negócios lucrativos. A "desjudificação", segundo o exemplo de Göttingen], Hannover, 1997.

Bundesministerium des Innern [Ministério do Interior] (BMI), *Aufgaben und Tätigkeit der Europäischen Grenzschutsagentur* [Tarefas e Ações da Agência Europeia de Controle das Fronteiras], FRONTEX, sem data: disponível no *site* http://www.eu2007.bmi.bund.de/nn_1034414/EU2007/DE/InnenpolitischeZiele/Themen/Frontex/Frontex_node.html_nnn=true.

Bundesministerium des Innern [Ministério do Interior] (Editor): *Innenpolitik – Informationen des Bundesministerium des Innern* [Política interna – Informações do Ministério do Interior], julho de 2007.

Bundeszentrale für politische Bildung: USA/Kanada: Grenzsicherungsabkommen und höhere Einwanderugsquoten in Kanada [Escritório Federal Central de Informações Políticas: USA/Canadá: Tratado de Segurança das Fronteiras e quotas mais elevadas de imigração no Canadá], *Migration und Bevölkerung* [Migração e População] 1/2002, em http://www.migration-info.de/migration_und_bevoelkerung/artikel/020104.html.

Carius, Alexander/Tänzler, Dennis/Winterstein, Judith: *Weltkarte von Umwelkonflikten – Ansatz zu einer Typologisierung* [Cartografia mundial dos conflitos ambientais – Tentativa para a classificação de uma Tipologia], Potsdam, 2007.

Carrell, Severin: *Revealed: Robot Spyplanes to Guard Europe's Borders* [Revelação: Aviões-robôs Espiões para guardar as fronteiras da Europa], *The Independent* [jornal "O Independente"], edição de 4 de junho de 2006. Consulte o *site* em http://news.independent.co.uk/europe/article624667.ece.

Clausen, Lars *et alii* (editores), *Entsetzliche soziale Prozesse* [Os espantosos processos sociais], Münster, 2003.

Collier, Paul *et alii*: *Breaking the Conflict Trap. Civil War and Development Policy* [A quebra da armadilha dos conflitos. As Guerras Civis e a política do desenvolvimento], Washington, D. C., 2003.

Dabelko, Geoffrey/ Carius, Alexander *et alii*: *Water, Conflict, and Cooperation* [Água, Conflitos e Cooperação], publicado em *Environmental Change and Security Project Report* [Relatório sobre o Projeto Ambiental para Mudança e Segurança], 10/2004, pp. 60-66.

Dahms, Martin: *Der weite Weg in die erste Welt* [A Estrada larga do Primeiro Mundo], publicado na revista eletrônica *Das Parlament* [O Parlamento], 28/2006, conforme o *site* http://www.bundestag.de/dasparlament/2006/28-29/Europa/007.html.

Davis, Mike: *Die große Mauer des Kapitals* [A Grande Muralha do Capital], publicado em *Die ZEIT* [O Tempo], 12 de outubro de 2006, n⁰. 42 na página eletrônica http://www.zeit.de/2006/42/Mauern?page=2.html.

Debiel, Tobias & Reinhardt, Dieter: *Staatsverfall und Weltordnungspolitik. Analystische Zugänge und politische Strategien zu Beginn des 21. Jahrhunderts* [A queda das nações e a política de organização mundial. [Estudos analíticos e estratégias políticas para o começo do século 21], publicado em *Nord-Süd aktuell* [A atualidade Norte-Sul], 18 de março de 2004, pp. 525-538.

Debiel, Tobias *et alii*, *Zwischen Ignorieren und Intervenieren Strategien und Dilemmata externer Akteure in fragilen Staaten* [Entre estratégias de Indiferença e Intervenção e os dilemas provocados em nações frágeis por atores externos], publicado em *Reihe Policy Paper der Stiftung Entwicklung und Frieden* [Artigo sobre as linhas da política da Fundação Desenvolvimento e Paz], n⁰. 23, Bonn, 2005.

Debiel, Tobias, Messner, Dirk & Nuscheler, Franz: *Globale Trends 2007. Frieden, Entwicklung, Umwelt* [Tendências Globais, 2007. Paz, desenvolvimento e meio ambiente], Frankfurt am Main, 2007.

Delaney, Joan: *Kanada, Magnet für Immigranten* [Canadá, um foco de atração para os imigrantes], *The Epoch Times Deutschland* [A Nova Época, edição alemã], 29 de agosto/4 de setembro de 2007, N⁰. 2, conforme a página eletrônica http://www.epochtimes.de/fileadmin/DieNeueEpoch/print/2007/34/ETD_A07_02_S03_v01.pdf.

Des Forges, Alison: *Kein Zeuge darf überleben. Der Genozid in Ruanda* [Nenhuma testemunha pode sobreviver. O genocídio em Ruanda], Hamburg, 2002.

de Wit, Maarten & Stankiewicz, Jaček: *Changes in Surface Water Supply Across Africa with Predicted Climate Change* [Mudanças nos suprimentos de água superficial através da África causadas pelas mudanças climáticas previstas], publicado em *Science* [Revista da Ciência], 311/2006 (5769), pp. 1917-1921.

Diamond, Jared: *Arm und Reich. Die Schicksale menschlicher Gesellschaften* [Pobres e Ricos: O destino das sociedades humanas], Frankfurt am Main, 2006.

Diamond, Jared: *Kollaps* [O Colapso], Frankfurt am Main, 2005.

Dietrich, Helmut: *Die Front in der Wüste* [Frente de Batalha no Deserto], Konkret 12/2004, na página eletrônica http://nolager.de/blog/files/nolager/lampedusa.pdf.

Directorate General Enterprises and Industry – Security Research [Empresas e Indústria Diretório Geral – Pesquisas de Segurança]: *Preparatory Action for Security Research – Border Surveillance UAV (Unmanned Aerial Vehicle)* [Ação Preparatória para Pesquisas de Segurança – Vigilância das Fronteiras por intermédio de veículos aéreos não-tripulados], 2005, conforme página eletrônica http://ec.europa.eu/enterprise/security/doc/project_flyers/766-06_bsuav.pdf.

Elias, Norbert: *Engagement und Distanzierung* [Comprometimento e Distanciamento], Frankfurt am Main, 1983.

Elias, Norbert: *Die Gesellschaft der Individuen* [A sociedade dos indivíduos], Frankfurt am Main, 1987.

Elias, Norbert: *Studien über die Deutschen* [Estudos sobre os alemães], Frankfurt am Main, 1989.

Elias, Norbert: *Was ist Soziologie?* [O que é Sociologia?], München, 2004.

Elrick, Jennifer, *Länderprofil Kanada* [Perfil das terras do Canadá], publicado em *Focus Migration* [Enfoque sobre a Imigração], 8/2007, conforme a página eletrônica http://www.focus-migration.de/Kanada.1275.0.html.

Epiney, Astrid: *"Gerechtigkeit" im Umweltvölkerrecht* ["Equidade" nos direitos ambientais dos povos], publicado em *Aus Politik und Zeitgeschichte* [Artigos sobre política e história contemporânea], 24/2007, pp. 31-38.

Europäische Agentur für die operative Zusammenarbeit an den Außengrenzen [Agência Europeia para trabalho operacional conjunto nas fronteiras exteriores] (FRONTEX), junho de 2007, conforme página eletrônica em http://europa.eu/agencies/community_agencies/frontex/index_de.htm.

Festinger, Leon, Riecken, Henry W. & Schachter, Stanley: *When Prophecy Fails* [Quando uma Profecia falha], Minneapolis, Minnesota, 1956.

Fischetti, Mark: *Wenn New Orleans versinkt* [Quando Nova Orleans afundou], *Spektrum der Wissenschaft* [Espectro da Ciência], Dossier *Die Erde im Treibhaus* [A Terra dentro da Estufa], 2/2005, pp. 75-82.

Flannery, Tim: *Wir Wettermacher. Wie die Menschen das Klima verändern und was das für unser Leben auf der Erde bedeutet* [Nós, os formadores do tempo. Como as pessoas modificam o clima e o que isto significa para nossa vida sobre a Terra], Frankfurt am Main, 2006.

Frankenberger, Klaus-Dieter: *Chinas Hunger nach Energie* [A fome de energia da China], publicado pelo jornal *Frankfurter Allgemeine Zeitung*, edição de 27 de março de 2007, p. 12.

Frattini, Franco & Schäuble, Wolfgang (entrevista): *Mit Hubschraubern gegen illegale Einwanderung* [Helicópteros contra a Imigração ilegal], publicado no *Frankfurter Allgemeine Zeitung* [Edição internacional do Jornal de Frankfurt], 29 de março de 2007, página 3.

FRONTEX Annual Report [Relatório Anual da FRONTEX], 2006, na página eletrônica http://www.frontex.europa.eu/annual_report.

FRONTEX News Releases [Boletim Noticioso da FRONTEX], *A Sequel of Operation Hera Just Starting* [Acaba de começar uma nova fase da Operação Hera], publicação de 15 de fevereiro de 2007, incluída na página eletrônica http://www.frontex.europa.eu/newsroom/news_releases/art13.html.

Gaynor, Tim: *Blocking the Border* [Bloqueio das Fronteiras], Agência Reuters, boletim noticioso de 10 de setembro de 2007 e incluído na página eletrônica http://features.us.reuters.com/cover/news/N07313987.html.

Geenen, Elke M.: *Kollektive Krisen, Katastrophe, Terror, Revolution – Gemeinsamkeiten und Unterschiede* [Crise coletiva, catástrofe, terror e revolução – Semelhanças e Diferenças], publicado em Lars Clausen *et alii* (editores), *Entsetzliche soziale Prozesse* [Os espantosos processos sociais], Münster, 2003, pp. 5-24.

Geißler, Rainer: *Struktur und Entwicklung der Bevölkerung. Bundeszentrale für politische Bildung* [Estrutura e desenvolvimento da população. Escritório central federal para educação política], disponível na página eletrônica http://www.bpb.de/publikationen/7WF4KK.html.

Gewald, Jan Bart: *The Issue of Forced Labour in the "Onjembo": German South West Africa, 1904-1908* [A questão dos trabalhos forçados na região de Onjembo: África do Sudoeste Alemão, 1904-1908, publicado no *Bulletin of the*

Leyden Centre for the History of European Expansion [Boletim do Centro Histórico da Expansão Europeia de Leiden (Holanda)], 19/1995, pp. 97-104.

Gleditsch, Nils P.: *Environmental Change, Security, and Conflict* [Mudanças ambientais, segurança e conflitos], publicado por Chester A. Crocker, Fen O. Hampson e Pamela Aall (editores), *Turbulent Peace. The Challenges of Managing International Conflict* [A paz turbulenta. Os desafios da administração de conflitos internacionais], Washington, D.C., 2001, pp 53-68.

Goffman, Erving: *Rollendistanz* [Distanciamento], publicado em Steinert, Heinz (editor), *Symbolische Interaktion* [Interação simbólica], Stuttgart, 1973, pp. 260-279.

Goffman, Erving: *Asyle* [Asilo], Frankfurt am Main, 1973.

Goffman, Erving: *Rahmenanalyse* [Análise de padrões de referência], Frankfurt am Main, 1978.

Goffman, Erving: *Strategische Interaktion* [Interação Estratégica], München, 1981.

Goldstone, Jack A.: *Population and Security: How Demographic Change can Lead to Violent Conflict* [População e Segurança. Como as mudanças demográficas podem conduzir a conflitos violentos], publicado em *Journal of International Affairs* [Revista de Assuntos Internacionais], 56/1, 2002, pp. 3-22.

Gould, Stephen Jay: *Die Lügensteine von Marrakesch* [As pedras falsas de Marrakesh], *Vorletzte Erkundungen der Naturgeschichte* [As mais recentes descobertas da história natural], Frankfurt am Main, 2003.

Greiner, Bernd: *"A Licence to Kill": Annäherung an das Kriegsverbrechen von My Lai* ["Permissão para Matar": Uma tentativa de conciliação dos crimes de guerra de My Lai], publicado na revista *Mittelweg* [O caminho do meio] *36*, dezembro de 1998/janeiro de 1999, p. 4-24.

Greiner, Bernd: *"First to Go, Last to Know." Der Dschungelkrieger in Vietnam* [O primeiro a ir e o último a saber: Os guerreiros da selva no Vietnã], publicado em *Geschichte und Gesellschaft* [História e Sociedade] 29, 2003, pp. 239-261.

Greiner, Bernd: *Krieg ohne Fronten. Die USA in Vietnam* [A Guerra sem Linhas de Frente: Os Estados Unidos no Vietnã], Hamburg, 2007.

Greven, Ludwig: *Der Datenhunger wächst* [A fome de dados desperta], *ZEIT on-line* 3 de setembro de 2007, no *site* http://images.zeit.de/text/online/2007/39/datenschutz-simitis.

Gunβer, Cornelia: Der europäische Krieg gegen Flüchtlinge [A Guerra europeia contra os Refugiados], publicado em *Ak – Analyse und Kritik* [Análise e Crítica], 19 de novembro de 2004, na página eletrônica http://www.nolager.de/blog/node/142.

HARALD WELZER

Haar, Ingo: *Hochgerechnetes Unglück. Die Zahl der deutschen Opfer nach dem Zweiten Weltkriege wird übertrieben* [Uma desgraça supervalorizada. O número de vítimas alemãs após a Segunda Guerra Mundial foi exagerado], publicado no *Süddeutsche Zeitung* [Jornal da Alemanha Meridional], 14 de novembro de 2006.

Hackensberger, Alfred, *Anschlag auf die Grenze* [Ataque às fronteiras], publicado em *telepolis*, 3 de outubro de 2005 em http://www.heise.de/tp/r4/artikel/21/21064/1.html.

Hackensberger, Alfred, *Man muss die Flüchtlinge mit allem Respekt als menschlich Wesen behandeln* [Devemos tratar os refugiados com todo o respeito e de maneira humana] (Palestra realizada conjuntamente com Frederico Barroela, Médicos sem Fronteiras, Tanger), telepolis, 16 de outubro de 2005, publicado na página eletrônica http://www.heise.de/tp/r4/artikel/21/21153/1.html.

Haffner, Sebastian: *Geschichte eines Deutschen* [História de um alemão], Stuttgart, 2002.

Hilberg, Raul: *Die Vernichtung der europäischen Juden* [O extermínio dos judeus europeus], Tomo I, Frankfurt am Main, 1989.

Hilberg, Raul: *Die Vernichtung der europäischen Juden* [O extermínio dos judeus europeus], Tomo III, Frankfurt am Main, 1990.

Hilberg, Raul: *Die Quellen des Holocaust* [As fontes do Holocausto], Frankfurt am Main, 2002.

Hilberg, Raul, *Täter, Opfer, Zuschauer. Die Vernichtung der Juden, 1933-1945* [Criminosos, vítimas, espectadores. O extermínio dos judeus, 1933-1945], Frankfurt am Main, 1992.

Hippler, Jochen (editor): *Nation-building – A Key Concept for Peaceful Conflict Transformation?* [Construção de nações – Um conceito-chave para a transformação pacífica dos conflitos?], Londres, 2005.

Höpken, Wolfgang: *Gewalt auf dem Balkan. Erklärungsversuche zwischen "Struktur" und "Kultur"* [A violência nos Bálcãs: A busca de um esclarecimento das diferenças entre "Estrutura" e "Cultura"], publicado em Höpken, Wolfgang & Rieckenberg, Michael (editores), *Politische und ethnische Gewalt in Südosteuropa und Lateinamerika* [A violência política e étnica no sudeste da Europa e na América Latina], Köln (Colônia) 2001, pp. 53-95.

Hoffman, Bruce: *Terrorismus. Der unerklärte Krieg* [Terrorismo. A guerra incompreensível], Frankfurt am Main, 1999.

Hoffmann, Karl: *Lampedusa: Die Ankunft in Europa* [Lampedusa: Desembarque na Europa], *Deutschlandfunk* [Serviço de Radiodifusão da Alemanha], 30 de abril de 2006, na página eletrônica http://www.dradio.de/dif/sendungen/transit/494082/.

Homer-Dixon, Thomas: *Environment, Scarcity, and Violence* [Ambiente, escassez e violência], Princeton, New Jersey, 1999.

Informationsdienst für den öffentlichen Verkehr [Escritório de informações para o livre comércio] (LITRA), publicado em *Meldung* [Comunicações] a 6 de julho de 2004 na página eletrônica http://www.litra.ch/Juli_2004.html.

Internationaler Militärgerichtshof [Tribunal militar internacional]: *Der Prozess gegen die Hauptkriegverbrecher* [Processo contra os principais criminosos de guerra], Volume 4, Nürnberg (Nuremberg), 1948.

Internationaler Militärgerichtshof [Tribunal militar internacional]: *Der Prozess gegen die Hauptkriegverbrecher* [Processo contra os principais criminosos de guerra], Volume 29, Nürnberg (Nuremberg), 1948.

Jacobeit, Cord & Methmann, Chris: *Klimaflüchtlinge. Eine Studie im Auftrag von Greenpeace* [Refugiados climáticos. Estudo realizado por incumbência da organização Greenpeace], Hamburg, 2007.

Jäger, Jill: *Was verträgt unsere Erde noch?* [O que nossa Terra ainda suporta?], Frankfurt am Main, 2007.

Johnson, Eric & Reuband, Karl-Heinz: *What we Knew. Terror, Mass Murder, and Everyday Life in Nazi Germany* [O que nós sabíamos. O Terror, os assassinatos em massa e a vida cotidiana na Alemanha Nazista], Londres, 2005.

Jonas, Hans: *Das Prinzip Verantwortung* [O princípio da responsabilidade], Frankfurt am Main, 1984.

Kaldor, Mary: *Neue und alte Kriege. Organisiert Gewalt im Zeitalter der Globalisierung* [Guerras antigas e modernas. A violência organizada na época da globalização], Frankfurt am Main, 2000.

Karmakar, Romuald, *Hamburger Lektionen* [As lições de Hamburgo], *Dokumentarfilm* [Documentário para a televisão], 2007.

Keegan, John: *Die Kultur des Krieges* [A cultura da Guerra], Reinbek 1997.

Klein, Naomi: *Die Schock-Strategie. Der Aufstieg des Katastrophen-Kapitalismus* [Estratégia de Choque: A ascensão do capitalismo das catástrofes], Frankfurt am Main, 2007.

HARALD WELZER

Kleine-Brockhoff, Thomas: *Die Macht der Latinos* [O poder dos latino-americanos], publicado em *ZEIT on-line* 1º. de abril de 2005, conforme a página eletrônica http://zeit.de/text/online/2006/14/usa_immigration.

Kleine-Brockhoff, Thomas: *Ground Zero in Arizona* [Alvo localizador no Arizona], publicado em Die ZEIT [O tempo], 6 de abril de 2006, Nº. 15/2006, reproduzido na página eletrônica http://zeit.de/text/online/2006/15/einwanderung. *Veja também:* www.minutemen.com.

Königliche Norwegisch Botschaft [Agência de Notícias Real Norueguesa], *Ausschluss von Gesellschaften aus dem Staatlichen Pensionsfonds* [Exclusão de sociedades pelos fundos de aposentadoria e pensões estatais], publicado na página eletrônica http://www.norweven.no/policy/politicalnews/Selskaper+utelukket+fra+oljefondet.htm

Kraftfahrt-Bundesamt [Escritório federal para controle do movimento rodoviário]: *Fahrzeugzulassungen im Juni 2007* [Licenciamento de veículos em junho de 2007], Comunicado à Imprensa Nº. 21/2007.

Leggewie, Claus: *Glaubensgemeinschaften zwischen nationalen Staatskirchen und globalen Religionsmärkten* [A sociedade dos crentes dividida entre as igrejas nacionais estabelecidas e o Mercado religioso global], conferência pronunciada perante o *International Congress on Justice and Human Values in Europe* [Congresso Internacional sobre a Justiça e os Valores Humanos na Europa] a 10 de maio de 2007.

Leutheusser-Schnarrenberger, Sabine: *Der Fall Khaled el-Masri. Regierung im Zwiespalt zwischen Terrorbekämpfung und Menschenrechten* [O Caso Kahled el-Masri. Decisão judicial sobre a discrepância entre o combate ao terrorismo e os direitos humanos], publicado por Muller-Heidelberg, Till *et alii* (editores) em *Grundrechte-Report 2006. Zur Lage der Bürger- und Menschenrechte in Deutschland* [Relatório sobre os direitos básicos 2006. A situação dos direitos civis e direitos humanos na Alemanha], Frankfurt am Main 2006, pp. 24-28.

Lévi-Strauss, Claude: *Traurige Tropen* [Tristes trópicos], tradução alemã, Frankfurt am Main, 1982.

Libiszewski, Stephan: *International Conflicts over Freshwater Resources* [Conflitos internacionais por recursos de água potável], publicado por Mohamed Suliman, editor, em *Ecology, Politics, and Violent Conflict* [A ecologia, a política e os conflitos violentos], Londres/Nova York, 1999, pp. 115-138.

Lochbihler, Barbara: *Aufklärung und Prävention. Die offenen Aufgaben der Bundesregierung im Kampf gegen den Terrorismus mit Blick auf die Menschenrechte*

[Esclarecimento e Prevenção. As tarefas oficiais do governo federal alemão na luta contra o terrorismo à luz dos direitos humanos], publicado por Muller--Heidelberg, Till *et alii* (editores) em *Grundrechte-Report 2006. Zur Lage der Bürgerrechte und Menschenrechte in Deutschland* [Relatório sobre os direitos básicos 2006. A situação dos direitos civis e direitos humanos na Alemanha], Frankfurt am Main 2006, pp. 177-181.

Logan, John R.: *The Impact of Katrina: Race and Class in Storm-Damaged Neighborhoods* [O impacto do Katrina: Raça e classes sociais nos bairros danificados pela tempestade], Brown University, 2006, disponível na página eletrônica http://www.s4.brown.edu/katrina/report.pdf.

Logan, John R.: *Unnatural Disaster: Social Impacts and Policy Choices after Katrina* [Desastres antinaturais: Impactos sociais e escolhas políticas após o Katrina], publicado em Karl-Siegbert Rehberg (editor), *Die Natur der Gesellschaft. Verhandlungen des 33. Kongresses der Deutschen Gesellschaft für Soziologie in Kassel* [A natureza da sociedade. Atas do 33º. Congresso da Sociedade Sociológica Alemã em Kassel], 2006, Frankfurt am Main (no prelo [sic]). (NA).

Lonergan, Steven C.: *Water and Conflict: Rhetoric and Reality* [Água e conflitos: Retórica e realidade], publicado por Nils P. Gleditsch e Paul Diehl, editores, em *Democracy, Conflict, and the Environment* [A democracia, os conflitos e o meio ambiente], Boulder, Colorado, 200l, pp. 109-124.

Lucas, Fred: *Border Fence "Very Doable", Engineers Say* [Uma cerca ao longo da fronteira é "perfeitamente praticável", dizem os engenheiros.], *Cybercast News Service* [Serviço Noticioso Cibernético], 6 de setembro de 2007, publicado na página http://www.cnsnews.com/ViewNation,asp?Page=/Nation/archive/200709/NAT20070906a.html.

Lüdtke, Alf: *Gewalt und Alltag im 20. Jahrhundert* [A violência e a vida cotidiana durante o século vinte], publicado por Wolfgang Bergsdorf *et alii* (editores) em *Gewalt und Terror* [A violência e o terror], Weimar, 2003, páginas 35-52.

Malik, Shiv: *Der Bomber und sein Bruder* [O lançador de bombas e seus irmãos], ZEITmagazin Leben 28/2007 em http://www.zeit.de/2007/28/Bomber-28.

Mann, Michael: *Die dunkle Seite der Demokratie. Eine Theorie der ethnischen Säuberung* [O lado obscuro da Democracia: Teoria da Limpeza Étnica], Hamburgo, 2007.

Marcuse, Herbert, Wolf, Robert Paul & Moore, Barrington: *Kritik der reinen Toleranz* [Crítica da tolerância pura], Frankfurt am Main, 1984.

Marischka, Christoph, *Frontex geht in die Offensive* [A FRONTEX assume a ofensiva], *Informationsstelle Militarisierung* [Local de Informações sobre a Militarização] (IMI), IMI-Analyse 15/2007, publicado na página http://www.imi-on-line.de/2007.php3?id=a530.

Marischka, Christoph, *Frontex als Schrittmacher der EU-Innenpolitik* [A FRONTEX como precursora da política interna europeia], *telepolis*, 25 de maio de 2007 na página http://www.heise.de/tp/r4/artikel/25/25359/1.html.

Matthew, Richard A., Baklacich, Michael *et alii*, *Global Environmental Change and Human Security Gaps in Research on Social Vulnerability and Conflict* [Mudanças ambientais de caráter global e as falhas na segurança dos seres humanos, conforme pesquisas sobre a vulnerabilidade e os conflitos sociais], Washington, D.C., 2003.

Meadows, Donella, Meadows, Dennis L., Randers, Jørgen *et alii*, *Die Grenzen des Wachstums. Berichte des Club of Rome zur Lage der Menschheit* [As fronteiras do desenvolvimento. Relatórios do Clube de Roma sobre a situação da humanidade], München [Munique], 1972.

Médicos sem Fronteiras: *Violence and Immigration. Report on Illegal Sub--Saharan Immigrants (ISS) in Morocco* [A violência e a imigração. Relatório sobre imigrantes subsaarianos ilegais em Marrocos], 2005, conforme publicado na página eletrônica http://www.aerzte-ohne-grenzen.de/obj/_scripts/msf_download_pdf.php?id=2389 &filename=09-05-Bericht-Marokko-Imigranten.pdf.

Mehler, Andreas: *Oligopolies of Violence in Africa South of Sahara* [Oligopólios da violência na África Subsaariana], *Institut für Afrika-Kunde, Discussion Paper* [Documento para discussão apresentado no Instituto de Notícias Africanas], Hamburg, 2004.

Meier, Mischa, *Krisen und Krisenwahrnemung im 6. Jahrhundert nach Christus* [As crises e a percepção das crises no século sexto depois de Cristo], publicado por Helga Scholten (editora), em *Die Wahrnemung von Krisenphänomenen. Fallbeispiele von der Antike bis in die Neuzeit.* [A percepção dos fenômenos críticos. Exemplos de choques sofridos deste a Antiguidade até os tempos modernos], publicado em Köln [Colônia] e outras cidades, 2007, pp. 111-125

Menkhaus, Ken: *Governance without Government in Somalia. Spoiler, State Building, and the Politics of Coping* [Governança sem governo na Somália. Saques, construção de Estados e a política da adaptação], publicado em *International Security* [Segurança Internacional], 31/3, 2006, pp. 74-106.

Muller-Hohagen, Jürgen: *Verleugnet, verdrängt, verschwiegen* [Reprimido, desmentido, calado], München, 2005.

Münkler, Herfried: *Die neuen Kriege* [As novas guerras], Reinbek, 2002.

Münz, Rainer: *Weltbevölkerung und weltweite Migration* [A população terrestre e as migrações mundiais], publicado por Ernst Peter Fischer e Klaus Wiegand (editores) em *Die Zukunft der Erde* [O futuro da Terra], Frankfurt am Main, 2006, pp. 98-117.

Naimark, Norman M.: *Flammender Hass. Ethnisch Säuberungen im 20. Jahrhundert* [Um ódio inflamado: Limpezas étnicas ao longo do Século Vinte], Munique, 2005.

Naumann, Klaus (editor): *Nachkrieg in Deutschland* [O após-guerra na Alemanha], Hamburg, 2001.

Netzwerk Migration in Europa [Rede de emigração para a Europa] (Editora), diversos: *USA: Massenproteste gegen Einwanderungsgesetzte* [Estados Unidos: Protestos em massa contra as leis da Imigração], publicado em *Migration und Bevölkerung* [Migração e População] 3/2006, conforme a página eletrônica http://www.migration-info.de/migration_und_bevoelkerung/artikel/060308.htm.

Neuber, Harald: *Festung Europa: Beispiel Spanien* [A fortaleza europeia. Exemplo da Espanha], telepolis, 22 de outubro de 2004.

Niethammer, Lutz & Von Plato, Alexander: *"Wir kriegen jetzt andere Zeiten"* [Nós lutamos em uma outra época], Bonn, 1985.

Nkomo, Joshua C., Nyong, Anthony *et alii*, The Impacts of Climate Change in *Africa* [Impactos das mudanças climáticas através da África], publicado por Stern, Nicholas, em *The Stern Review on the Economics of Climate Change* [Relatório Stern sobre a Economia das Transformações Climáticas], Cambridge, 2007, disponível em http://www.hmtreasury.gov.uk/independent_reviews/stern_review_economics_climate_change/stern_review_supporting_documents.cfm.

Nordas, Ragnhild: *Climate Conflicts: Commonsense or Nonsense?* [Conflitos climáticos: Consenso ou Falta de senso?], artigo apresentado na *13th. Annual National Political Science Conference* [Décima-terceira conferência nacional anual sobre ciência política], Hurdalsjøen, Noruega 2005.

n-tv: *Noch ein Zaun für Melilla* [Mais uma cerca para Melilla], 4 de outubro de 2005, publicado em http://www.n-tv.de/586970.html.

Office of Homeland Security [Escritório de Segurança Interna]: *The National Strategy for Homeland Security* [Estratégia Nacional para a Segurança Interna], julho de 2004, em http://www.dhs.gov/xabout/history/publication_0005.shtm.

Oppel, Kai: *USA – unbeliebt und unvermeidlich* [Estados Unidos – impopulares e inevitáveis], *Financial Times Deutschland* [Suplemento Financeiro do *Times* em edição alemã, 9 de setembro de 2007, publicado na página eletrônica http://www.ftd.de/unternehmen/handel_dienstleister/247895.html.

Parrott, Nicholas: *Länderprofil – Die Vereinigten Staaten von Amerika* [Perfil das nações – Estados Unidos da América], Focus Migration 4/2007, na página eletrônica http://www.focus-migration.de/Die_Vereinigten_Staat.1233.0.html.

Pearce, Fred: *Das Wetter von Morgen. Wenn das Klima zur Bedrohung wird* [O clima do amanhã: Quando as condições atmosféricas constituírem uma ameaça], München, 2007.

Pearce, Fred: *Wenn die Flüsse versiegen* [Quando os rios secarem], München 2007.

Peters, Butz: *Tödlicher Irrtum. Die Geschichte der RAF* [Loucura criminosa. A história da Fração do Exército Vermelho], Frankfurt am Main, 2004.

Popitz, Heinrich: *Prozesse der Machtbildung* [Processos do Estabelecimento do Poder], Tübingen, 1976.

Popitz, Heinrich: *Phänomene der Macht* [Os fenômenos do Poder], Tübingen, 1986.

Potthast, Jan Björn: *Das jüdisch Zentralmuseum der SS in Prag. Gegnerforschung und Völkermord im Nationalsozialismus* [O Museu Central Judaico da *Schutzstaffeln* [Esquadrões de Defesa] em Praga, República Tcheca. Pesquisas contrárias e genocídio realizados pelo nacional-socialismo], Frankfurt am Main, 2002.

Prantl, Heribert: *Der Terrorist als Gesetzgeber* [O Terrorista como Legislador], publicado em NZZ Folio 9/2007, pp. 20-24.

Pressac, Jean-Claude: *Die Krematorien von Auschwitz. Die Technik des Massenmordes* [Os crematórios de Auschwitz. A técnica do assassinato maciço], München, 1995.

Pries, Ludger: *Transnationalisierung der sozialen Welt?* [A transnacionalização do mundo social?], publicado em *Berliner Journal für Soziologie* [Revista Berlinesa de Sociologia], 12 de fevereiro de 2002, pp. 263-272.

Prunier, Gerard: *Darfur. Der uneindeutig Genozid* [Darfur: O Genocídio obscuro], Hamburgo, 2006.

Quy, Vo: *Ökozid in Vietnam. Erforschung und Wiederherstellung der Umwelt* [Ecocídio no Vietnã. Pesquisa e Restauração do Meio Ambiente], publicado em *Arbeitsgemeinschaft Friedensforschung der Universität Kassel* [Trabalhos coletivos de pesquisas sobre a paz realizadas na Universidade de Kassel], disponíveis no *site* http://www.uni-kassel.de/fb5/frieden/Vietnam/fabig-voquy.html.

Radebold, Hartmut (editor): *Kindheiten in Zweiten Weltkrieg und ihre Folgen* [A infância durante a Segunda Guerra Mundial e suas consequências], München (Munique), 2004.

Radkau, Joachim: *Natur und Macht. Eine Weltgeschichte der Umwelt.* [A natureza e o poder: História mundial do meio ambiente], München, 2000.

Rat der Europäischen Union [Conselho da União Europeia]: *Tagung des Europäischen Rates in Thessaloniki vom 19./20.6.2003, Schlussfolgerungen des Vorsitzes* [Congresso do Conselho Europeu em Tessalônica, entre 19 e 20 de junho de 2003, Conclusões do Discurso de Encerramento da Presidência]. Bruxelas, 1º. de outubro de 2003, Ziffer 26, em http://www.consilium. europa.eu/ueDocs/cms_Data/docs/pressdata/de/ec/76285.pdf.

Reemtsma, Jan Philipp: *Nachbarschaft als Gewaltressource* [A Vizinhança como fonte de Violência], publicado na revista *Mittelweg* 36, edição de 13 de maio de 2004, pp. 103-120.

Reese, Willy Peter: *Mir selber seltsam fremd. Die Unmenschlichkeit des Kriegs, Russland 1941-44* [Estranhamente alheio de mim mesmo. A desumanidade da guerra, Rússia 1941-44] (editado por Stefan Schmitz), Berlin, 2004.

Reicholf, Josef H.: *Eine kurze Naturgeschichte des letzten Jahrtausends* [História natural abreviada do último milênio], Frankfurt am Main, 2007.

Reinke, Achim: *Unterwegs in die Erste Welt* [Caminhando pelo Primeiro Mundo]: Boletim da Cáritas International 11/2006, conforme página eletrônica http://www.caritas-international.de/10567.html.

Reuband, Karl-Heinz: *Das NS-Regime zwischen Akzeptanz und Ablehnung* [O regime nacional-socialista entre a aceitação e a recusa], publicado em *Geschichte und Gesellschaft* [História e Sociedade] 32, março de 2006, pp. 315-343.

Richey, Joseph: *Fencing the Border: Boeing's High-Tech Plan Falters* [A construção da cerca na fronteira: O plano de alta tecnologia da Boeing fracassa], publicado em *The Nation Institute* [Instituto Nação], 9 de julho de 2007, disponível na página eletrônica http://www.nationinstitute.org/ifunds/34/ fencing_the_border_boeing_s_high_tech_plan_falters.

Rössler, Hans-Christian: *In Libyens Hölle* [No inferno da Líbia], publicado no *Frankfurter Allgemeine Sonntagszeitung* [Jornal dominical internacional de Frankfurt], 22 de julho de 2007, p. 8.

Rötzer, Florian: *Ansturm auf die neue Mauer* [Assalto ao novo muro], telepolis, 6 de outubro de 2005, em http://www.heise.de/tp/r4/artikel/21/21086/1.html.

Rötzer, Florian: *Anhaltender Krieg in Afghanistan verursacht schwere Umweltschäden* [A guerra ininterrupta do Afeganistão motiva severos problemas ambientais], telepolis, 23 de agosto de 2007, em http://www.heise.de/tp/r4/ artikel/26/26020/1.html.

Roth, Wolf-Dieter: *Warum Terroristen töten?* [Por que os terroristas matam?], em http://www.heise.de/bin/tp/issue/r4/dl-artikel.cgi?artikilnr=221408& mode=print.

Rotter, Julian: *Clinical Psychology* [Psicologia Clínica], Nova York, 1964.

Rupnow, Dirk: *Vernichten und Erinnern. Spuren nationalsozialistischer Gedächtnispolitik* [Matar e recordar. Vestígios da política de recordação do nacional-socialismo], Göttingen, 2005.

Sáenz-Arroyo, Andrea *et alii*: *Rapidly Shifting Environmental Baselines Among Fishers of the Gulf of California* [A rápida mudança das bases de comparação ambientais entre os pescadores do Golfo da Califórnia], *Proceedings of the Royal Society* [Atas da Sociedade Real], 272/2005, pp. 1957-62.

Sageman, Marc: *Understanding Terror Networks* [Como entender as redes terroristas], Philadelphia, 2004.

Santarius, Tilman: *Klimawandel und globale Gerechtigkeit* [As variações climáticas e a justiça global], publicado em *Aus Politik und Zeitgeschichte* [Artigos sobre política e história contemporânea], 24/2007, pp. 18-24.

Schreiber, Wolfgang: *Sudan/Darfur* em *Arbeitsgemeinschaft Kriegsursachenforschung Universität Hamburg* [Grupo de estudos para pesquisas sobre as causas originais da guerra realizadas na Universidade de Hamburgo], Hamburgo, 2005, disponíveis no *site* www.sozialwiss.uni-hamburg.de/publish/Ipw/Akuf/ Kriege/301ak_sudan_darfur.htm,cf citado no relatório do *Wissenschaftliche Dienste des Deutschen Bundestages* [Serviço de Informações Científicas do Governo Federal Alemão], conforme publicado em *Der Darfur Konflikte – Genese und Verlauf* [O conflito de Darfur – Origem e Percurso], outubro de 2006.

Schütz, Alfred: *Tiresias oder unser Wissen von zukünftigen Ereignissen* [O adivinho Tirésias ou nossos conhecimentos sobre os acontecimentos futuros], publicado em *Gesammelte Aufsätze* [Obras reunidas], do mesmo autor, volume 2, Den Haag (Haia), 1972, pp. 259-278.

Schwarzer, Anke: *Das Lagersystem für Flüchtlinge* [O sistema dos campos de refugiados], publicado em *telepolis,* 21 de agosto de 2005, na página eletrônica http://www.heise.de/tp/r4/artikel/20/20764/1.html.

Schwelien, Michael: *Die Einfalltore* [A loucura causadora da queda], publicado em Die ZEIT, edição de 13 de outubro de 2005, n°. 42, na página eletrônica http://images.zeit.de/text/2005/42/Ceuta.

Sebald, W. G.: *Luftkrieg und Literatur* [A guerra aérea e a literatura], Frankfurt am Main, 2001.

Sebald, W. G.: *Die Ringe des Saturn* [Os anéis de Saturno], Frankfurt am Main, 2002.

Sebald, W. G.: *Austerlitz* [A batalha de Austerlitz], Frankfurt am Main, 2003.

Semelin, Jacques: *Säubern und Vernichten. Die politische Dimension von Massakern und Völkermorden* [Limpar e eliminar. A dimensão política dos massacres e genocídios], Hamburg, 2007.

Silverstein, Paul & Tetreault, Chantal: *Postcolonial Urban Apartheid* [Separação urbana pós-colonial], publicado em *Items and Issues* [Assuntos e problemas], 5 de abril de 2006, pp. 8-15.

Stern, Nicholas, em *The Stern Review on the Economics of Climate Change* [Relatório Stern sobre a Economia das Transformações Climáticas], Cambridge, 2007, http://www.hmtreasury.gov.uk/independent_reviews/stern_review_economics_climate_change/stern_review_supporting_documents.cfm.

Stern/dpa (Relatório Stern/*Deutschland Politik ausland* [Política exterior da Alemanha]): *Spanien beginnt mit Abschiebungen* [A Espanha já deu início à Separação], publicado a 7 de outubro de 2005, disponível na página eletrônica http://www.stern.de/politik/ausland/:Fl%Fcschtlingsdrama-Spanien-Abschiebungen/547229.html.

Straus, Scott: *The Order of Genocide: Race, Power, and War in Rwanda* [A ordem do genocídio: Raça, poder e guerra em Ruanda], Nova York, 2006, p. 154 (tradução Harald Welzer).

Strausberg, Hildegard: *Mexikaner protestieren gegen die neue Mauer* [Mexicanos protestam contra o novo muro], publicado em *Welt online,* 6 de outubro de

2006, http:/www.welt.de/print-welt/article157609/Mexikaner_protestieren_ gegen_die_neue_ Mauer.html.

Streck, Ralf: *"Massensterben"vor der Kanarischen Inseln* ["Mortes em massa" diante das Ilhas Canárias], *telepolis*, 24 de março de 2006, disponível na página eletrônica http://www.heise.de/tp/r4/artikel/22/22317/1.html.

Streck, Ralf: *Sechs Satelliten sollen Flüchtlinge aufspüren* [Seis satélites destinados a localizar refugiados], *telepolis*, 30 de maio de 2006, disponível na página eletrônica http://www.heise.de/tp/r4/artikel/22/22780/1.html.

Strome, Chris: *Contractor Problems Hold Up Border Fence Project* [Problemas com Empresas Terceirizadas adiam a instalação do projeto da cerca na fronteira], publicado em *Government Executive Magazine* [Revista do poder executivo], 7 de setembro de 2007, em http://www.govexec.com/ dailyfed/0907/090707cdpml.htm.

Sundhaussen, Holm: *Der "wilde Balkan". Imagination und Realität einer europäischen Konfliktregion Ost-West* [Os "Bálcãs Selvagens". Imaginação e realidade de uma região europeia conflituada entre o leste e o oeste], publicado na revista *Europäische Perspektiven* [Perspectivas Europeias] 1/1 2000, pp. 79-100.

Swatuk, Larry: *Environmental Security in Practice: Transboundary Natural Resource Management in Southern África.* [Segurança Ambiental na Prática: Administração de Recursos Naturais Transfronteiras na África Meridional], publicado em *Water Development and Cooperation: Lessons from Southern África and Euphrates-Tigris* [Administração e Cooperação Hídrica: Lições da África Meridional e dos rios Eufrates e Tigre], Bonn, 2004.

Swift, Jonathan: *Satiren und Streitschriften* [Sátiras e Panfletos polêmicos], München [Munique], 1993.

Tajfel, Henry: *Human Groups and Social Categories* [Os grupos humanos e as categorias sociais], Cambridge, 1981.

Todorova, Marija: *Die Erfindung des Balkans. Europas bequem Vorurteil* [A descoberta dos Bálcãs. Os cômodos preconceitos europeus], Darmstadt, 1999.

Tomasello, Michael: *Die kulturelle Entwicklung menschlichen Denkens* [O desenvolvimento cultural do pensamento humano], Frankfurt am Main, 2002.

Tuchman, Barbara: *Die Torheit der Regierenden. Von Troja bis Vietnam* [A loucura dos governantes: De Troia ao Vietnã], Frankfurt am Main, 2001.

United Nations Environment Programme [Programa Ambiental das Nações Unidas] (UNEP): *Sudan. Post-Conflict Environmental Assessment* [Sudão. Avaliação Ambiental após o conflito], Nairobi, 2007.

U. S. *Customs and Border Protection* [Serviço alfandegário e de proteção das fronteiras dos Estados Unidos]: *National Border Patrol Strategy* [Estratégia Nacional de Patrulha das Fronteiras], setembro de 2004.

U. S. *Customs and Border Protection* [Serviço Alfandegário e de Proteção das Fronteiras dos Estados Unidos]: *Securing America's Borders* [Como tornar seguras as fronteiras norte-americanas], setembro de 2006, disponível na página eletrônica http://www.cbp.gov/linkhandler/cgov/toolbox/about/mission/cbp_securing_borders.ctt/ cbp_securing_borders.pdf.

U. S. *Customs and Border Protection* [Serviço Alfandegário e de Proteção das Fronteiras dos Estados Unidos]: *Secure Border Iniciative: A Comprehensive Border Security Solution* [Iniciativa para a Segurança das Fronteiras: Uma solução abrangente para a segurança das fronteiras], *Secure Border Initiative Monthly* [Revista mensal da Iniciativa para a Segurança das Fronteiras] 1/1 2006, disponível na página eletrônica http://www.cbp.gov/linkhandler/cgov/border_security/sbi/sbi_monthly_newsletter/sbi_newsletter.ctt/ sbi_newsletter.pdf.

UNICEF/WHO: *Meeting the MDG Drinking Water and Sanitation Target. A Mid-Term Assessment of Progress* [Alcance dos Alvos de água potável e tratamento de esgotos dentro do programa Alvos de Desenvolvimento para o Milênio. Avaliação de Progresso na metade da aplicação do programa], 2005, disponível na página eletrônica http://www.unicef.org/wes/mdgreport/millenium.php.

Waldermann, Anselm: *Profitdenken schlägt Umweltschutz* [A busca de lucros derrota a defesa ambiental], publicado na revista *Spiegel-online*, 6 de setembro de 2007, em http://www.spiegel.de/wirtschaft/0,1518,504278,00.html).

Watson, Robert S. *et alii* (editores), *The Regional Impacts of Climate Change: An Assessment of Vulnerability. A Special Report of IPCC Working Group II* [Impactos regionais das mudanças climáticas: Avaliação da vulnerabilidade. Um relatório especial do Grupo de Trabalho II do IPCC], Cambridge, Massachusetts, 1997.

Wehner, Markus: *Werkzeug des Terrorismus* [Instrumentos do Terrorismo], *Frankfurter Allgemeine Sonntagszeitung*, 30 de setembro de 2007, p. 4.

Welzer, Harald, Montau, Robert & Plaß, Christine: *"Was wir für böse Menschen sind! Der Nationalsozialismus im Gespräch zwischen den Generationen* ["É por isso que dizem que nós somos gente má!" O nacional-socialismo conforme o discurso entre as gerações], Tübingen, 1997.

Welzer, Harald: *Albert Speers Erinnerungen an die Zukunft* [Lembranças de Albert Speer para o futuro], publicado em Straub, Jürgen (editor), *Erzählung, Identität und historisches Bewusstsein* [Relatos, identidade e consciência histórica], Frankfurt am Main, 1998, pp. 389-403.

Welzer, Harald, Möller, Sabine & Tschuggnall, Karoline: *"Opa war kein Nazi." Nationalsozialismus und Holocaust im Familiengedächtnis* ["Vovô nunca foi nazista!": O Nacional-Socialismo e o Holocausto na memória familiar], Frankfurt am Main, 2002.

Welzer, Harald: *Partikulare Vernunft. Über Soldaten, Ingenieure und andere Produzenten der Vernichtung* [Um tipo particular de consciência. A respeito dos soldados, engenheiros e outros produtores do extermínio], publicado por Aleida Assmann, Frank Hiddemann e Eckhard Schwarzenberger (editores), em *Firma Topf & Söhne – Hersteller der Öfen für Auschwitz* [A Empresa Topf e Filhos – Construtores dos fornos de Auschwitz], Frankfurt am Main, 2002, pp. 139-156.

Welzer, Harald: *"Täter. Wie aus ganz normalen Menschen Massermörder werden"* [Criminosos: Como pessoas perfeitamente normais se transformam em assassinos de massas], Frankfurt am Main, 2005.

Werle, Gerhard: *Völkerstrafrecht* [Direito penal dos povos], Tübingen, 2003.

Whorf, Benjamin Lee: *Language, Thought, and Reality* [Linguagem, pensamento e realidade], Cambridge, 1956.

Wieland, Leo: *Erste afrikanische Flüchtlinge nach Marokko abgeschoben* [Os primeiros refugiados africanos expulsos do Marrocos], *Frankfurter Allgemeine Zeitung* [Jornal de Frankfurt, edição internacional], 7 de outubro de 2005, p. 1.

Wirkus, Lars & Böge, Volker: *Afrikas internationale Flüsse und Seen. Stand und Erfahrungen in grenzenüberschreitenden Wassermanagement in Afrika an ausgewählten Beispielen* [Rios e lagos internacionais da África. Situação e experiências em administração hídrica através das fronteiras africanas conforme exemplos escolhidos], Artigo para discussão em simpósio, Bonn, 2005.

Wissenschaftliche Dienste des Deutschen Bundestages [Serviço de Informações Científicas do Governo Federal Alemão]: *Der Darfur Konflikte – Genese und Verlauf* [O conflito de Darfur – Origem e Percurso], outubro de 2006.

Wissenchaftlicher Beirat der Bundesregierung Globale Umweltveränderungen [Conselho Científico do Governo Federal Alemão para Consultas sobre as

Modificações do Ambiente Global] (WBGU): *Welt im Wandel – Herausforderung für die deutsche Wissenschaft. Zusammenfassung für Entscheidungsträger* [Um mundo em transformação – Desafio para a ciência alemã. Sumário para os encarregados de tomar as decisões], Bremerhaven, 1996.

Wissenchaftlicher Beirat der Bundesregierung Globale Umweltveränderungen [Conselho Científico do Governo Federal Alemão para Consultas sobre as Modificações do Ambiente Global] (WBGU): *Welt im Wandel – Sicherheitsrisiko Klimawandel* [Um mundo em transformação – Riscos de segurança provocados pelas variações climáticas], Berlin & Heidelberg, 2007.

Wolf, Aron T., Shira, Yoffe B. *et alii, Conflict and Cooperation over International Freshwater Resources: Indicators of Basins at Risk* [Conflito e Cooperação sobre Recursos Internacionais de Água Doce], publicado em *Journal of the American Water Resources Association* [Revista da Associação Americana de Recursos Hídricos], 39/5, 2003, pp. 1109-1126.

Zartman, William: *Introduction: Posing the Problem of State Collapse* [Introdução: Descrição do problema do colapso de uma nação], publicado por I. William Zartman, editor, em *Collapsed States: The Disintegration and Restoration of Legitimate Authority* [Nações em colapso. Desintegração e restauração de uma autoridade legítima], Boulder, Colorado, 1995, pp. 1-11.

Zimmerer, Jürgen: *Krieg, KZ und Völkermord in Südwestafrika* [A Guerra, os Campos de Concentração e o Genocídio na África do Sudoeste], publicado em Jürgen Zimmerer e Joachim Zeller (editores): *Völkermord in Deutsch--Südwestafrika. Der Kolonialkrieg (1904-1908) in Namíbia und seine Folgen* [Genocídio na África do Sudoeste Alemã. A Guerra colonial (1904-1908) na Namíbia e suas Consequências], Berlin 2003.

Zinecker, Heidrun: *Gewalt im Frieden. Formen und Ursachen der Nachkriegsgewalt in Guatemala* [A Violência durante a Paz. Formas e causas iniciais da violência pós-guerra na Guatemala], *HSFK-Report* (Relatório do *Hessische Stiftung Frieden- und Konfliktforschung* [Fundação hessiana para pesquisas sobre a paz e os conflitos]), 8/2006.

AGRADECIMENTOS

A ideia de escrever um livro sobre as consequências das variações climáticas e da violência resultante já é bastante antiga em minha mente, desde o tempo em que a redação de alguma coisa programática sobre as disciplinas filosóficas e culturais foi sugerida por gentileza de meus colegas desde meu trabalho no projeto "ZEIT" [O Tempo], no Ano da Filosofia – uma oportunidade agradável de estudar os processos de transformação sociais de profundo alcance que estávamos assistindo no momento. "Aquilo que nós atualmente chamamos de 'variações climáticas', segundo parece, se tornará o maior desafio social da modernidade – principalmente porque surge a pergunta inevitável sobre o que poderemos fazer com as massas de refugiados que não poderão mais subsistir nos lugares de onde saíram e que irão querer buscar oportunidades de sobrevivência pela partilha das terras mais privilegiadas. Por meio das pesquisas sobre os genocídios sabemos perfeitamente como é fácil que a solução de problemas sociais seja buscada mediante definições radicais manifestadas por comportamentos mortíferos e abrangentes e, deste modo, poderemos investigar, mediante uma sondagem destes acontecimentos, se a sociedade humana pode ou não aprender com a história." Estas palavras, talvez escritas então com entusiasmo excessivo se modificaram imediatamente e de forma característica em um convite para mim mesmo no sentido de que pensasse por mais tempo e com maior cuidado sobre o referido projeto. Contudo, foi Elisabeth von Thadden, responsável pelo programa "ZEIT" que, de certo modo inconscientemente, me deu o primeiro impulso para redigir "Guerras Climáticas". Um outro impulso mais amplo e mais importante surgiu de meu trabalho com Tobias Debiel em projeto conjunto sobre *"Failing Societies"* [Sociedades Fracassadas] – por meio do qual aprendi muito a respeito das sociedades dilaceradas. Um dos gráficos apresentados neste livro provém do periódico extremamente importante *"Globale Trends"* [Tendências Globais], publicado por Tobias Debiel juntamente com Dirk Messner e Franz Nuscheler – o qual agradeço com grande entusiasmo.

Além disso, houve muitas pessoas que me ajudaram a realizar as pesquisas necessárias para escrever este livro – Scharsad Amiri, Karin Schürmann, Jacques Chlopzyk, David Keller, Christian Gudehus, Bernd Sommer, Alfred Hirsch e, muito especialmente, Sebastian Wessels merecem meus agradecimentos neste espaço por seus esforços, cuidados e envolvimento. Segue também um grande obrigado para Romuald Karmakar por suas avaliações e sugestões. O Instituto de Ciências Culturais em Essen me amparou tremendamente por meio de Claus Leggewie, Ludger Heidbrink, Jörn Rüsen e Norbert Jegelka, que não apenas me propiciaram a atmosfera cordial tão necessária para a execução de um projeto tão abrangente como "Guerras Climáticas", mas igualmente, em muitas oportunidades, discutiram temas e pensamentos individuais e me apresentaram suas críticas construtivas. Um agradecimento muito grande também vai para Dana Giesecke, que não somente realizou pesquisas intensivas para este livro e descobriu assiduamente valiosos registros, como também apresentou críticas firmes aos critérios literários do autor, através das quais numerosas redundâncias e verbosidades retóricas foram poupadas aos leitores e leitoras deste livro. Seu interesse permanente me prestou um grande auxílio. E finalmente envio meus agradecimentos a todos os meus contatos na editora que trabalharam para a edição deste livro, particularmente a Peter Sillem e Anita Jantzer e, de modo ainda mais especial, a Heidi Borhau e Walter Pehle.

INFORMAÇÕES SOBRE A
GERAÇÃO EDITORIAL

Para saber mais sobre os títulos e autores
da **GERAÇÃO EDITORIAL,**
visite o site www.geracaoeditorial.com.br
e curta as nossas redes sociais.

Além de informações sobre os próximos lançamentos,
você terá acesso a conteúdos exclusivos
e poderá participar de promoções e sorteios.

geracaoeditorial.com.br

/geracaoeditorial

@geracaobooks

@geracaoeditorial

Se quiser receber informações por *e-mail*,
basta se cadastrar diretamente no nosso *site*
ou enviar uma mensagem para
imprensa@geracaoeditorial.com.br

GERAÇÃO EDITORIAL

Rua Gomes Freire, 225 – Lapa
CEP: 05075-010 – São Paulo – SP
Telefax: (+ 55 11) 3256-4444
E-mail: geracaoeditorial@geracaoeditorial.com.br